AutoCAD LT 2022
2018 2019 2020 2021
対応

本書と連動したスマホ対応音声付き
動画400本以上を無料で利用可能

初心者から実務者まで すぐに役立つ！

AutoCAD LT
標準教科書

AUTODESK
Authorised Developer

中森 隆道 著

Web 専用ページから
データを取得できます
動画、クラウド教科書を
随時更新しています

スマホ用
QRコード

【第1部・機能編 / 第2部・製図編】

● 本書で使用したCADデータを収録しています
● CAD部品（電気設備・空調設備・土木・仮設・地図記号）
　　〈全1003ファイル〉
● （旧版）：建設工事標準詳細図〈101ファイル〉
　　土木構造物標準詳細図〈192ファイル〉
● ハッチングパターン（地質系〈62種類〉・建築系〈7種類〉）
● 線種（地図線〈5種類〉・特殊線〈2種類〉・SXF線種〈14種類〉）

本書と連動した音声付き動画は下記の URL でご覧いただ
けます（無料）。

PC・タブレット
https://www.ellipse.ne.jp/douga/LT2022.html
スマートフォン
https://www.cloud.ellipse.ne.jp/douga/LT2022.html
QR コード

本書で使用しました CAD 図面や仕事で有用な CAD 部品、
ハッチング パターン、線種等のダウンロード方法は目次
の後に記載しています。

はじめに

　本書は AutoCAD LT 2022 対応の解説書です。
　2 部構成となっており、第 1 部では AutoCAD LT の基本的な機能の解説、第 2 部では機能の応用と印刷方法の実習を兼ねて、建築図面と機械図面の製図方法を解説しています。

　第 1 部 [機能編 (リファレンス)] の解説では、以下の点に考慮して記述しました。
①他の書籍では触れられることの少ない「ダイナミック ブロック」「異尺度対応図」
　「印刷スタイルと印刷方法」について特に章を設けて詳細に解説しました。
②解説に使用した図面は実務で作成した図を多く使用しました。解説のためのその場限りの図面ではないので、実際の図面がどのように作成されているのかを体感的に理解して頂けるものと考えています。
③また、LT2022 の新機能 (カウント) や改善された機能（スタートタブ）も丁寧に詳しく解説しました。
　特に「図面比較」と「ブロック挿入」は、2019 版と 2022 版の違いを記述しています。

　第 2 部 [製図編 (チュートリアル)] の解説では、以下の点に考慮して記述しました。
①建築図も機械図も実際に使用した図面です。白紙の用紙から完成図が出来上がるまでの過程を良く理解して頂けることを主眼に解説しています。
②建築図、機械図ともに製図を始めるにあたっての初期設定が済んでいますから、このまま実務の設計業務に利用して頂けることが可能です。

　本書は 500 ページもの分量がありますが、それでも AutoCAD LT の膨大な機能を説明しきれないことを痛感します。
　そのため、Web サイトに [クラウド教科書] というコーナーを設けて、本書 [標準教科書] では説明しきれなかった機能やテクニックを解説しております。
　また 400 本以上の動画も提供していますので、動画を視聴しながら本書を利用されると、より一層 AutoCAD LT の機能をご理解して頂けると確信しています。

　本書 [標準教科書] が静的な解説書とすれば、[クラウド教科書] は動的な解説書です。本書を手元に置きながら、多くの動画や最新の CAD データを [クラウド教科書] から取得して頂ければ幸いです。
　本書の CAD データ以外では、筆者が 30 年近く CAD 設計や CAD 教育で蓄積してきました膨大な CAD データも入手できますので、必ずや実務でもお役に立てることを信じています。

　本書が日本のクニ創り、モノ造りを目指す方々の一助になれることを切に願っています。

令和三年 卯月
著者 中森隆道

第1部 機能編

第1章 画面構成

第 2 章　基本操作

第3章　図面設定

第4章　図面管理

第5章　作成機能

第 6 章　修正機能

第7章 寸法機能

第8章　外部ファイル

第2部　製図編

第1章　製図の手順

第2章　建築用テンプレート

第 5 章　機械図面作成

Index （索引）

本書で使用した CAD 図面のご案内

本書で使用した CAD 図面は以下の Web ページにございます。

https://www.ellipse.ne.jp/acad.html

本書に関するご質問の回答と本書の追加解説および訂正等を掲載いたします。
本書の内容に関するご質問は次のメールアドレスにお送りください。

acad@ellipse.ne.jp

回答及び解説は上記の Web ページに掲載いたします。個別には対応致しかねますので
ご了承ください。

CAD ファイル（データ）一覧	
①	本書で使用した CAD データを収録しています。<88 ファイル>
②	CAD 部品 (電気設備・空調設備・土木・仮設・地図記号) <1003 ファイル>
③	(旧版)：建設工事標準詳細図 <101 ファイル>・土木構造物標準詳細図 <192 ファイル>
④	ハッチング パターン (地質系 <62 種類 >・建築系 <7 種類 >)
⑤	線種 (地図線 <5 種類 >・特殊線 <2 種類 >・SXF 線種 <14 種類 >)

①本書で使用した CAD データ (2013DWG 形式)		
第 1 部（57 ファイル）		第 2 部（31 ファイル）
第 4 章 (中部国際空港 .dwg)	第 6 章 (建築断面図 .dwg)	第 7 章 (水栓金具 .dwg)
	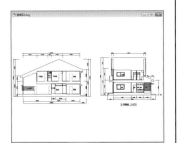	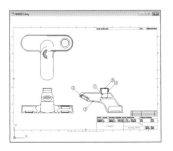
第 9 章 (ダイナミック ブロック .dwg)	第 2 部 (建築図面 .dwg)	第 2 部 (機械図面 .dwg)
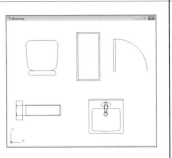		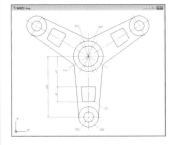

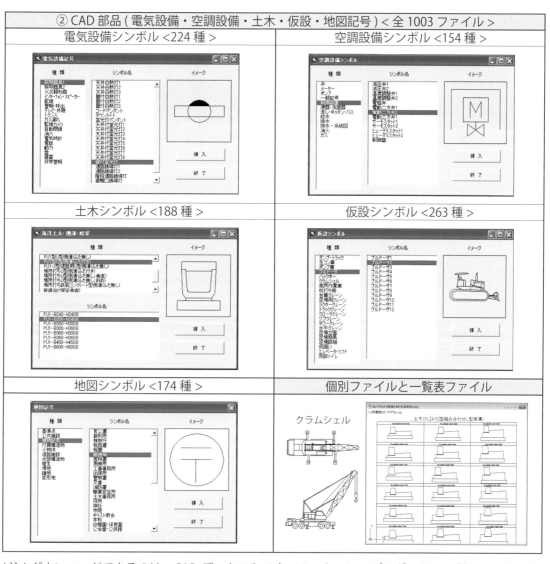

（注）ダウンロードできるのは、CAD データのみです。VisualBasic のプログラムはご利用頂けません。

（注）旧建設省営繕部編集・発行の「標準詳細図」を参考にして AutoCAD で作成した図です。

今の仕様と少し異なりますので、ご利用される時は修正してお使いください。

④ハッチングパターン (地質系 <62 種類 >・建築系 <7 種類 >)
地質系・建築系ハッチング (ご利用方法も記述してあります。)

⑤線種 (地図線 <5 種類 >・特殊線 <2 種類 >・SXF 線種 <14 種類 >)
地図線・特殊線 (ご利用方法も記述してあります。)

種別	線 種 　(地図線)
都府県境	
北海道支庁界	
都市、都の境界	
町村、指定都市界	
大字、町、丁目界	

種別	線 種 　(特殊線)
ブロック	
擁壁	

SXF 線種 (AutoCAD SXF Linetype)

*SXF_ 破線 ,02 dashed -- -- -- -- -- --
A,6,-1.5
*SXF_ 跳び破線 ,03 dashed_spaced -- -- -- --
A,6,-6
*SXF_ 一点長鎖線 ,04 long_dashed_dotted ---- . ---- . ----
A,12,-1.5,0.25,-1.5
*SXF_ 二点長鎖線 ,05 long_dashed_double-dotted ---- . . ----
A,12,-1.5,0.25,-1.5,0.25,-1.5
*SXF_ 三点長鎖線 ,06 long_dashed_triplicate-dotted ---- ... ----
A,12,-1.5,0.25,-1.5,0.25,-1.5,0.25,-1.5
*SXF_ 点線 ,07 dotted . . . .
A,0.25,-1.5
*SXF_ 一点鎖線 ,08 chain ---- - ---- - ---- - ---
A,12,-1.5,3.5,-1.5
*SXF_ 二点鎖線 ,09 chain_double_dash ---- - - ---- - - ----
A,12,-1.5,3.5,-1.5,3.5,-1.5

*SXF_ 一点短鎖線 ,10 dashed_dotted -- . -- . -- . --
A,6,-1.5,0.25,-1.5
*SXF_ 一点二短鎖線 ,11 double-dashed_dotted -- -- . -- --
A,6,-1.5,6,-1.5,0.25,-1.5
*SXF_ 二点短鎖線 ,12 dashed_double_dotted -- . . -- . . --
A,6,-1.5,0.25,-1.5,0.25,-1.5
*SXF_ 二点二短鎖線 ,13 double-dashed_double-dotted -- -- . . -- --
A,6,-1.5,6,-1.5,0.25,-1.5,0.25,-1.5
*SXF_ 三点短鎖線 ,14 dashed triplicate-dotted -- . . . -- . . . --
A,6,-1.5,0.25,-1.5,0.25,-1.5,0.25,-1.5
*SXF_ 三点二短鎖線 ,15 double-dashed triplicate-dotted -- -- . . . -- --
A,6,-1.5,6,-1.5,0.25,-1.5,0.25,-1.5,0.25,-1.5

CAD 図面ファイル (acad.zip) の使用方法

① acad.zip のダウンロード (https://www.ellipse.ne.jp/acad.html)

acad.html の先頭に [acad.zip] の圧縮ファイルがあります。
マウスでクリックしてダウンロードを開始します。

画面の左下に [acad.zip] の文字が表示されますから、ダブルクリックして解凍します。
acad.zip は圧縮ファイルですから、解凍ソフトが必要です。
（Windows10 には標準で付属しています。）

② acad.zip の解凍 (Win10 の場合)

①ダウンロードした [acad.zip] をマウスで右クリックして [解凍] 又は [展開] を選択します。
　解凍場所はどこでも構いません。（下図ではデスクトップを選んでいます。）
②解凍すると、acad という名のフォルダが作成されています。

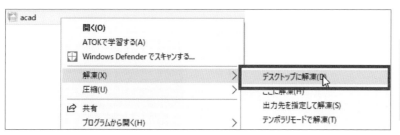 

③ acad フォルダの確認

acad フォルダの中には、「第1部」と「第2部」のフォルダがあります。
「第1部」には「標準教科書」の「第1部」で使用した図面が入っています。
「第2部」には「標準教科書」の「第2部」で使用した図面が入っています。

クラウド教科書の補足

❶ クラウド教科書の補足　https://www.ellipse.ne.jp/acad.html

① acad.html に「クラウド教科書」補足のコーナーがあります。

「クラウド教科書」の応用編ともいうべき内容を解説しています。

尚、この「クラウド教科書」補足の内容は固定ではなく、随時追加しています。

クラウド教科書	
標準教科書[第１部 機能編]で説明しきれなかった解説　→　[Deep Lesson]へ	
標準教科書[第２部 製図編]で説明しきれなかった解説　→　[More Study]へ	
AutoCAD/LTのちょっとしたアイデア　→　[How To Trouble]へ	
AutoCAD LT コマンド一覧(PDF)	AutoCAD システム変数一覧(PDF)

② 「動画で学ぶ」シリーズ　全４００本以上の音声付き動画を視聴できます。

「動画で学ぶ」シリーズ	
AutoCAD/LT 2022 新機能	[AutoCAD/LT 2022] の新機能を動画で解説
動画で学ぶ「LT 標準教科書」	[AutoCAD LT 標準教科書] を動画で解説
動画で学ぶ「システム変数」	[AutoCAD のシステム変数] を動画で解説
動画で学ぶ「建築製図」	[建築製図 (RC 造)] を動画で解説
動画で学ぶ「機械製図」	[機械製図 (二面図)] を動画で解説

❷　スマートフォン用の「クラウド教科書」

[DeepLesson] と [HowToTrouble] にある QR コードからは
スマートフォン用の「クラウド教科書」が閲覧できます。
尚、[MoreStudy] や [コマンド一覧][システム変数一覧] を
閲覧するには、「PDF ビューワ」が必要です。

https://www.cloud.ellipse.ne.jp

ここからでも入れます。

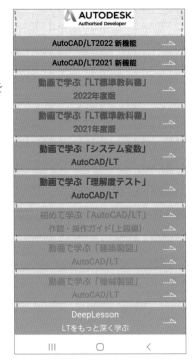

第 1 部
機 能 編

第 1 章　画面構成

AutoCAD LT を起動するには、どうすればよいのでしょう。
AutoCAD LT の画面構成はどのようになっているのでしょう。

この章では、
リボンメニューや
プルダウンメニュー、
ショートカットメニューの
使い方を学びます。

第1節　　AutoCAD LT 2022 の起動と終了

1 AutoCAD LT 2022 を起動する

1 ［AutoCAD LT 2022］の起動

① ［ショートカット］から起動する

 デスクトップにある [AutoCAD LT 2022] のアイコンをダブルクリックします。

② ［スタート］から起動する － [AutoCAD LT 2022 - 日本語 (Japanese)] をクリックします。

 ⟶

2 ［最新］ページ

下図は AutoCAD LT 2022 のスタート画面です。このスタート画面には 3 つのページがあります。
最初に表示されるのは、［最新］ページです。他のページを開くには [Autodesk Docs] や [学習] を
指示します。

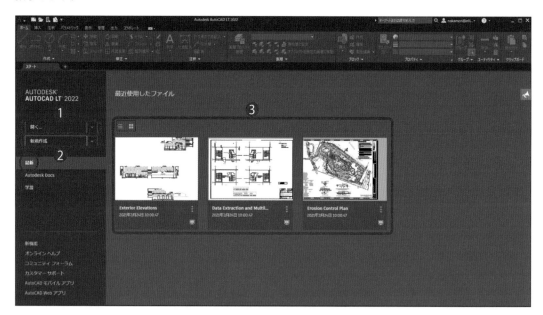

[最新] ページ		
①	開く	[ファイルを開く][シートセットを開く][サンプル図面を参照] 等すでに作成済みの図面を選択します。
②	新規作成	新しく図面を作成するときのテンプレートを選択します。 またシートセットの作成は、この作成ウィザードを使用します。
③	最近使用したファイル	直近で使用したファイルが表示されます。 ▦ ボタンは図面、▤ ボタンは文字で履歴が表示されます。

❸ [開く ...][新規作成]

プルダウンメニュー（ドロップダウンリスト）からは、
既存のファイル (dwg , dxf , dwt) やシートセット (dst) を
開きます。
また、Autodesk が提供するサンプル図面を利用できます。

[開く ...]

ファイルを開く...	1
シート セットを開く...	2
サンプル図面を参照...	3

新規作成

プルダウンメニュー（ドロップダウンリスト）からは、
直近で使用したテンプレートファイルが表示されます。
ここに表示されていないテンプレートを使用するときは、
[テンプレートを参照 ...] から他のテンプレートを選びます。
また、Autodesk のサイトからテンプレートをダウンロード
して使用できます。
[シートセットを作成 ...] では、作成のウィザードに従って
シートセットを作成できます。

[新規作成]

テンプレート	
acadltiso.dwt	4
テンプレートを参照...	5
他のテンプレートをオンラインで取得...	
シート セット	
シート セットを作成...	6

[開く ...][新規作成]		
①	ファイルを開く ...	既存の図面 (dwg , dxf , dwt) を開きます。
②	シートセットを開く ...	シートセット (dst) を開きます。
③	サンプル図面を参照 ...	Autodesk 提供のサンプル図面 (dwg , dxf , dwt) を開きます。
④	acadltiso.dwt	直近で使用したテンプレート ファイルが表示されます。
⑤	テンプレートを参照 ...	上記のテンプレート以外のテンプレートのフォルダを開きます。
⑥	シートセットを作成 ...	シートセット (dst) を新規に作成します。

新規図面の初期画面 (赤枠の中が作図領域)

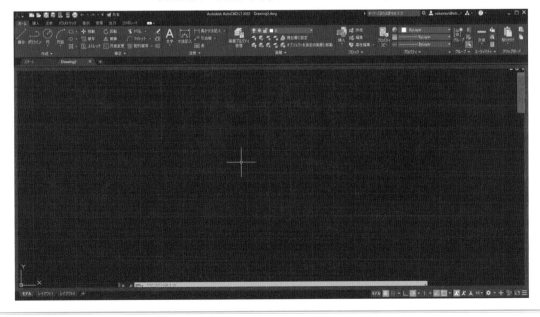

画面構成

④ [学習]ページ

[学習]ページでは、[ビデオ]から音声付き動画で学習できます。

また、[ヒント]や[オンライン ヘルプ]でより詳細に AutoCAD LT を学ぶことができます。

そして[オンライン リソース]では、トレーニング用の資料を Web サイトから取得できます。

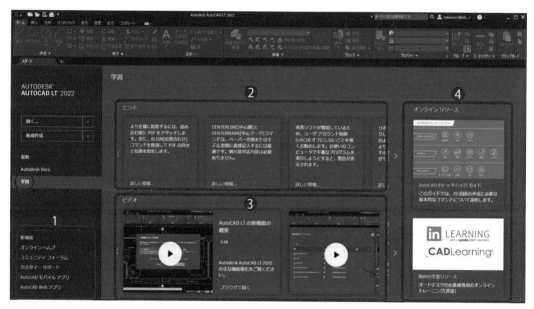

	[学習]ページ	
①	Autodesk Web サイト	Autodesk の[オンラインヘルプ]や[サポート]を閲覧できます。
②	ヒント	Autodesk の Web サイトのヘルプで詳細に学習できます。
③	ビデオ	AutoCAD LT 2022 の新機能が音声付きビデオで学習できます。
④	オンライン リソース	Autodesk の Web サイトからリソースを取得できます。

⑤ [オンライン ヘルプ]の利用

Autodesk の Web サイトから詳細なヘルプを閲覧することができます。

① AutoCAD LT の一番右上の ❓ から[ヘルプ]を選びます。

2 AutoCAD LT 2022 を終了する

1 [アプリケーション メニュー] から終了する

① [アプリケーション メニュー] の一番右下の Autodesk AutoCAD LT 2022 を終了 を選びます。

②保存の画面で [はい] または [いいえ] を選びます。
[はい] を選んだときは、[名前を付けて保存] の
ダイアログが表示されます。

2 AutoCAD LT 2022 の [ウィンドウズ] から終了する

① AutoCAD LT の一番右上の×印を選びます。（上の②と同じ画面が表示されます。）

図面ファイルの終了ボタン (LT は終了しない)　　　　　　　　　　　　　　LT の終了ボタン

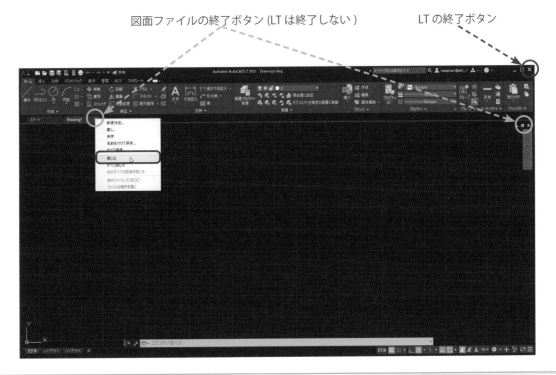

画面構成

画面構成

3 画面の背景色の変更

1 [オプション]から変更する

①作図領域内でマウスの右ボタンを押すと、[ショートカット メニュー]が表示されます。
その一番下の[オプション]を選択します。

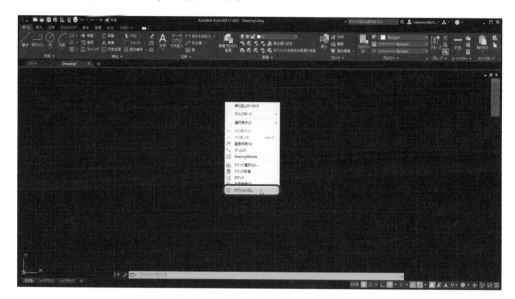

②[オプション]ダイアログの[表示]タブを開きます。
[ウィンドウの要素]内の ［ 色(C)… ］ を指示します。(図1)

③[コンテキスト]の[2D モデル空間]を選び、[インターフェース要素]から[背景]を
選びます。次に右の<色>選択から白を選び、［ 適用して閉じる(A) ］を選びます。(図2)

(図1)

(図2)

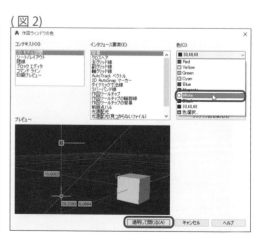

 設定を初期値に戻すときは ［ 現在の要素を復元(R) ］ ボタンを押します。

4 画面のグリッド表示

① 画面の [グリッド] を非表示にする

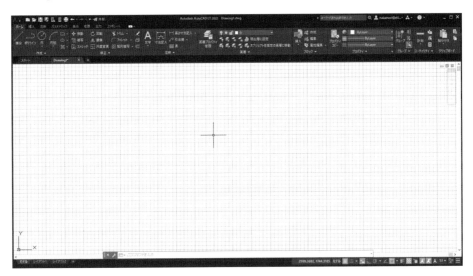

①作図領域内に表示されるグリッドの表示を切り替えるには、

　画面の一番下にある [ステータス バー] の [作図グリッドを表示] をクリックします。

② [ステータス バー] の [作図グリッドを表示] をクリックするごとに、表示の ON と OFF が

　切り替わります。

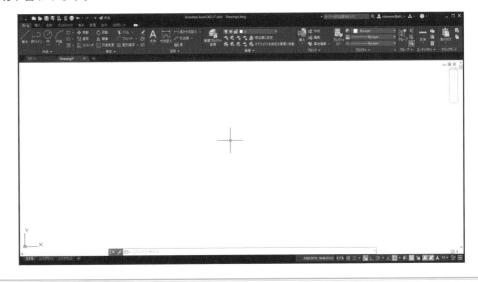

画面構成

5 モデル空間とレイアウト空間

1 [モデル空間] では実寸で作図して、図枠も印刷の逆数の大きさにして配置する

① [モデル空間] では実寸の大きさで作図します。

②図枠をモデル空間に配置します。

　A3 用紙で 1/100 の尺度で印刷をする場合は、図枠をあらかじめ 100 倍の大きさにして配置します。

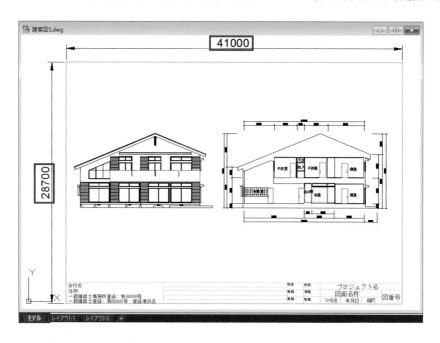

　上図では、図枠が横 41000 ミリ、縦 28700 ミリになっていますので、この図面を 1/100 で印刷した場合、図枠の横は 410 ミリ、縦は 287 ミリで印刷されます。

❷ [レイアウト空間] では印刷用紙に合わせるために縮小して配置する

① [モデル空間] で作図した図面を印刷するために [レイアウト空間] に配置します。

[レイアウト空間] では印刷する用紙を配置して、その中に収まるように図面を縮小して配置します。

②図枠をレイアウト空間に配置します。

A3 用紙で 1/1 の尺度で印刷をする場合は、図枠を A3 用紙と同じ大きさにして配置します。

上図では、図枠が横 410 ミリ、縦 287 ミリになっていますので、この図面を 1/1 で印刷した場合、図枠の横は 410 ミリ、縦は 287 ミリで出力されます。（同じ大きさ）

A3 の用紙に図形を配置する時点で、1/100 とか 1/50 にしますので、印刷の尺度は 1/1 になります。

画面構成

第2節　　AutoCAD LT のインターフェース

1　AutoCAD LT のインターフェース

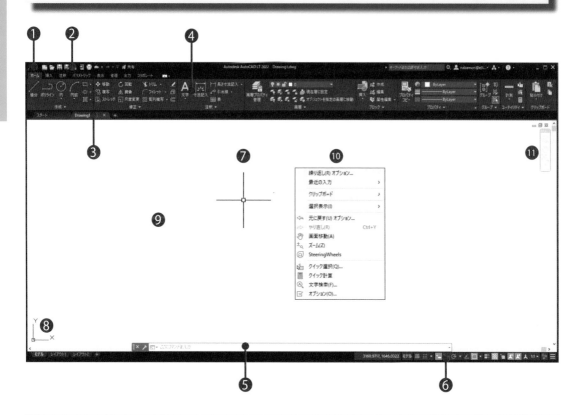

画面のインターフェース	
① アプリケーションメニュー	[新規作成][保存][印刷] 等、主要なコマンドを実行します。
② クイックアクセスツールバー	頻繁に使用するツール ([新規作成][保存][印刷] 等) があります。
③ ファイルタブ	現在オープンしている図面名が表示されます。
④ リボンメニュー	コマンドに関連付けられたツールパレットで、ツールやコントロールが含まれます。
⑤ コマンドウィンドウ	コマンドラインでコマンドを手入力しても、リボンでコマンドを選択しても、すべてのコマンドはコマンドラインに表示されます。
⑥ ステータスバー	作図補助機能のオン / オフをコントロールします。
⑦ マウスカーソル	カーソルの種類にはいくつかあります。状況によってカーソルの形状は異なります。
⑧ UCS アイコン	現在の座標系を作図領域内で示します。
⑨ 作図領域	図面を作成していく領域です。
⑩ ショートカットメニュー	作図領域内で右クリックすると表示されます。メニュー内のツールやオプションを使用できます。
⑪ ナビゲーション バー	画面移動やズームなどの画面操作のツールがあります。

① [アプリケーションメニュー]

リスト順	使用した順に表示
日付順	日付ごとに表示
サイズ順	ファイル サイズ順に表示
種類順	ファイル名を降順に表示

①	新規作成	新しい図面を作成します。テンプレートを使用することも既図面を利用して新規図面として使用することもできます。
②	開く	既図面を開きます。DWG ファイル以外の図面も可能です。
③	上書き保存	作業中の図面をそのまま [上書き保存] します。
④	名前を付けて保存	初めて図面を保存するときに、ダイアログが表示されます。
⑤	読み込み	DWG 形式以外のファイルを読み込みます。(PDF、DGN 等)
⑥	書き出し	DWG 形式以外のファイルに書き出します。(DWF、PDF、DGN 等)
⑦	パブリッシュ	電子メールの添付ファイル作成やアーカイブしてパッケージ化します。
⑧	印刷	作成した図面を印刷します。印刷スタイルやページ設定も行います。
⑨	図面ユーティリティ	図面を監査したり、エラーを修復する機能があります。
⑩	閉じる	現在オープンしている図面を閉じます。
⑪	リスト順	図面の表示を [リスト順][日付順][サイズ順][種類順] から指定します。
⑫	最近使用したドキュメント	直近に使用した図面ファイルが表示されます。
⑬	オプション	図面の設定を行うダイアログが表示されます。
⑭	終了	AutoCAD LT を終了します。

❷［クイック アクセス ツールバー］

①	クイック新規作成	新しい図面を作成します。テンプレートを使用することも既図面を利用して新規図面として使用することもできます。
②	開く	既図面を開きます。DWG ファイル以外の図面も可能です。
③	上書き保存	作業中の図面をそのまま [上書き保存] します。
④	名前を付けて保存 ...	初めて図面を保存するときに、ダイアログが表示されます。
⑤	Web およびモバイルから開く	Autodesk Web & Mobile Account から図面を開きます。
⑥	Web およびモバイルに保存	図面を Autodesk Web & Mobile Account に保存します。
⑦	印刷	作成した図面を印刷します。ファイルに出力することも可能です。
⑧	元に戻す (UNDO)	コマンドを図面の開始時までさかのぼって戻すことができます。
⑨	やり直し (REDO)	UNDO の操作の直後に使用できます。

❽ UNDO コマンド

❾ REDO コマンド

Point!

・[元に戻す] ための情報は、現在の図面においてのみ保存されています。
　一度図面を閉じて再度開いた場合は、前回実行した手順を元に戻すことはできません。
・REDO[やり直し] コマンドは、元に戻す操作の直後にのみ使用できます。
・[元に戻す] 操作は無限に行えます。
・コマンドラインで [UNDO] と入力すると、[元に戻す] オプションが表示されます。
　オプションの使用して一度に複数の操作を元に戻すことができます。
・コマンドラインで [MREDO] と入力すると、[やり直し] オプションが表示されます。
　操作の個数を入力 したり、[すべて (A)/ 最後 (L)] のオプションを指定できます。

③ [ファイルタブ]

①図面を新規で開いたときは <Drawing1> になっています。

②既存の図面を開いたときは図面名 < 例：機械 (レイアウト 4- 完成)> が表示されます。

③複数の図面を開いているときに [表示] タブ -> [インタフェース] パネル -> [左右に並べて表示] で左右同時に表示できます。

 [ファイルタブ] のファイル名を見ることによって、現在どのファイルがオープンされているか確認できます。

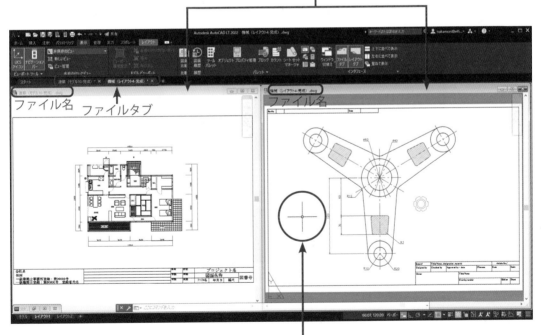

ファイル名　ファイルタブ

ファイル名

[十字カーソル] がある図面がアクティブなファイルになります。

画面構成

画面構成

❹ ［リボンメニュー］

リボンメニュー		
①	タブ	コントロールパネルのタイトルを表示します。
②	パネル	関連するグループが含まれます。
③	パネル グループ	同類のコマンドのグループが表示されます。 下矢印のあるパネルは、その下にもコマンドがあります。
④	ダイアログボックス ランチャー	関連する設定ダイアログが表示されます。

① ［タブ］

② ［パネル］

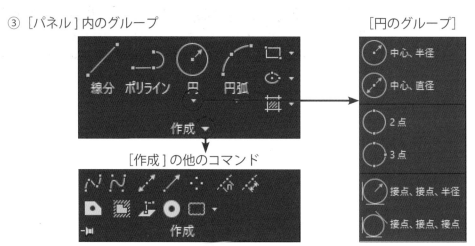

③ ［パネル］内のグループ

[円のグループ]

[作成]の他のコマンド

④ ［パネル ダイアログボックス ランチャー］

5 ［コマンドウィンドウ］と［入力デバイス］

コマンドウィンドウでは、コマンド処理の各段階で一連のオプションを選択するよう表示したり、要求に従って関連する数値や文字の入力を行います。

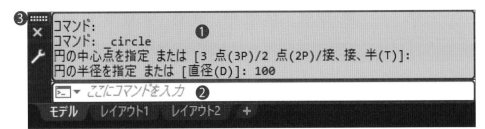

①コマンドウィンドウの上部①には、コマンドの履歴が表示されています。実行したコマンド内で使用した数値や文字、オプションが表示されます。

②コマンドウィンドウの下部②はコマンドラインです。入力はコマンドラインのカーソルの位置で行います。また、コマンドラインに数値や文字を入力したあとは、必ず Enter キーを押します。

③コマンドウィンドウは通常、作図ウィンドウの最下部に表示されていますが、画面内のどこにでも移動させることができます。③

💡 マウスで赤枠内を指示して、移動させます。

キーボード		
①	Esc キー	現在のすべての操作をキャンセルし、［コマンド:］状態に戻ります。
②	Enter キー	キーボード入力の後で、Enter キーを押すことで入力が完了します。
③	Space キー	Space キーは Enter キーと同じです。
④	上下矢印キー	前に使用したコマンドが循環してコマンドラインに表示されます。
⑤	Tab キー	ダイアログ ボックス内の項目移動のときに使います。

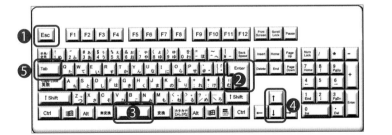

マウス (ポインティング デバイス)		
⑥	左ボタン	メニューや図形の選択、座標点の指示に使います。
⑦	右ボタン	ショートカットメニューの表示に使います。
⑧	ホイールボタン	ボタンを回すと画面の拡大・縮小、押したままで動かすと 画面移動、ダブルクリックで図形範囲をズームします。

6 ［ステータスバー］

現在の図面設定に関する情報 (カーソルの座標やモード設定など) をコントロールします。

［ステータスバー］の役割	
①	カーソルの座標 (X,Y) が表示されます。
②	モデル空間とレイアウト空間を切り替えます。
③	グリッド機能の ON・OFF を切り替えます。
④	スナップ機能の ON・OFF を切り替えます。
⑤	ダイナミック入力の ON・OFF を切り替えます。
⑥	直交モードの ON・OFF を切り替えます。
⑦	極トラッキング機能の ON・OFF を切り替えます。
⑧	オブジェクト スナップ トラッキング機能の ON・OFF を切り替えます。
⑨	オブジェクト スナップ機能の ON・OFF を切り替えます。
⑩	線の太さの表示と非表示を切り替えます。
⑪	透過性の ON・OFF を切り替えます。
⑫	選択の循環の ON・OFF を切り替えます。
⑬	すべての注釈尺度の異尺度対応オブジェクトを表示します。
⑭	注釈尺度が変更された時に自動的にその尺度を異尺度対応オブジェクトに追加します。
⑮	現在のビューの注釈尺度を表示します。
⑯	クイック プロパティの ON・OFF を切り替えます。

［ステータスバー］の右クリック
スナップ、グリッド、直交モード、OSNAP 等の上で右クリックすると設定ダイアログが使用できます。

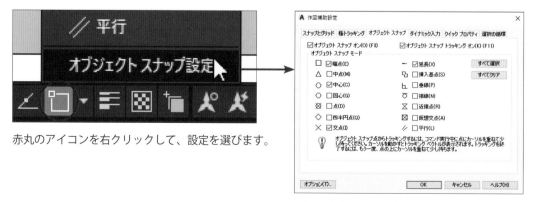

赤丸のアイコンを右クリックして、設定を選びます。

［作図補助設定］のダイアログが表示されます。

⑦ [マウスカーソル] の形状

	[クロスヘア] と [ピックボックス] の組み合わせ コマンドやツールなど何も選択していないときの形状です。	
	[クロスヘア] コマンドを選択し、座標点の指示を行うときの形状です。	
☐	[ピックボックス] 図形の編集時などにオブジェクトを選択するときの形状です。	
	[矢印] コマンドやオプションを選択するときの形状です。	
		[手のひら] 画面移動するときの形状です。
		[拡大・縮小] リアルタイムズームのときの形状です。

画面構成

⑧ [UCS アイコン]

ワールド座標系 　　　　　　　　ユーザー座標系

① UCS アイコンは現在の座標系を作図領域内で示すアイコンです。
② 既定の設定では、作図領域内に原点がある場合は原点に、作図領域外に原点がある場合は画面左下に UCS アイコンが表示されます。
③ 現在の座標系がワールド座標系のときは UCS アイコンの原点部分が四角い枠で示され、ユーザー座標系のときは枠は表示されません。

　　💡 プルダウンメニューの [表示] -> [表示設定] -> [UCS アイコン] ->[プロパティ] で
　　　　UCS アイコンの表示形式を選択できます。

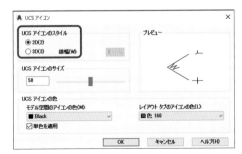 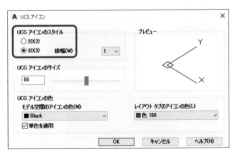

画面構成

第3節　　　　　　　　　　　　メニュー

コマンドを選択するメニュー	
1 リボンメニュー	関連するツールがグループごとにまとめられています。
2 プルダウンメニュー	文字で表示され、ツールが下に表示されるメニューです。
3 ショートカットメニュー	マウスの右ボタンを押すと表示されるメニューです。
4 グリップメニュー	オブジェクトを選択した時に右ボタンを押すと表示されるメニューです。
5 ステータス バーメニュー	ステータスバーに表示されるメニューです。

1 リボンメニュー一覧

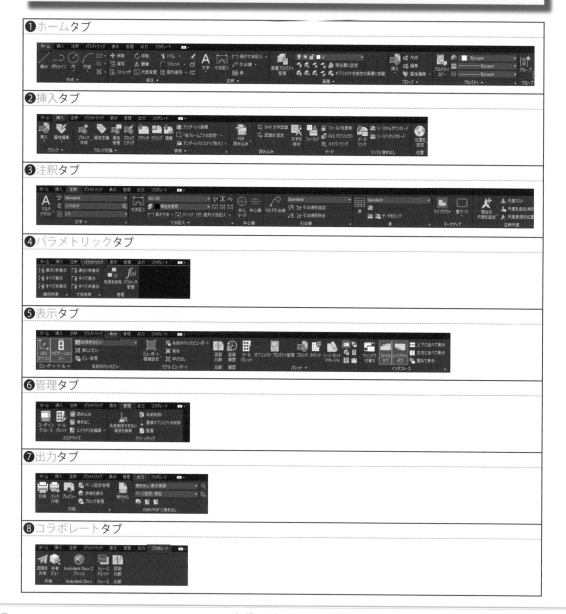

❶ホームタブ

❷挿入タブ

❸注釈タブ

❹パラメトリックタブ

❺表示タブ

❻管理タブ

❼出力タブ

❽コラボレートタブ

1 ホームタブ

作成 パネル

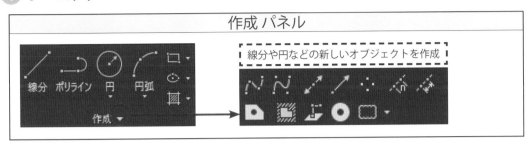

線分や円などの新しいオブジェクトを作成

修正 パネル

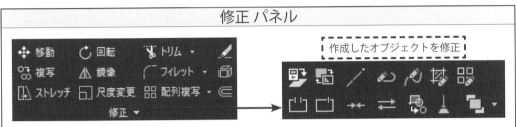

作成したオブジェクトを修正

画層 パネル

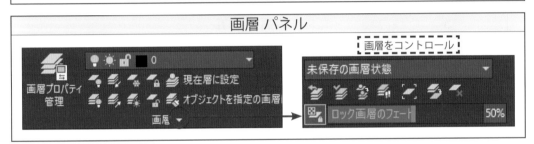

画層をコントロール

プロパティ パネル

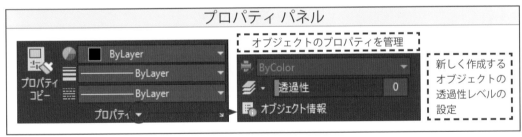

オブジェクトのプロパティを管理

新しく作成する
オブジェクトの
透過性レベルの
設定

グループ パネル

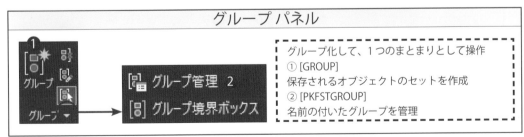

グループ化して、1つのまとまりとして操作
① [GROUP]
保存されるオブジェクトのセットを作成
② [PKFSTGROUP]
名前の付いたグループを管理

ユーティリティ / クリップボード パネル

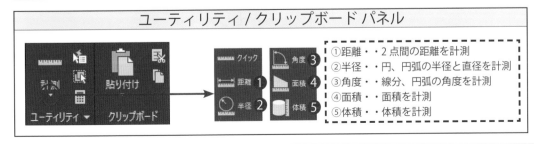

①距離・・2点間の距離を計測
②半径・・円、円弧の半径と直径を計測
③角度・・線分、円弧の角度を計測
④面積・・面積を計測
⑤体積・・体積を計測

画面構成

画面構成

② 挿入タブ

ブロック パネル

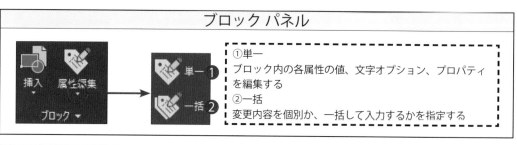

①単一
ブロック内の各属性の値、文字オプション、プロパティ
を編集する
②一括
変更内容を個別か、一括して入力するかを指定する

ブロック定義 パネル

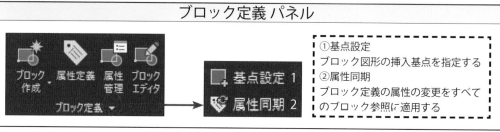

①基点設定
ブロック図形の挿入基点を指定する
②属性同期
ブロック定義の属性の変更をすべて
のブロック参照に適用する

参照 パネル

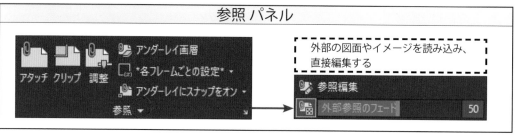

外部の図面やイメージを読み込み、
直接編集する

読み込み パネル

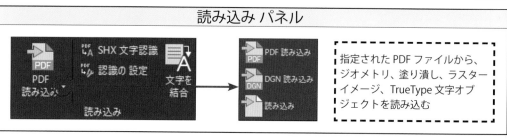

指定された PDF ファイルから、
ジオメトリ、塗り潰し、ラスター
イメージ、TrueType 文字オブ
ジェクトを読み込む

データ パネル

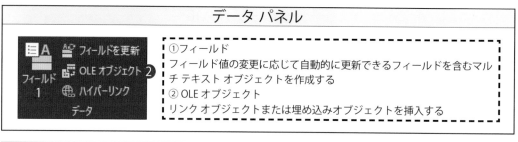

①フィールド
フィールド値の変更に応じて自動的に更新できるフィールドを含むマル
チ テキスト オブジェクトを作成する
② OLE オブジェクト
リンク オブジェクトまたは埋め込みオブジェクトを挿入する

リンクと書き出し パネル

①データリンク
Microsoft Excel (.XLS、XLSX、CSV) ファイルの
データと表オブジェクトをリンクする
②ソースからダウンロード
外部データ リンクからのデータを更新する

❸ 注釈タブ

文字 パネル

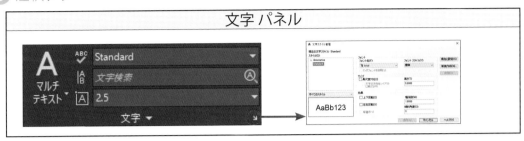

寸法記入 パネル

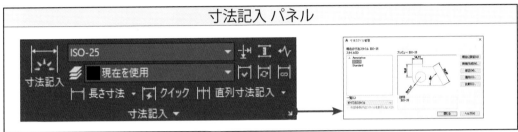

中心線 / 引出線 パネル

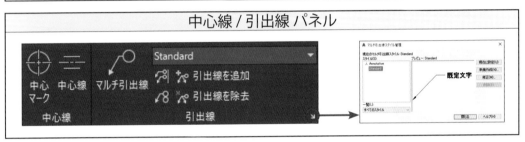

表 パネル

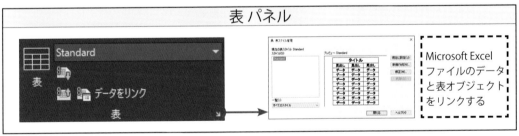

Microsoft Excel
ファイルのデータ
と表オブジェクト
をリンクする

マークアップ パネル

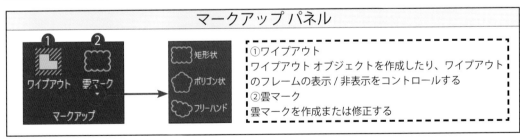

①ワイプアウト
ワイプアウト オブジェクトを作成したり、ワイプアウト
のフレームの表示 / 非表示をコントロールする
②雲マーク
雲マークを作成または修正する

注釈尺度 パネル

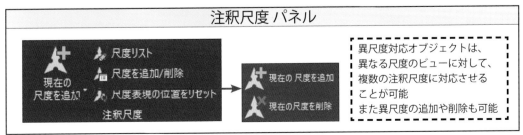

異尺度対応オブジェクトは、
異なる尺度のビューに対して、
複数の注釈尺度に対応させる
ことが可能
また異尺度の追加や削除も可能

❹ パラメトリックタブ

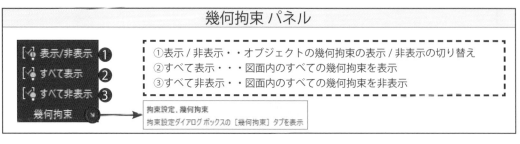

幾何拘束 パネル

①表示/非表示・・オブジェクトの幾何拘束の表示/非表示の切り替え
②すべて表示・・・図面内のすべての幾何拘束を表示
③すべて非表示・・図面内のすべての幾何拘束を非表示

拘束設定，幾何拘束
拘束設定ダイアログ ボックスの [幾何拘束] タブを表示

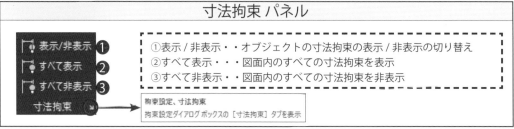

寸法拘束 パネル

①表示/非表示・・オブジェクトの寸法拘束の表示/非表示の切り替え
②すべて表示・・・図面内のすべての寸法拘束を表示
③すべて非表示・・図面内のすべての寸法拘束を非表示

拘束設定、寸法拘束
拘束設定ダイアログ ボックスの [寸法拘束] タブを表示

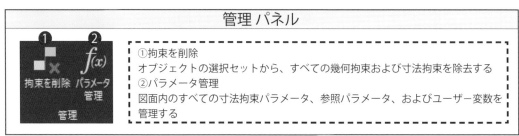

管理 パネル

①拘束を削除
オブジェクトの選択セットから、すべての幾何拘束および寸法拘束を除去する
②パラメータ管理
図面内のすべての寸法拘束パラメータ、参照パラメータ、およびユーザー変数を管理する

拘束バーの拘束の表示をコントロール

幾何拘束が適用されているオブジェクトにカーソルを合わせると、そのオブジェクトに関連付けられているすべての拘束バーがハイライト表示されます。

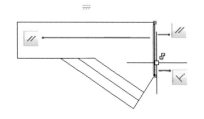

拘束バーの寸法拘束の設定をコントロール

寸法拘束は、ジオメトリ オブジェクト間またはオブジェクト上の点間の指定された距離や角度を保持します。

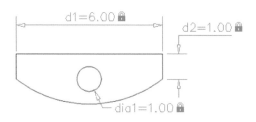

⑤ 表示タブ

ビューポートツール パネル

① UCS アイコン
UCS アイコンの表示 / 非表示、位置、外観、選択性をコントロールする
②ナビゲーション バー
ホイール、画面移動、ズームなど、ナビゲーション ツールに簡単にアクセス

名前の付いたビュー パネル

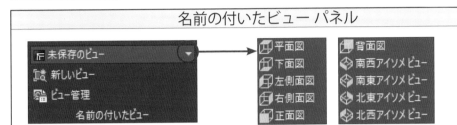

モデル ビューポート パネル

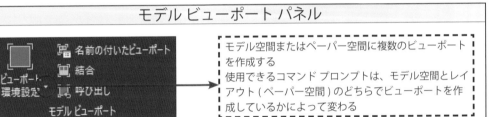

モデル空間またはペーパー空間に複数のビューポートを作成する
使用できるコマンド プロンプトは、モデル空間とレイアウト (ペーパー空間) のどちらでビューポートを作成しているかによって変わる

パレット パネル

現在のセッションのプロンプトとコマンドライン入力の履歴を表示する

[F2] キーからでも可能

インタフェース パネル

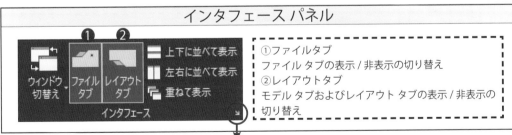

①ファイルタブ
ファイル タブの表示 / 非表示の切り替え
②レイアウトタブ
モデル タブおよびレイアウト タブの表示 / 非表示の切り替え

[オプション] -> [表示] タブの設定
　①ウィンドウの要素
　②レイアウトの要素
　③表示解像度
　④表示機能
　⑤クロス ヘア カーソルのサイズ
　⑥フェード コントロール

ファイル タブをオフにすると
上のタブが非表示になります。

レイアウト タブをオフにすると
上のタブが非表示になります。

縦書き：画面構成

画面構成

⑥ 管理タブ

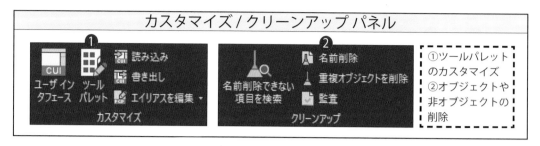

⑦ 出力タブ

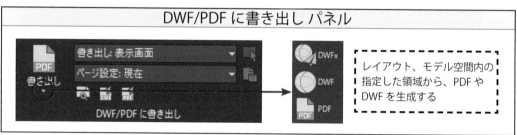

⑧ コラボレートタブ

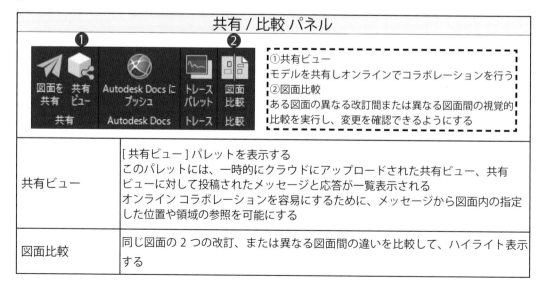

共有ビュー	[共有ビュー] パレットを表示する このパレットには、一時的にクラウドにアップロードされた共有ビュー、共有ビューに対して投稿されたメッセージと応答が一覧表示される オンライン コラボレーションを容易にするために、メッセージから図面内の指定した位置や領域の参照を可能にする
図面比較	同じ図面の 2 つの改訂、または異なる図面間の違いを比較して、ハイライト表示する

2 プルダウン メニュー

[メニュー バー] の表示と非表示の切り替えは、[クイック アクセス ツールバー] から行います。

①初期設定では、リボンの上には [メニューバー] は表示されていません。

[メニューバーは非表示]

②[クイック アクセス ツールバー] の右端にある ▽ を指示します。
③[クイック アクセス ツールバーをカスタマイズ] のメニューの下から 2 番目の [メニューバーを表示] を選びます。

[その他のコマンド ...]
多くのインタフェース要素を編集できます。

④[メニューバー] が表示されます。

⑤[メニューバー] を非表示にするには、[クイック アクセス ツールバー] の右端にある ▽ を指示し、メニューの下から 2 番目の [メニューバーを非表示] を選びます。
⑥又は、[メニューバー] の領域で、マウスの右ボタンを押して [メニューバーを表示] のチェックを外します。

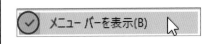

⑦プルダウンメニューの右側に矢印のマークのあるコマンドは、その右にもコマンドのグループが
あることを示しています。

⑧プルダウンメニューの種類

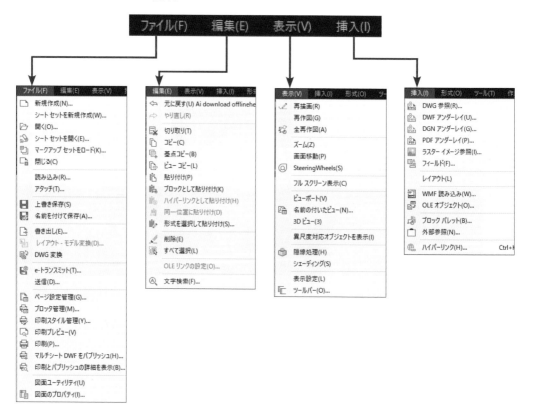

形式(O) ツール(T) 作成(D) 寸法(N)

形式(O)
- 画層管理(L)...
- 画層状態管理(A)...
- 画層ツール(O)
- 色設定(C)...
- 線種設定(N)...
- 線の太さ(W)...
- 透過性
- 尺度リスト(E)...
- 文字スタイル管理(S)...
- 寸法スタイル管理(D)...
- 表スタイル管理(B)...
- マルチ引出線スタイル管理(I)
- 印刷スタイル(Y)...
- 点スタイル管理(P)...
- 単位管理(U)...
- 図面範囲設定(I)
- 名前変更(R)...

ツール(T)
- ワークスペース(O)
- パレット
- ツールバー
- コマンド ライン
- フル スクリーン表示
- スペルチェック(E)
- クイック選択(K)...
- 表示順序
- 選択表示(I)
- 情報(Q)
- フィールドを更新(T)
- ブロック エディタ(B)
- 属性書き出し(X)...
- 日付記入(D)
- 雲マーク(L)
- 外部参照/ブロックのインプレイス編集
- データ リンク
- スクリプト実行(R)...
- UCS(W)
- UCS 管理(U)...
- 直交投影 UCS(H)
- UCS 移動(V)
- 地理的位置(L)...
- ウィザード(Z)
- 作図補助設定(F)...
- グループを作成(G)

作成(D)
- 線分(L)
- 放射線(R)
- 構築線(T)
- 2 重線(I)
- ポリライン(P)
- 3D ポリライン(3)
- ポリゴン(Y)
- 長方形(G)
- 円弧(A)
- 円(C)
- ドーナツ(D)
- スプライン(S)
- 楕円(E)
- ブロック(K)
- 表...
- 点(O)
- ハッチング(H)...
- グラデーション...
- 境界作成(B)...
- リージョン(N)
- ワイプアウト(W)
- 文字(X)

寸法(N)
- クイック寸法記入(Q)
- 長さ寸法記入(L)
- 平行寸法記入(G)
- 弧長寸法記入(H)
- 座標寸法記入(O)
- 半径寸法記入(R)
- 折り曲げ半径寸法記入(J)
- 直径寸法記入(D)
- 角度寸法記入(A)
- 並列寸法記入(B)
- 直列寸法記入(C)
- 寸法線間隔(P)
- 寸法マスク(K)
- マルチ引出線(E)
- 幾何公差(T)...
- 中心記入(M)
- 検査寸法(I)
- 寸法線折り曲げ(J)
- スライド寸法(Q)
- 寸法値の位置合わせ(X)
- 寸法スタイル管理(S)...
- 優先(V)
- 寸法更新(U)
- 寸法自動調整再割り当て(N)

修正(M) パラメトリック(P) ウィンドウ(W) ヘルプ(H)

修正(M)
- オブジェクト プロパティ管理(P)
- プロパティ コピー(M)
- ByLayer に変更(B)
- オブジェクト(O)
- クリップ(C)
- 異尺度対応オブジェクトの尺度(O)
- 削除(E)
- 複写(Y)
- 鏡像(I)
- オフセット(S)
- 配列複写
- 重複オブジェクトを削除
- 移動(V)
- 回転(R)
- 尺度変更(L)
- ストレッチ(H)
- 長変更(G)
- トリム(T)
- 延長(D)
- 部分削除(K)
- 結合(J)
- 面取り(C)
- フィレット(F)
- リージョン(N)
- ブレンド曲線
- 空間変更(S)
- 分解(X)

パラメトリック(P)
- 拘束バー(B)
- ダイナミック寸法(Y)
- 拘束を削除(L)
- パラメータ管理(M)

ウィンドウ(W)
- 閉じる(O)
- すべて閉じる(L)
- 位置をロック(K)
- 重ねて表示(C)
- 上下に並べて表示(H)
- 左右に並べて表示(T)
- アイコンの整列(A)
- ✓ 1 Drawing1.dwg

ヘルプ(H)
- ヘルプ(H)
- オフライン ヘルプをダウンロード(D)
- その他のリソース(R)
- フィードバックを送信(S)
- デスクトップ解析...
- AutoCAD LT 2021 バージョン情報

memo

[CUI] コマンドから
メニュー構成を
カスタマイズできます。

ユーザ インタフェースをカスタマイズ

カスタマイズ｜転送

すべてのファイル 内のカスタマイズ

すべてのカスタマイズ ファイル

メニュー
- ファイル
- 編集
- 表示
- 挿入
- 形式
- ツール
- 作成
- 寸法
- 修正
- パラメトリック
- ウィンドウ
- ヘルプ

画面構成

3 ショートカット メニュー

右クリックによって表示されるメニューをショートカットメニューと呼びます。
このメニューでは、前コマンドの繰り返しや他のコマンドを実行することができます。

①コマンドを実行中にオプションを選択
　コマンドを実行中に、右クリックでショートカットメニューを表示します。
　（ここでは [円 < 半径 >] を実行中）
　円に関係したオプションが表示されます。
　ショートカットメニューの [直径] に切り替えることができます。

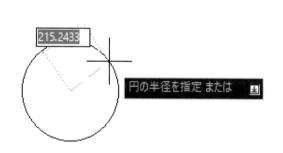

②前コマンドの再実行
　コマンドの終了後、ショートカットメニューによって繰り返し作図ができます。
　（[円] の場合、終了した円から作図ができます。）
　中止する場合は、ショートカットメニューの [キャンセル] を選択します。

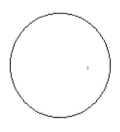

4 グリップメニュー

コマンド状態でオブジェクトを選択すると、オブジェクトスナップの位置に青色の四角が表示されます。
これをグリップと呼びます。

　① （左図）オブジェクトを選択すると、青色のグリップが表示されます。
　② （右図）グリップの上にマウスを重ねると、グリップがピンク色に変わります。（浮動グリップ）
　　　円の外周にあるグリップにマウスを重ねると、円の半径が表示されます。

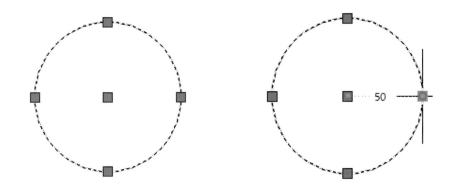

グリップを選択すると、色が赤茶色に変わります。これをホットグリップと呼びます。

　③ホットグリップを移動させると、円の半径や四角形の長さ、角度を変更できます。

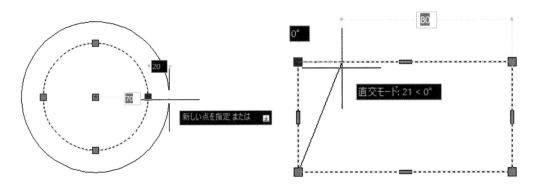

　④ホットグリップを選択した状態で、右ボタンのショートカットからストレッチ、移動、回転、尺度変更、
　　鏡像、基点(指定)、複写などの編集ができます。

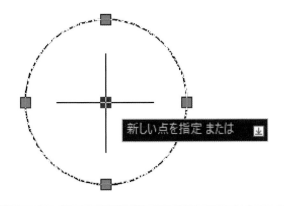

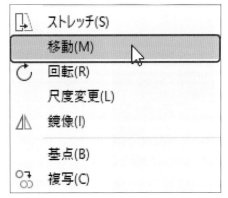

画面構成

5 ステータスバー メニュー

1 ステータスバーのカスタマイズ

①ステータスバーの右端の [カスタマイズ] ボタンをクリックすると、一覧が表示されます。①
②チェックを付けると、下部のステータスバーに追加で表示されます。②

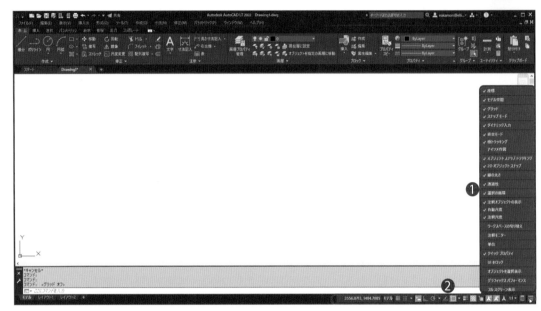

③ [モデル空間] と [レイアウト空間] では [ステータスバー] の種類がいくつか異なります。

（ モデル空間 ）

モデル空間のステータス バー		
①	モデル空間	モデル / レイアウト空間の切り替え
②	グリッド表示	グリッド表示の ON/OFF
③	スナップモード	スナップモードの ON/OFF
④	注釈オブジェクトを表示	すべての異尺度対応オブジェクトを表示する
⑤	注釈尺度を変更した時に 異尺度対応オブジェクト …	注釈尺度が変更された時に自動的に異尺度対応 オブジェクトに追加する
⑥	現在のビューの注釈尺度	現在の注釈尺度を表示する

（ レイアウト空間 ）

レイアウト空間のステータス バー		
⑦	レイアウト空間	モデル / レイアウト空間の切り替え
⑧	ビューポートを最大化	レイアウトのビューポートを最大の大きさにする
⑨	注釈オブジェクトを表示	すべての異尺度対応オブジェクトを表示する
⑩	注釈尺度を変更した時に 異尺度対応オブジェクト …	注釈尺度が変更された時に自動的に異尺度対応 オブジェクトに追加する

② ステータスバーに座標を表示する

①ステータスバーの左端の数値は [カーソル] の座標 (X , Y) を表示しています。

②コマンド入力待ち状態と作図の途中では、表示方法が異なります。

③コマンドの入力待ち状態では (図 1) のように、カーソル位置の X と Y の座標値が表示されます。

(図 1)

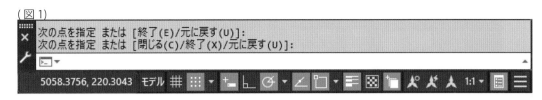

④下図 (図 2) は線分のコマンドを実行中の数値です。
直線距離と角度の数値に変化しています。

> 座標値の上でマウスの右ボタンから
> < 相対極座標 > と < 絶対座標 > の
> 切り替えが出来ます。

(図 2)

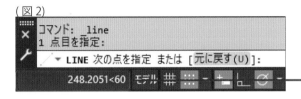

③ 設定を変更する

①ステータスバーのアイコンを右ボタンでクリックすると、設定ダイアログが表示されます。

②赤丸数字 (① ～ ⑨) は下記のダイアログが表示されます。

③赤丸は、ON と OFF の切り替えです。

直交モード

> カーソルの動きを直交に強制 - オフ
> ORTHOMODE (F8)

透過性

> 透過性 - オフ
> TRANSPARENCYDISPLAY

画面構成

第４節　　　図面の新規作成と保存

1 テンプレートから新規作成 [New][Qnew]

リボンメニュー	[クイックアクセス ツールバー] -> [クイック新規作成]
プルダウンメニュー	[ファイル] -> [新規作成]
コマンド	New , Qnew

1 テンプレートから、新規図面を作成する

memo acadltISO はミリ単位、acad はインチ単位なので
ミリ単位の acadltISO、acadltISO-Named Plot
Styles をテンプレートとして使用します。

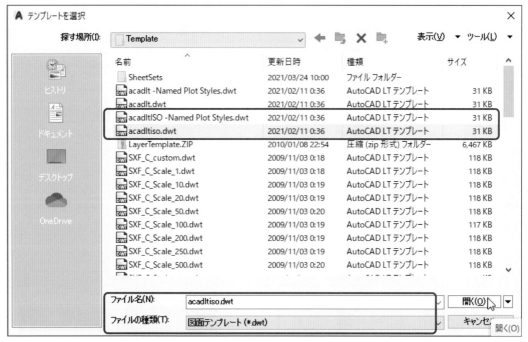

❷ テンプレートの種類

① AutoCAD LT では多くのタイプのテンプレートファイルを用意していますが、通常日本国内で使用する
　テンプレートは２種類です。

② [名前の付いた印刷スタイル] の <acadltISO-Named Plot Styles.dwt> と [色従属印刷スタイル] の
　<acadltiso.dwt> です。

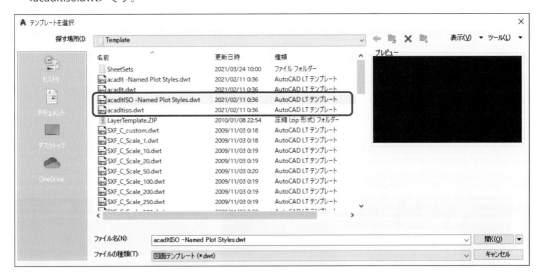

テンプレート名	単位系	印刷スタイルの種類
acadltISO-Named Plot Styles.dwt	メートル系	名前の付いた印刷スタイル
acadlt-Named Plot Styles.dwt	インチ系	名前の付いた印刷スタイル
acadltiso.dwt	メートル系	色従属印刷スタイル
acadlt.dwt	インチ系	色従属印刷スタイル
SXF_*_***.dwt	メートル系	電子納品用テンプレート

❸ テンプレートファイルの保存場所

①別のファイルをテンプレートファイルとして指定することができます。

②テンプレートファイルは初期値では以下のフォルダに保存されています。

③右上の [参照] ボタンを押して、別のフォルダを指定することも可能です。

④次回からの新規作成では、最後に指定したファイル (DWG、DWT) がテンプレートファイルとして
　読み込まれます。（指定が無いときは、AutoCAD LT の初期値のフォルダが表示されます。）

画面構成

2 既図面から新規作成 [New][Qnew]

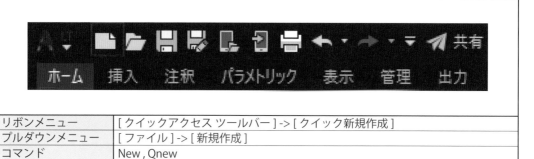

リボンメニュー	[クイックアクセス ツールバー] -> [クイック新規作成]
プルダウンメニュー	[ファイル] -> [新規作成]
コマンド	New , Qnew

1 既図面を基に新規図面を作成する

① [クイックアクセス ツールバー] -> [クイック新規作成] を選択します。
　新規作成時に選択できるファイルは [dwg] か [dwt] のファイルです。

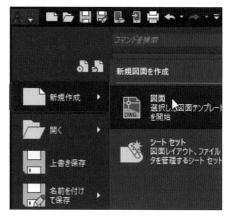

memo

> 既図面をテンプレートとして使えば、画層や
> 文字スタイル、寸法スタイル等の設定が既に
> 作成済みになります。

②既図面 [建築図](図 1) を読み込み、[名前を付けて保存] を選び [新規建築図](図 2) として保存します。

(図 1)

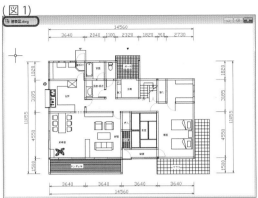

(図 2)

③新規に保存した [新規建築図](図 3) のオブジェクトを全て削除します。(図 4)

(図 3)

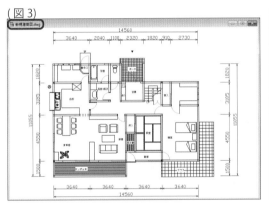

(図 4)

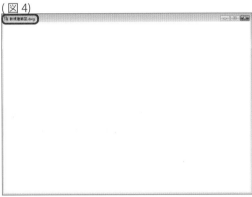

④図面内のオブジェクトは全て削除されましたが、[画層] や [文字スタイル][寸法スタイル][ブロック]
はすべて残っていますから、すぐに作図を開始することができます。

(画層)

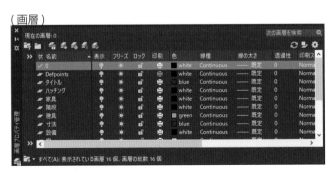

(文字スタイル)

(ブロック)

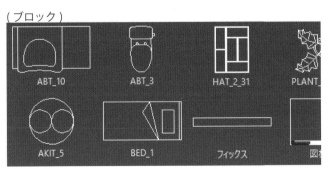

(寸法スタイル)

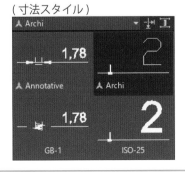

画面構成

3 開く [Open]

リボンメニュー	[クイックアクセス ツールバー] -> [開く]
プルダウンメニュー	[ファイル] -> [開く]
コマンド	Open

1 既存の図面を開く

① [クイックアクセス ツールバー] -> [開く] を選択します。

② [ファイルを選択] ダイアログが表示されます。

③ 開く図面を選択します。

④ [プレビュー] で確認できます。

⑤ [開く] ボタンを押して、図面を開きます。

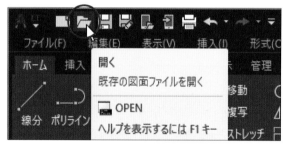

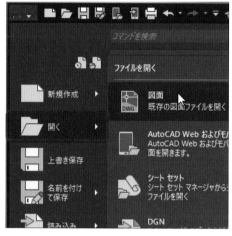

 ファイル タブの右ボタンからでも
[新規作成][開く] が行えます。

4 閉じる [Close]

リボンメニュー	[アプリケーション メニュー] -> [閉じる]
プルダウンメニュー	[ファイル] -> [閉じる]
コマンド	Close

1 図面を閉じる (その 1)

①[アプリケーション メニュー] -> [閉じる] を選択します。

②図面に変更がある場合は、右のダイアログが表示されます。

③変更を保存する場合は、[はい] ボタンを押します。

図面が上書き保存されます。

④新規図面の場合は、[図面に名前を付けて保存] のダイアログ
が表示されます。

⑤変更しない場合は、[いいえ] ボタンを押します。

2 図面を閉じる (その 2)

開いている図面の右上の ×ボタンを押します。

3 図面を閉じる (その 3)

①ファイルタブの上で、右ボタンを押します。

②ショートカットメニューの中の [閉じる] を
選択します。

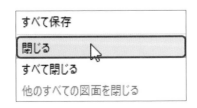

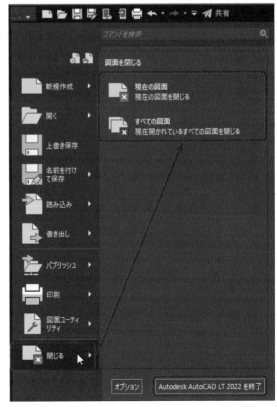

図面の終了ボタン　　　　AutoCAD LT の終了ボタン

画面構成

5 上書き保存 [Save][Qsave]

リボンメニュー	[クイックアクセス ツールバー] -> [上書き保存]
プルダウンメニュー	[ファイル] -> [上書き保存]
コマンド	Save , Qsave

1 上書き保存する

① [クイックアクセス ツールバー] -> [上書き保存] を選択します。

memo　今開かれている図面が、新規の場合は [図面に名前を付けて保存] のダイアログが表示されます。(次ページ)
開かれている図面が既存の図面の場合は、[上書き保存] になります。

Point!

◎新たに加わったデータだけが保存されるので保存にかかる時間が節約されます。

◎保存する図面が新規の図面（Drawing1.dwg）の場合、[名前を付けて保存] コマンドと同じダイアログが表示されます。

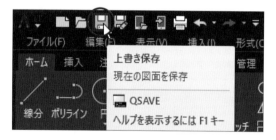

[ファイル] タブの右端にある×印を右クリックしても表示されます。

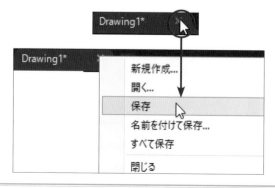

6 名前を付けて保存 [Saveas]

リボンメニュー	[クイックアクセス ツールバー] -> [名前を付けて保存]
プルダウンメニュー	[ファイル] -> [名前を付けて保存]
コマンド	Saveas

1 名前を付けて保存する

① [クイックアクセス ツールバー] -> [名前を付けて保存] を選択します。

② [図面に名前をつけて保存] ダイアログが表示されます。

③ [保存先] 保存するフォルダやハードディスクなどの記憶装置を指定します。

④ [ファイル名] 作成した図面に分かりやすい名前を付けます。

   < 規定値：Drawing1>

⑤ [ファイルの種類] 保存する形式を選択します。

   < 規定値：AutoCAD LT 2018 (*.dwg)>

> memo
>
> ファイルの種類では、AutoCAD の
> 保存形式 (dwg) が選択できます。
> また ASCS II dxf、Binary.dxf 等の
> 保存形式があり、下位互換性があ
> ります。

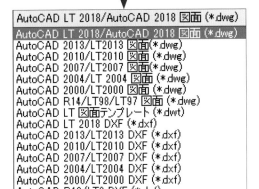

[ファイル] タブの右端にある×印を
右クリックしても表示されます。

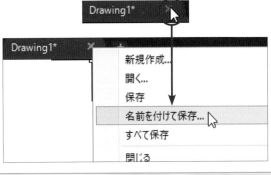

画面構成

7 書き出し [Export]

リボンメニュー	[アプリケーション メニュー] -> [書き出し]
プルダウンメニュー	[ファイル] -> [書き出し]
コマンド	Export

1 図面を書き出す

① [アプリケーション メニュー] -> [書き出し] を選択します。

② DWG 形式での保存は、既存のブロックや図面内の特定の図形あるいは図面全体を別の DWG ファイルとして保存できます。

③ DWG 形式以外では、DWF、PDF、BMP、WMF、DGN 形式での保存が可能です。

④ [その他の形式] を選択すると (図 1)、[データの書き出し] ダイアログが表示されます。(図 2)

(図 1)

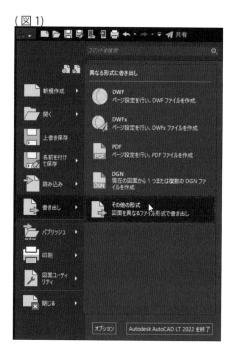

(図 2)

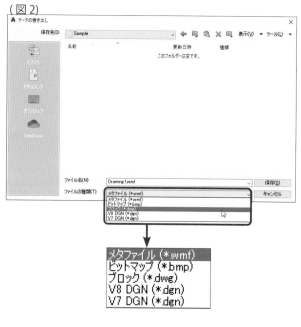

[その他の形式] から保存できるファイル形式

種類	ファイル形式	コマンド
メタファイル (*.wmf)	Microsoft Windows メタファイル	WMFOUT[WMF 書き出し]
ビットマップ (*.bmp)	ビットマップ ファイル	BMPOUT[BMP 書き出し]
ブロック (*.dwg)	図面ファイル	WBLOCK[ブロック書き出し]
V7、V8 DGN (*.dgn)	MicroStation DGN ファイル	DGNEXPORT[DGN 書き出し]

第2章　基本操作

座標の入力には、どのような方法があるのでしょう。
画面の拡大・縮小や画面移動はどのように行うのでしょう。

この章では、
そうした AutoCAD LT の
基本操作を学びます。

■　■　■　　第 1 節　画面の説明
■　■　■　　第 2 節　ユーザー座標系

第 1 節　　　　　　　　基本操作

1　座標系の種類

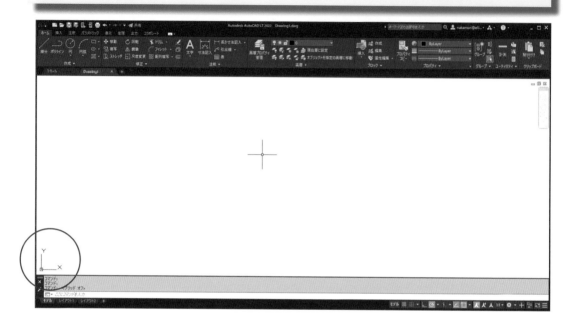

	座標系
①	AutoCAD LT では、ワールド座標系 (WCS [World Coordinate System]) とユーザー座標系 (UCS [User Coordinate System]) の２種類の座標系を使用することができます。
②	既定値ではワールド座標を使用するように設定されており、作図画面内に上の様な [UCS アイコン](赤丸) と呼ばれる X Y の軸アイコンが表示されます。
③	各軸の方向に従い、X (水平) の方向が X 軸、Y (垂直) の方向が Y 軸、ユーザーの視点から見た奥行き方向 (X Y 平面に垂直) が Z 軸となります。
④	X 軸と Y 軸の交わる点が原点 (0，0，0) となり、原点から X Y の文字の方向に移動するに従って座標値が大きく (＋の値) なり、反対に移動するに従って座標値は小さく (－の値) なります。

画面の一番下にあるステータスバーの左端に現在の座標値が表示されます。
作図画面内でマウス カーソルを動かすと、カーソルの位置に従ってステータス バー内の座標値も変化します。

━━━ 絶対座標 ━━━

X座標値 ， Y座標値
常に原点（0，0）からの水平、垂直の距離を入力します。

ダイナミック入力 ［オフ］

  ＜線の開始＞： 20,30 (P1)
  ＜次の点＞： 40,60 (P2)
  ＜次の点＞： 90,90 (P3)
  右クリック

ダイナミック入力 ［オン］

  ＜線の開始＞： 20,30
  ＜次の点＞： #40,60
  ＜次の点＞： #90,90
  右クリック

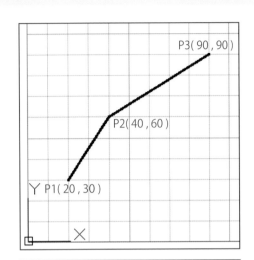

━━━ 絶対極座標 ━━━

距離 ＜ 角度
常に原点（0，0）からの距離と角度を入力します。

ダイナミック入力 ［オフ］

  ＜線の開始＞： 0,0
  ＜次の点＞： 100<45
  右クリック

ダイナミック入力 ［オン］

  ＜線の開始＞： 0,0
  ＜次の点＞： #100<45
  右クリック

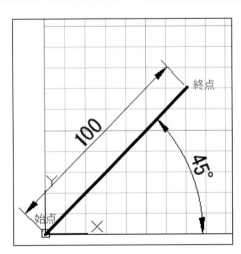

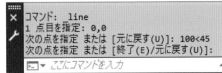

相対座標

@　Xの変位量　，　Yの変位量

@に続いて直前に指定した点を基準とし、XとYの直線距離を入力します。

基本操作

ダイナミック入力　［オフ］

    ＜線の開始＞：　　20,30

    ＜次の点＞：　　@50,40

    右クリック

ダイナミック入力　［オン］

    ＜線の開始＞：　　20,30

    ＜次の点＞：　　50,40

    右クリック

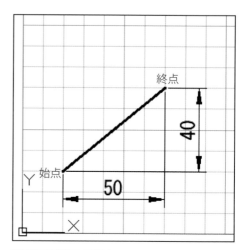

```
コマンド： line
1 点目を指定: 20,30
次の点を指定 または [元に戻す(U)]: @50,40
次の点を指定 または [終了(E)/元に戻す(U)]:
```

相対極座標

@　距離　＜　角度

@に続いて直前に指定した点を基準とし、直線距離と角度を入力します。

ダイナミック入力　［オフ］

    ＜線の開始＞：　　20,30

    ＜次の点＞：　　@70<60

    右クリック

ダイナミック入力　［オン］

    ＜線の開始＞：　　20,30

    ＜次の点＞：　　70<60

    右クリック

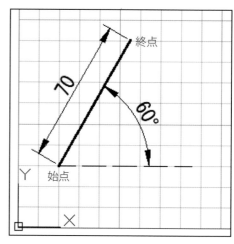

```
コマンド： _line
1 点目を指定: 20,30
次の点を指定 または [元に戻す(U)]: @70<60
次の点を指定 または [終了(E)/元に戻す(U)]:
```

直接距離入力

描きたい方向をマウスで指示し、直線距離のみを入力します。

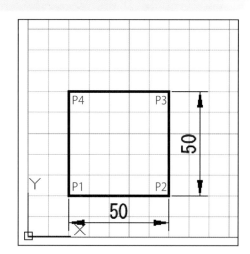

＜線の開始＞：任意の点を選択 (P1)

＜次の点＞：50 (P2)

＜次の点＞：50 (P3)

＜次の点＞：50 (P4)

＜次の点＞：50 (P1)

右クリック

memo

直交モードをオンにして使用します。

```
コマンド：line
1 点目を指定：20,20
次の点を指定 または [元に戻す(U)]：<直交モード オン> 50
次の点を指定 または [終了(E)/元に戻す(U)]：50
次の点を指定 または [閉じる(C)/終了(X)/元に戻す(U)]：50
次の点を指定 または [閉じる(C)/終了(X)/元に戻す(U)]：50
次の点を指定 または [閉じる(C)/終了(X)/元に戻す(U)]：
ここにコマンドを入力
```

極トラッキング

マウスカーソルの近くに表示される＜長さ＞と＜角度＞で座標値を決めます。

memo

[作図補助設定] の [極トラッキング] の＜極角度の設定＞で決められた角度で
固定されるので、距離だけを入力します。

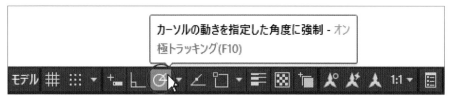

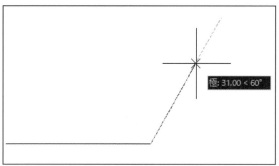

2　ダイナミック入力 (Dynmode)

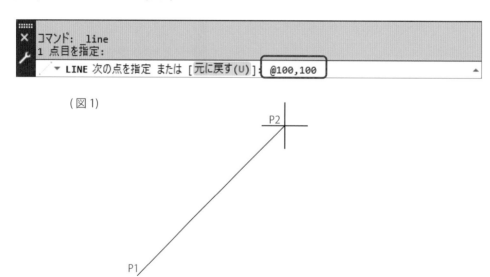

リボンメニュー	ありません
ステータスバー	[ダイナミック入力]
システム変数	Dynmode

ダイナミック入力はコマンドラインに入力する代わりに、カーソルの位置で入力する方法です。
コマンドラインからの入力と同じように、長さ、角度や他のオプションを選択することができます。
その入力方法には、[ポインタの入力] モードと [寸法の入力] モードの２つがあります。

1　[ダイナミック入力] モードが OFF の場合

①下図の線分を作図するためにコマンドラインから入力する場合、始点 P1 を指示した後、
　<@100,100> と入力します。(図 1)

```
コマンド: _line
1 点目を指定:
▼ LINE 次の点を指定 または [ 元に戻す(U)]: @100,100
```

(図 1)

②このように [ダイナミック入力] が OFF の場合は、コマンドラインから入力します。
　編集コマンド (複写) でも、同様にコマンドラインからの数値入力になります。(図 2)

```
現在の設定:  複写モード = 複数
基点を指定 または [ 移動距離(D)/モード(O)] <移動距離>:
COPY 2 点目を指定 または [ 配列(A)] <1 点目を基点に使用>: @100,100
```

(図 2)

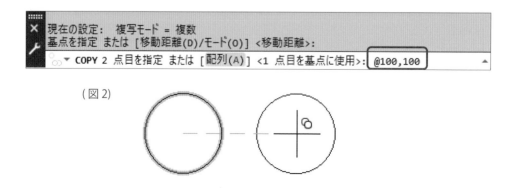

② [ダイナミック入力] モードが ON の場合

① [ステータスバー] の [ダイナミック入力] を ON にします。

②コマンドラインからの入力が、マウスの近くに表示される枠への入力に切り替わります。
画面の一番下にあったコマンドラインがマウスの近くに移動してきたと考えます。

③ (図 1)
線分の 1 点目 (P1) を指示した時点で、
[次の点を指定または] のメッセージが
出ます。(コマンドラインと同じです。)

(図 1) [寸法の入力] モード

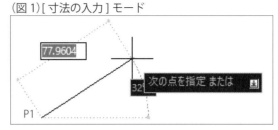

④ (図 2)
グリップ編集を使用してオブジェクトをスト
レッチしているときに、次に示すオプションが
オンになっている寸法入力ツールチップが表示
されます。

(図 2) [寸法入力フィールド] の表示

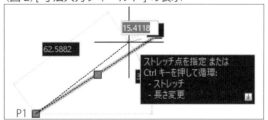

☑ 寸法の結果(R)　　　　☑ 角度の変更(C)

☑ 長さの変更(L)　　　　☑ 円弧の半径(D)

☑ 絶対角度(A)

Point!

[ダイナミック入力] が [オン] と [オフ] の相違

座標の入力方法は [ダイナミック入力] がオンとオフの場合では入力方法が異なります。

	ダイナミック入力　[オン]	ダイナミック入力　[オフ]
絶対座標	#X , Y	X , Y
相対座標	X , Y	@X , Y
極座標	距離 < 角度	@ 距離 < 角度

memo

[作図補助設定] ダイアログの [ダイナミック入力] タブに < ポインタの入力 > と < 寸法の入力 >
があります。(詳細は < 第 3 章第 1 節⑪ >)
ここで初期設定を変更することができます。

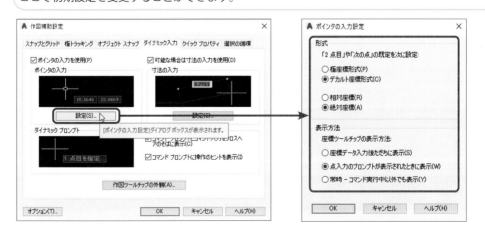

3　オブジェクト スナップ [Osnap]

ステータスバー	[オブジェクトスナップ]		
プルダウンメニュー	[ツール] -> [作図補助設定]		
コマンド	Osnap	ファンクションキー	F3

1　オブジェクト スナップの設定

① [ステータス バー] の [オブジェクト スナップ] でマウスの右ボタンを押します。

② [作図補助設定] のダイアログが表示されます。

③ [オブジェクト スナップ] タブを選びます。

④ [オブジェクト スナップ モード] から必要なスナップをチェックします。

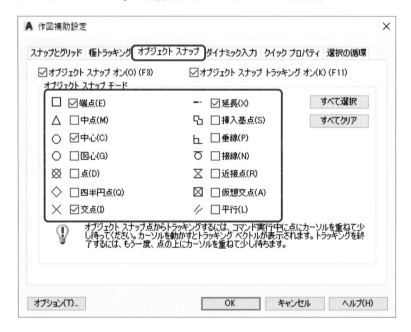

⑤ [OK] ボタンを押してダイアログを閉じます。

2　オブジェクト スナップの設定解除

① [作図補助設定] のダイアログの　すべてクリア　ボタンを押します。
　または、

② [ステータスバー] -> [オブジェクトスナップ] をクリックしてオフにします。（下図）

❸ ステータスバーからの設定

[オブジェクト スナップ] の右側の下矢印 (赤丸) をクリックすると他のスナップを選択できます。

❹ ショートカットからの設定

[Shift] + 右ボタンからも選択できます。(ショートカット)

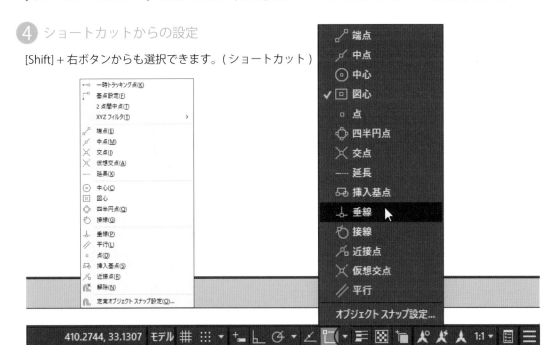

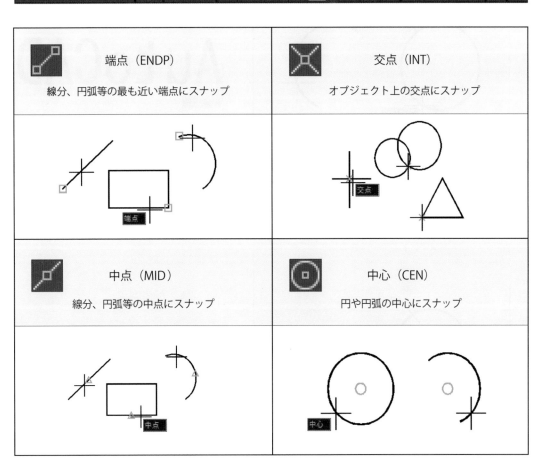

端点 （ENDP）	交点 （INT）
線分、円弧等の最も近い端点にスナップ	オブジェクト上の交点にスナップ
中点 （MID）	中心 （CEN）
線分、円弧等の中点にスナップ	円や円弧の中心にスナップ

垂線 (PER)

指示した点からオブジェクトに対し垂直に
なる点にスナップ

 接線 (TAN)

指示した点から円へ接線を描く場合の
接点にスナップ

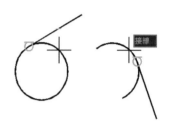

 四半円点 (QUA)

円・円弧・楕円・楕円弧の 0・90・180・270
度の点にスナップ

 挿入基点 (INS)

文字、ブロックの挿入点にスナップ

 点（NOD）

点オブジェクトにスナップ
点コマンドで描いた点を指示

 近接点（NEA）

指示した位置に最も近いポイントにスナップ

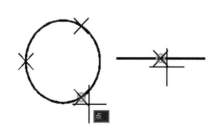

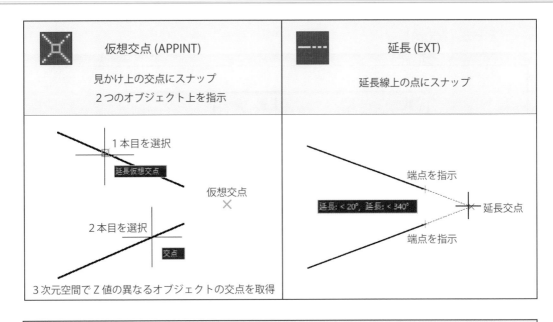

 図心 (GCEN)　　　閉じたポリラインおよびスプラインの図心にスナップ

線分や円弧で囲まれた図形 (図 1) を [閉じたポリライン] か [スプライン](図 2) にします。
([境界作成] 又は [ポリライン編集] を使います。)

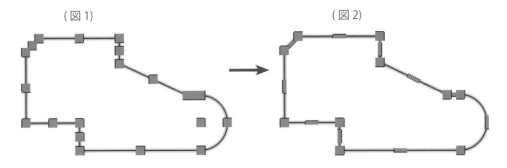

[作成] -> [円] を選択して、オブジェクト スナップ (図心) を使ってポリラインの外形線を
指示します。(図 3)
円の中心として、ポリラインの図心が取得できます。(図 4)

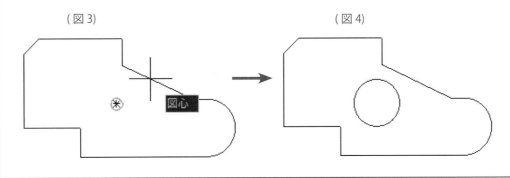

4 ズーム [Zoom]

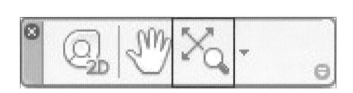

リボンメニュー	[表示] タブ -> [ビューポート ツール] パネル -> [ナビゲーション バー]
プルダウンメニュー	[表示] -> [ズーム] -> [リアルタイム] 他
コマンド	Zoom

1 [ズーム] コマンド

[ズーム] コマンドを使用するには以下の方法があります。

[ナビゲーション バー]　　　　プルダウンメニュー [ズーム]　　　　[ショートカット]

 拡　大

図面の中心を基点に一定の割合で拡大表示（２×）されます。

　→

縮　小

図面の中心を基点に一定の割合で縮小表示（　.5×）されます。

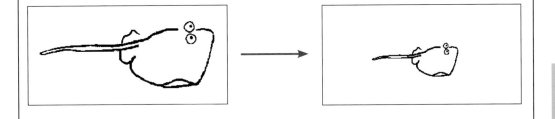

 窓

選択窓で指定した領域を拡大表示します。

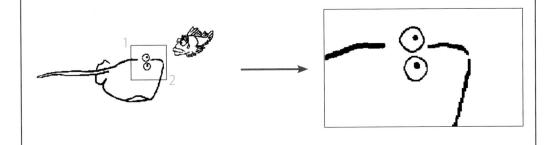

 オブジェクト範囲

すべてのオブジェクトを画面一杯に表示します。

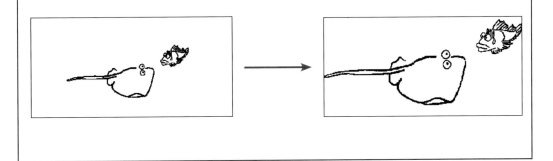

基本操作

前画面

直前の画面表示に戻します。

Point!　[前ズーム] は繰り返し選ぶと、最高 25 の連続したズーム、
パン (画面移動) された画面に戻ることができます。

 図面全体

図面範囲で設定した範囲、または描かれている図形をすべて表示します。

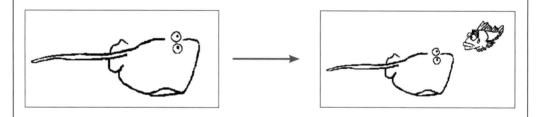

 ダイナミック

マウスの左ボタンを押しながらカーソルを上下に動かすとズームレンズの
ように表示画面を拡大・縮小できます。

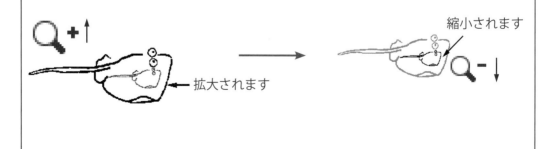

縮小されます

拡大されます

基本操作

5　画面移動 [Pan]

リボンメニュー	[表示] タブ -> [ビューポート ツール] パネル -> [ナビゲーション バー]
プルダウンメニュー	[表示] -> [画面移動]
コマンド	Pan

画面移動

倍率を変えずに指定した方向に画面を移動します。

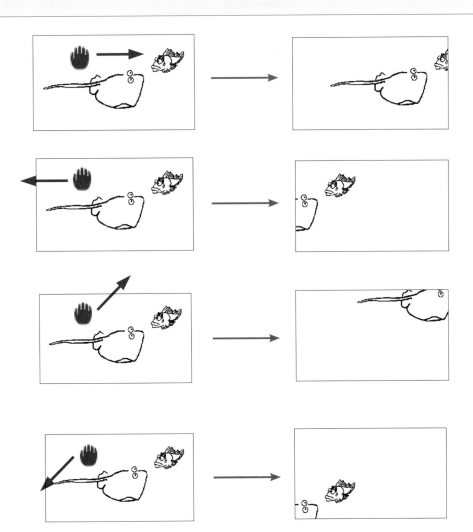

基本操作

6　ナビゲーション バー [2D ホイール]

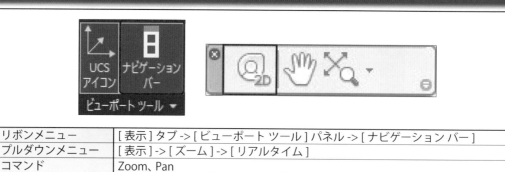

リボンメニュー	[表示] タブ -> [ビューポート ツール] パネル -> [ナビゲーション バー]
プルダウンメニュー	[表示] -> [ズーム] -> [リアルタイム]
コマンド	Zoom、Pan

❶ [ナビゲーション バー] の [2D ホイール (ズーム)] を使う

① [ナビゲーション バー] の [2D ホイール] を選択して、[ズーム] を選択します。

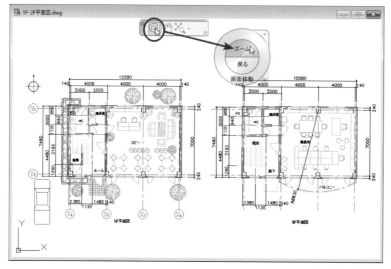

② [ズーム] を押したまま、マウスを上下左右すると画面がリアルタイムに拡大・縮小されます。

　　[リアルタイム ズーム] と同じです。(上と右が拡大、下と左が縮小)

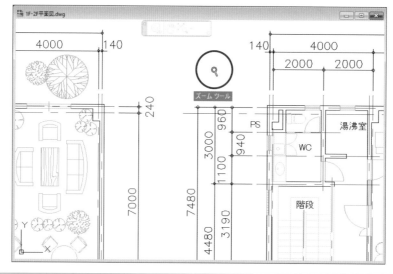

② [ナビゲーション バー] の [2D ホイール (画面移動)] を使う

① [ナビゲーション バー] の [2D ホイール] を選択して、[画面移動] を選択します。

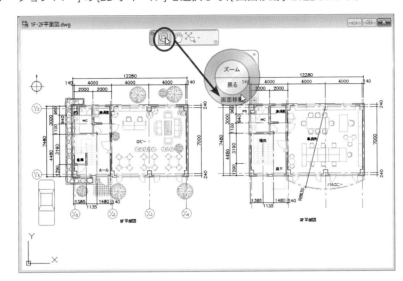

② [画面移動] を押したまま、マウスを上下左右すると画面が上下左右に移動します。

　[リアルタイム 画面移動] と同じです。(拡大率は変わりません。)

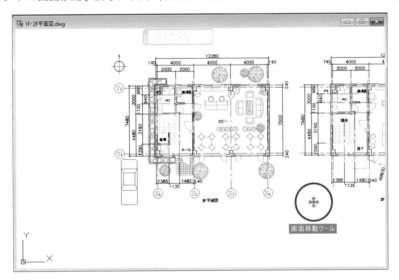

③ 終了するときは、右上の×印 (赤丸) を指示します。（左図）

　又は、右下の下矢印（赤丸）を指示します。（右図）

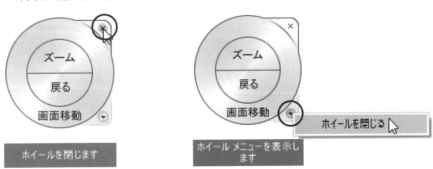

基本操作

基本操作

7 ビューポート環境設定 [ai_TileDvp (1 〜 12)]

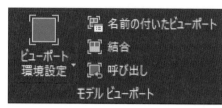

リボンメニュー	[表示] タブ -> [モデルビューポート] パネル -> [ビューポート環境設定]
プルダウンメニュー	ありません
コマンド	ai_TileDvp (1 〜 12)

① [表示] タブ -> [モデルビューポート] パネル -> [ビューポート環境設定] を選択します。

②表示される分割候補から希望する分割を選びます。

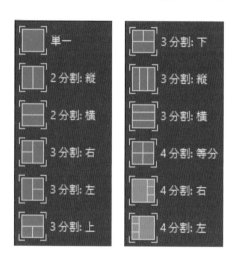

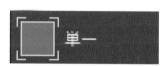

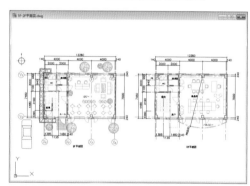

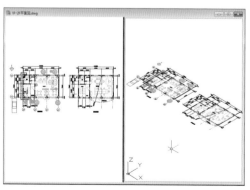

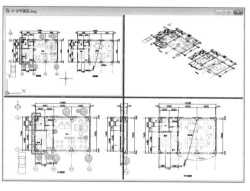

Point!　[ビューポート環境設定] で分割した画面の状態は保存されません。
分割した状態を保存するためには、[名前の付いたビューポート] を使います。

8 名前の付いたビューポート [+Vports]

リボンメニュー	[表示] タブ -> [モデルビューポート] パネル -> [名前の付いたビューポート]
プルダウンメニュー	[表示] -> [ビューポート] -> [ビューポート管理]
コマンド	+Vports

① [表示] タブ -> [モデルビューポート] パネル -> [名前の付いたビューポート] を選択します。

② [新規ビューポート] タブには、画面の分割の種類
　が表示されています。

③右の例は、[4 分割] を選択した図です。

④ [新しい名前] に名前を付けて保存します。
　（例：4divide）

⑤ [名前の付いたビューポート] タブには、保存した
　ビューポートの一覧が表示されます。

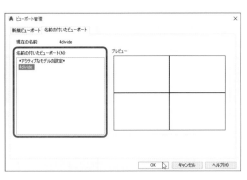

⑥ビューポート名を選択すると、そのビューポートで
　表示されます。

9 ビューポート (結合)[-Vports(J)]

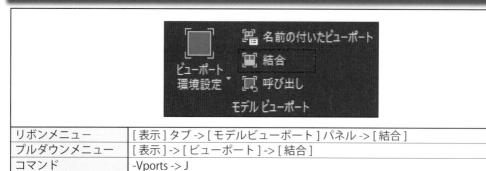

リボンメニュー	[表示] タブ -> [モデルビューポート] パネル -> [結合]
プルダウンメニュー	[表示] -> [ビューポート] -> [結合]
コマンド	-Vports -> J

① [表示] タブ -> [モデルビューポート] パネル -> [結合] を選択します。

②主要ビューポートを選択＜現在のビューポート＞:（左のビューポートを選択）↵

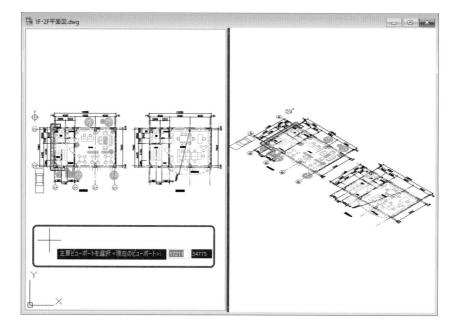

③結合するビューポートを選択:右のビューポートを選択します。(図 1)

④ 2 つのビューポートが右側のビューポートに結合されます。(図 2)

(図 1)

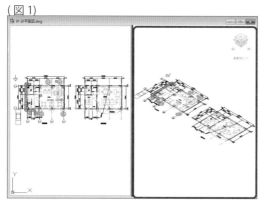

(図 2)

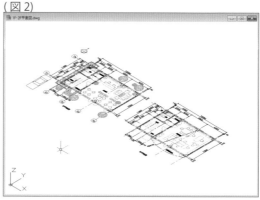

10 ビューポート (呼び出し)[-Vports(R)]

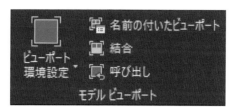

リボンメニュー	[表示] タブ -> [モデルビューポート] パネル -> [呼び出し]
プルダウンメニュー	ありません
コマンド	-Vports -> R

① [表示] タブ -> [モデルビューポート] パネル -> [呼び出し] を選択します。

②現在のビューポートのみ表示されます。(図１の左が現在のビューポート)

(図 1) 左が現在のビューポート

(図 2) 左のビューポートのみ表示

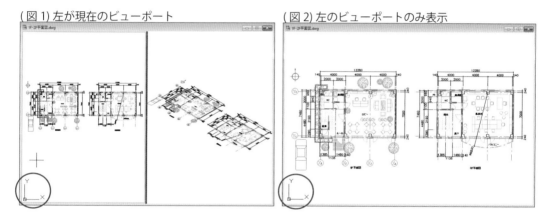

③登録した分割を呼び出すには、[モデルビューポート] パネル -> [名前の付いたビューポート] を選択
　します。

④ [名前の付いたビューポート] から登録済みの [4divide] を選びます。(図 3)

⑤ (図 4) のように画面が 4 分割されて表示されます。

(図 3)

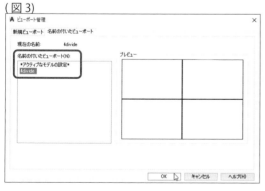

(図 4)

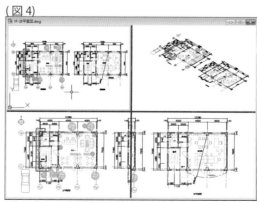

第２節　　　UCS（ユーザー座標系）

1　UCS[原点]

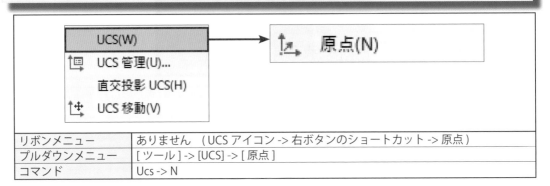

リボンメニュー	ありません　（UCS アイコン -> 右ボタンのショートカット -> 原点)
プルダウンメニュー	[ツール] -> [UCS] -> [原点]
コマンド	Ucs -> N

1 XYZ 軸を平行移動する

① プルダウンメニュー [ツール] -> [UCS] -> [原点] を選択します。(図 1)

マウスで指示した点 (P1) が新しい原点になります。(図 2-1) (図 2-2)

(図 1)

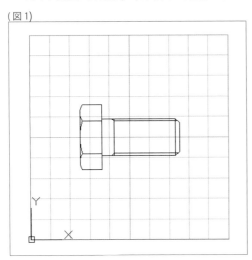

(図 2-1)

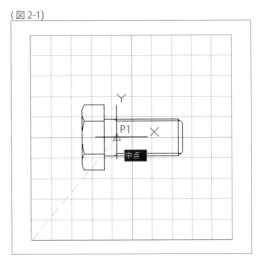

(図 2-2)

Point!

XYZ の位置関係は変更しません。
原点の位置が平行移動するだけです。
（図形の中心を基点として作図する場合などに利用します。）

Z 座標の初期値は <0> です。線分コマンドで
始点 P1(0 , 0 , 0)、終点 P2(10 , 10 , 10) と入力すると、
3 次元空間に作図できます。
(Z を省略すると、現在の Z 座標が Z 値になります。
現在の Z 座標は、システム変数 <ELEVATION> で判ります。）

2 UCS[オブジェクト]

リボンメニュー	ありません （ UCS アイコン -> 右ボタンのショートカット -> オブジェクト ）
プルダウンメニュー	[ツール] -> [UCS] -> [オブジェクト]
コマンド	Ucs -> O

① 選択した線分を X 軸にする【UCS(2D).dwg】

①プルダウンメニュー [ツール] -> [UCS] -> [オブジェクト] を選択します。(図 1)

　新しい座標系にしたい線分 (S1) を選択します。(図 2-1)

　線分の端が原点になり、線分の他の端の方向が X 軸の正の方向になります。(図 2-2)

(図 1)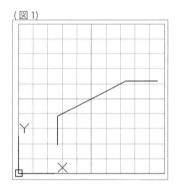

(図 2-1)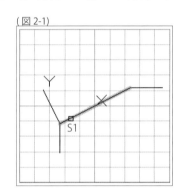

(図 2-2)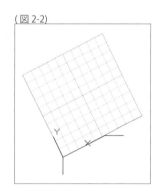

②直交モードを使うと、新しい XY 座標軸に対して平行・垂直の線分を作図できます。(図 3)

　またブロック図形も XY 軸に沿うように簡単に配置できます。(図 4)

(図 3)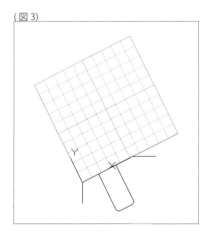

(図 4)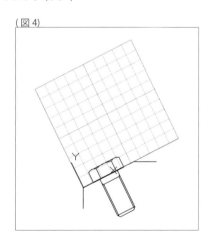

Point! 斜めの線分を X 軸にすると、傾いた図形も簡単に作図できます。
（角度のある道路に直角に敷地を作図する場合などに利用します。)

3　UCS[ビュー]

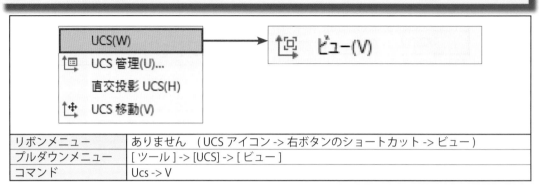

リボンメニュー	ありません　(UCS アイコン -> 右ボタンのショートカット -> ビュー)
プルダウンメニュー	[ツール] -> [UCS] -> [ビュー]
コマンド	Ucs -> V

①　ユーザーの視点方向を Z 軸の正の方向にする

①プルダウンメニュー [ツール] -> [UCS] -> [ビュー] を選択します。(図 1)

②ユーザーが見ている方向がビュー (Z 軸の正の方向) になります。(図 2)

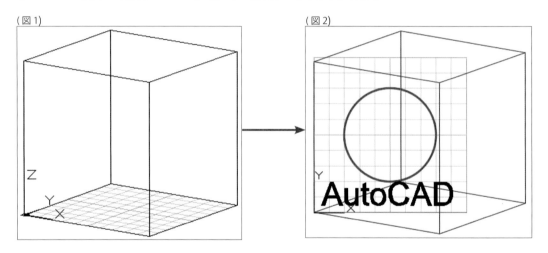

(図1)　(図2)

memo

[右手の法則]

右手を手のひらを上にして握った時、親指を伸ばした方向が X 軸の正の方向で、
人差し指を伸ばした方向が Y 軸の正の方向です。

それから、中指を自分に向けて伸ばします。これが Z 軸の正の方向です。

これら 3 つの指は、それぞれ X , Y , Z の正の方向を示しています。

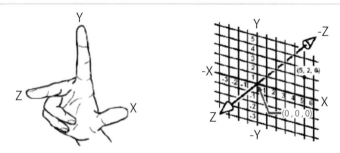

Point!

　2 次元図形 (Z 座標 = 0) では、ユーザー座標系が XY 平面に対して
垂直の関係になければ正確に作図することはできません。
(ユーザーは Z 軸の正の方向から XY 平面に作図します。)

4 UCS[3 点]

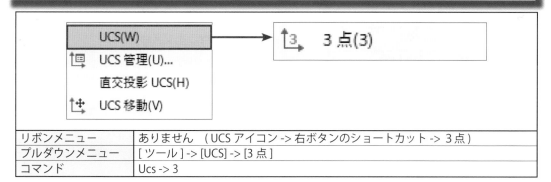

リボンメニュー	ありません　(UCS アイコン -> 右ボタンのショートカット -> 3 点)
プルダウンメニュー	[ツール] -> [UCS] -> [3 点]
コマンド	Ucs -> 3

1 原点と X 軸、Y 軸の正の方向を指示する【UCS(3D).dwg】

①プルダウンメニュー [ツール] -> [UCS] -> [3 点] を選択します。(図 1)

　<u>新しい原点を指定 <0,0,0>:</u> マウスで点 P1 を指示します。(図 2)

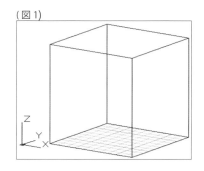

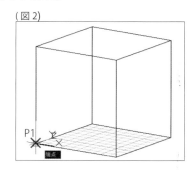

②<u>X 軸上での正の点を指定 <715.2456,1233.7092,0>:</u> マウスで点 P2 を指示します。(図 3)

③<u>XY 平面の Y 座標上での正の点を指定 <714.2456,1234.7092,0>:</u> マウスで点 P3 を指示します。(図 4)

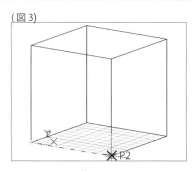

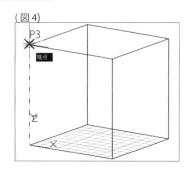

④(図 5) のように原点の移動と、XYZ 軸の回転が同時に行われました。

⑤円や文字も正確に描かれます (図 6)

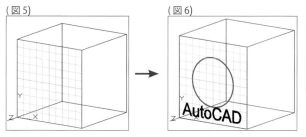

Point!

図形は XY 平面に平行に作図されます。

Z 座標の初期値は <0> です。

(作図したい面を XY 平面にします。)

5 UCS[ワールド]

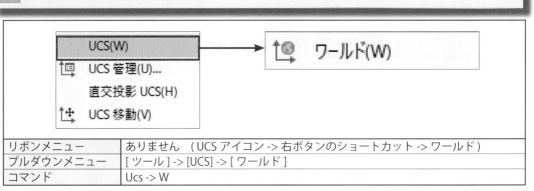

リボンメニュー	ありません （UCS アイコン -> 右ボタンのショートカット -> ワールド ）
プルダウンメニュー	[ツール] -> [UCS] -> [ワールド]
コマンド	Ucs -> W

① UCS(ユーザー座標系) を WCS(ワールド座標系) に戻す

①プルダウンメニュー [ツール] -> [UCS] -> [ワールド] を選択します。

　ユーザー座標系 (図 1) から、ワールド座標系 (図 2) に戻ります。

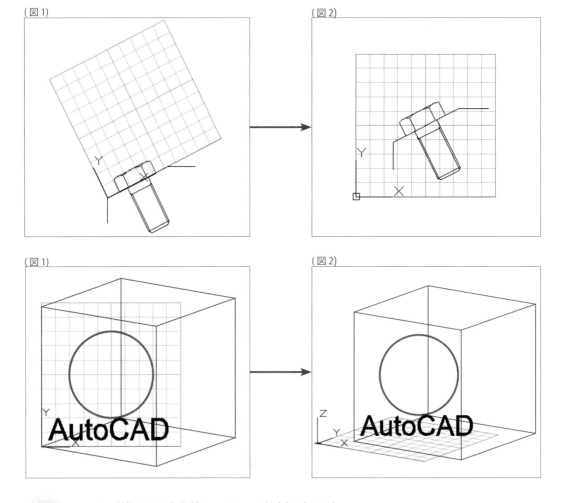

Point! 新規図面の初期値は、[ワールド座標系] です。
画面の左隅にある [UCS アイコン] の形で、現在の座標系を知ることができます。

第3章　図面設定

図面の中では、さまざまな設定をすることがあります。
文字、寸法、線種や画層などの設定は大事な項目です。

この章では、
AutoCAD LT の
図面設定の方法を学びます。

■　■　■　　第 1 節　図面設定

第1節　　図面設定

1 オプション [Options]（ファイル）

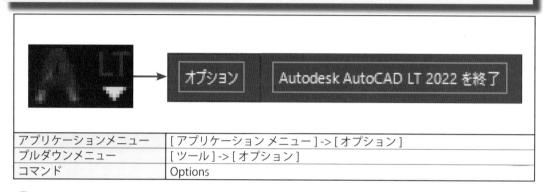

アプリケーションメニュー	[アプリケーション メニュー] -> [オプション]
プルダウンメニュー	[ツール] -> [オプション]
コマンド	Options

① [アプリケーション メニュー] -> [オプション] -> [ファイル]

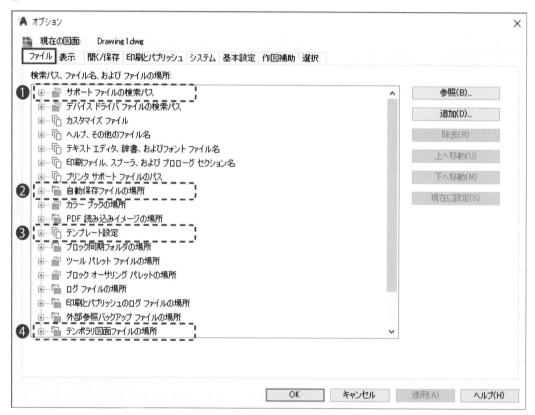

[ファイルの保存場所を指定]

AutoCAD LT が使用するプログラムやファイルの保存場所を示しています。

① ユーザーが独自に用意したハッチング パターンや LISP 等のプログラムは、ここで指定します。

② バック アップや指定時間ごとに自動保存されるファイルのフォルダを指定しています。

③ テンプレート ファイルの保存場所です。ユーザーのテンプレートを指定することができます。

④ 図面を作成中の一時的な保存場所を指定します。正常に終了すると一時ファイルは削除されます。

---

① サポート ファイルの検索パス

プログラムやフォント、ハッチングなどのファイルの保存場所を指定します。

上記のファイルを使用するときは、ここで指定されたフォルダの中を順番に探していきます。

ファイルが [サポート ファイルの検索パス] に無いときは、エラーメッセージが出ます。

📁 サポート ファイルの検索パス
- ⇒ C:¥Users¥info¥AppData¥Roaming¥Autodesk¥AutoCAD LT 2022¥R28¥jpn¥Support
- ⇒ C:¥Program Files¥Autodesk¥AutoCAD LT 2022¥Support
- ⇒ C:¥Program Files¥Autodesk¥AutoCAD LT 2022¥Support¥ja-JP
- ⇒ C:¥Program Files¥Autodesk¥AutoCAD LT 2022¥fonts
- ⇒ C:¥Program Files¥Autodesk¥AutoCAD LT 2022¥Support¥color

検索パスを追加する場合は、[追加] ボタンを押して [参照] ボタンからパスを指定します。

追加(D)...　　　　　参照(B)...

---

② 自動保存ファイルの場所

[オプション] - > [開く / 保存] で自動保存を設定した時は、この場所に保存されます。

初期値では、図面が最後に保存されてから 10 分経過すると自動的に保存が実行されます。

図面を保存した時は、この一時的に保存されたファイルは削除されます。(図面名 .sv$)

📁 自動保存ファイルの場所
- ⇒ C:¥Users¥info¥AppData¥Local¥Temp¥

---

③ テンプレート設定

スタートアップ ウィザードや [新規図面を作成] ダイアログ ボックスで使用される図面テンプレート
ファイルが検索されるパスを指定します。

ユーザーが作成したテンプレート ファイルがある場所に変更する場合は、ここに指定します。

📄 テンプレート設定
- 📁 図面テンプレート ファイルの場所
  - ⇒ C:¥Users¥info¥AppData¥Local¥Autodesk¥AutoCAD LT 2022¥R28¥jpn¥Templateplate
- 📄 QNEW[クイック新規作成]コマンドの既定のテンプレート ファイル名
  - ⇒ なし

---

④ テンポラリ図面ファイルの場所

図面を作成中は [図面名 .ac$] の名で一時的に保存されますが、正常に終了すると削除されます。

📁 テンポラリ図面ファイルの場所
- ⇒ C:¥Users¥info¥AppData¥Local¥Temp¥

2 オプション [Options]（表示）

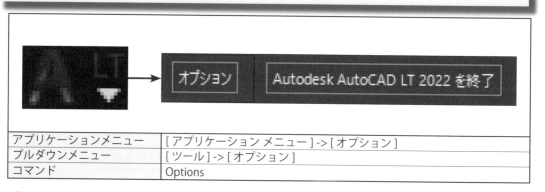

アプリケーションメニュー	[アプリケーション メニュー] -> [オプション]
プルダウンメニュー	[ツール] -> [オプション]
コマンド	Options

1 [アプリケーション メニュー] -> [オプション] -> [表示]

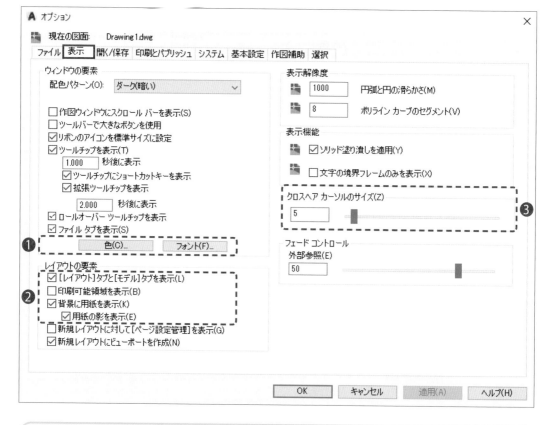

[画面の表示方法を設定]

AutoCAD LT の画面の配色や解像度の他、印刷時のレイアウトの表示方法などを設定します。

① ┃　　色(C)...　　┃ ボタンから画面色などユーザーインターフェースの配色を指定できます。

② モデル空間で作成した図をレイアウト空間に配置する方法を設定します。

　　印刷用紙に配置する時の細かな設定が指定できます。

③ マウスカーソルの大きさを指定できます。（初期値は画面サイズの 5% です。）

（注）のある項目は図面に保存されます。無い項目は AutoCAD LT のシステムに保存されます。

---

① ウインドウの要素

作図ウィンドウの背景色を指定できます。初期値は < 黒系 (33,40,48)> です。

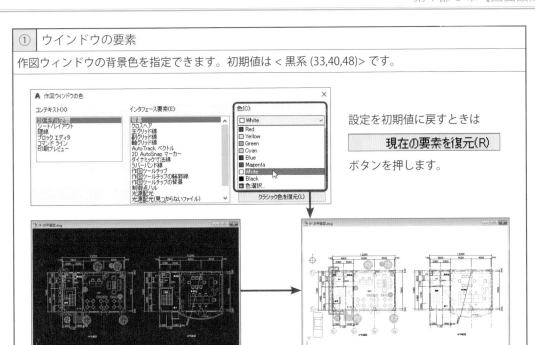

設定を初期値に戻すときは

現在の要素を復元(R)

ボタンを押します。

---

② レイアウトの要素

レイアウト空間に印刷図面を配置する時の設定です。

A	印刷可能領域を表示	指定したプリンタで印刷できる領域を破線で表示します。
B	背景に用紙を表示	背景に指定した用紙の大きさを表示します。
C	用紙の影を表示	ペーパーの影を用紙の周りに薄く表示します。

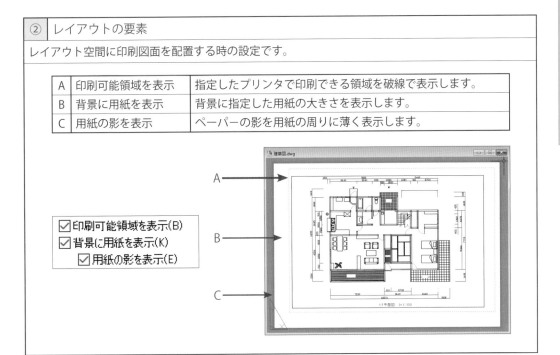

---

③ クロスヘア カーソルのサイズ

十字カーソルの大きさを指定できます。

画面の大きさの%で指定します。

<100> にすると画面の上下左右の両端までの

カーソルになります。

3 オプション [Options] （開く / 保存）

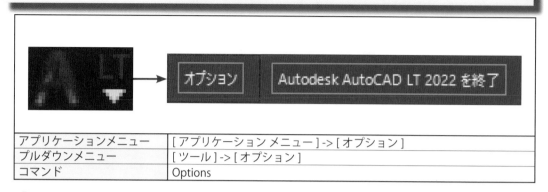

アプリケーションメニュー	[アプリケーション メニュー] -> [オプション]
プルダウンメニュー	[ツール] -> [オプション]
コマンド	Options

① [アプリケーション メニュー] -> [オプション] -> [開く / 保存]

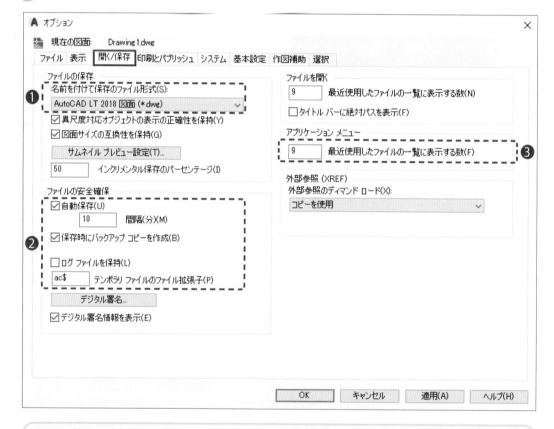

[ファイルの保存形式などを指定]

AutoCAD LT のファイル形式やバックアップの細かな設定を指定できます。

① AutoCAD LT で作成した図面を保存するバージョンを指定します。(初期値 <2018DWG 形式 >)

② 図面の安全を保つために、バック アップ ファイルの作成と自動保存の時間間隔を指定できます。

　[自動保存] → 指定した時間ごとに [自動保存ファイルの場所] に保存されます。

　[保存時のバックアップ コピーを作成] < ファイル名 .bak> の名前で保存されます。

　[テンポラリ ファイルを保存] 一時的なファイルを作成します。正常に終了すると削除されます。

③ [アプリケーション メニュー] に表示されるファイル一覧の数を指定します。(初期値 <9>)

① ファイルの保存

保存する時の dwg のバージョンを指定できます。初期値は、<AutoCAD LT 2018 図面 > 形式です。

ここで指定できるのは、dwg 形式、dwt 形式と dxf 形式です。

② ファイルの安全確保

自動保存

作図の途中で自動的に保存を行うかどうかの選択です。初期値の拡張子は <sv$> です。

自動保存を選択した場合の初期値は <10 分間隔 > です。

システム変数 SAVEFILE(読み込み専用) に、自動保存ファイルの名前が格納されています。

保存時にバックアップ コピーを作成

ファイルを保存する時に、バックアップ ファイルを作成するかどうかの選択です。

バックアップ ファイルの拡張子は <bak> です。

dwg ファイルが壊れた時に、bak ファイルの拡張子を dwg に変更すると正常な図面になります。

テンポラリ ファイルを保持

作図中にテンポラリ ファイルを作成しますが、そのファイルの拡張子を指定できます。

初期値の拡張子は <ac$> です。

ログファイルは図面が正常に保存された時に、自動的に削除されます。

このファイルには UNDO などのさまざまな AutoCAD LT のコマンドで使用される情報が含まれて

いますが、修復に使えるような図面データは含まれていません。

③ アプリケーション メニュー

[最近使用したドキュメント] の下に、直近に使用したファイルを表示する数を指定します。(0 ～ 50)

4 オプション [Options]（印刷とパブリッシュ）

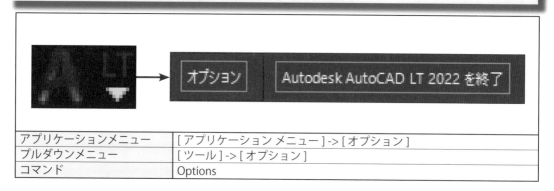

アプリケーションメニュー	[アプリケーション メニュー] -> [オプション]
プルダウンメニュー	[ツール] -> [オプション]
コマンド	Options

1 [アプリケーション メニュー] -> [オプション] -> [印刷とパブリッシュ]

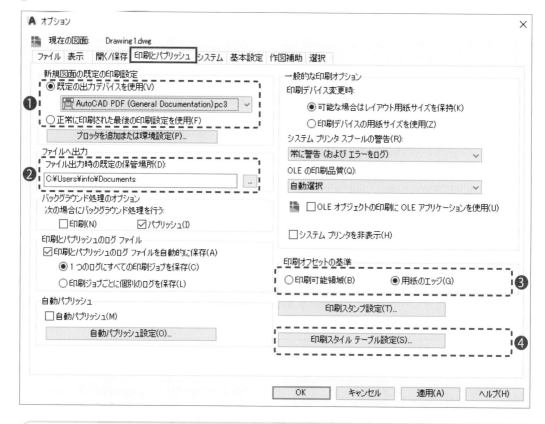

[印刷とパブリッシュの設定]

印刷時の細かな設定を行います。

① [印刷デバイス] の初期値を指定します。（印刷ごとに変更は可能です。）

② プリンタではなく、PDF などのファイルに保存する場合の保存場所を指定します。

③ 図面の境界との間隔をシステムプリンタの印刷範囲か用紙のエッジかを指定します。

④ ユーザー独自の印刷スタイルを作成できます。この印刷スタイルは保存できます。

（注） のある項目は図面に保存されます。無い項目は AutoCAD LT のシステムに保存されます。

① 新規図面の既定の印刷設定

新規図面の印刷時に既定となる出力デバイス (プリンタや PDF 等) を指定します。

🖶 AutoCAD PDF (General Documentation).pc3
🖶 AutoCAD PDF (High Quality Print).pc3
🖶 AutoCAD PDF (Smallest File).pc3
🖶 AutoCAD PDF (Web and Mobile).pc3

初期値ですから印刷時に変更できます。
プリンタやプロッタだけでなく、PDF も
指定できます。

② ファイルへ出力

プリンタへの出力ではなく、ファイルとして保存する場合の既定のフォルダを指定します。

… ボタンを押して、ユーザーが使用するフォルダを指定できます。

ファイル出力時の既定の保管場所(D):

C:¥Users¥info¥Documents …

③ 印刷オフセットの基準

[印刷オフセット] の領域を指定します。

指定した印刷範囲の境界との距離を指定します。
プリンタで制限されている [印刷可能領域] か
用紙サイズで制限されている [用紙のエッジ] の
どちらかを選択します。

印刷オフセットの基準
◉ 印刷可能領域(B)   ○ 用紙のエッジ(G)

[印刷の中心] を指定すると自動的に印刷範囲の
中央にセットされます。

[印刷] ダイアログで指定

印刷オフセット (基準は印刷可能領域)
X: 0.00   ミリメートル   □ 印刷の中心(C)
Y: 0.00   ミリメートル

④ 印刷スタイル テーブル設定

新規図面の既定値の印刷スタイルや現在の図面の印刷スタイルを設定します。

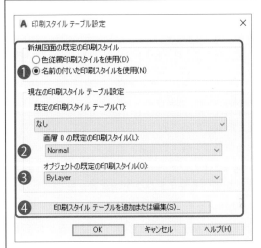

①	[名前の付いた印刷スタイル] を選んだ場合、印刷スタイルを新規に作成できます。
②	図面テンプレートを使用せずに新規図面をゼロから作成したときの画層 0 の既定の印刷スタイルを指定します。
③	図面テンプレートを使用せずに新規図面をゼロから作成したときの新しいオブジェクトの既定の印刷スタイルを指定します。
④	新規図面の既定値の印刷スタイルや現在の図面の印刷スタイルの新規作成が可能です。

図面設定

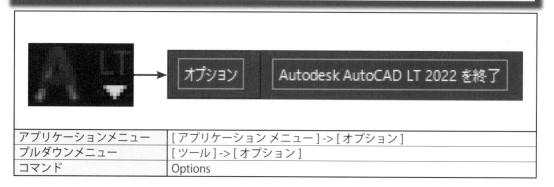

アプリケーションメニュー	[アプリケーション メニュー] -> [オプション]
プルダウンメニュー	[ツール] -> [オプション]
コマンド	Options

1 [アプリケーション メニュー] -> [オプション] -> [基本設定]

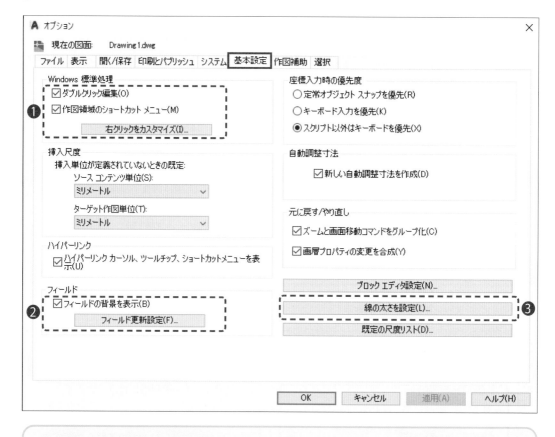

[基本操作の最適化を設定]

マウスの役割や [線の太さ]、[尺度リスト] の既定値などの基本的な設定を行います。

①図形をダブルクリックした時の表示形式 (パネルやリボン等) を指定できます。

　作図領域内でマウスを右クリックしたときの、ショートカットの表示 / 非表示を指定できます。

②フィールドの背景色やフィールドを変更した時に更新するタイミングを指定できます。

③ [線の太さ] の初期値を指定します。既定値は <0.25> です。

(注) 🔳 のある項目は図面に保存されます。無い項目は AutoCAD LT のシステムに保存されます。

①	Windows 標準処理

（ダブル クリック編集）

ダブル クリックの動作は [ユーザーインターフェース をカスタマイズ (CUI)] で確認できます。

（作図領域のショートカット メニュー）

[オン] の場合、右クリックでショートカット メニューを表示します。

[オフ] の場合、右クリックは [Enter] と同じです。

 から右クリックの動作をカスタマイズできます。

②	フィールド

（フィールドの背景を表示）

フィールド文字の背景に色を付けるかどうかの選択です。（初期値は < 灰色系 >）

フィールドの背景 <ON>　　　　　　　　　　フィールドの背景 <OFF>

AutoCAD LT　　　　　**AutoCAD LT**

（フィールド更新設定）

フィールドが変更された時に、図面に反映 (更新) されるタイミングを指定します。

① 図面を開くときに更新します。
② 図面を保存するときに更新します。
③ 図面を印刷するときに更新します。
④ e - トランスミットを作成するときに更新します。
⑤ 再作図するときに更新します。

③	線の太さを設定

（[線の太さを設定] ダイアログを表示）

[線の太さ] を指定します。初期値は <0.25> です。

[ホーム] -> [プロパティ] -> [線の太さ] からも同じダイアログが表示されます。

[ステータス バー] の [線の太さを表示 / 非表示] で表示を切り替えます。

6 オプション [Options]（作図補助）

アプリケーションメニュー	[アプリケーション メニュー] -> [オプション]
プルダウンメニュー	[ツール] -> [オプション]
コマンド	Options

1 [アプリケーション メニュー] -> [オプション] -> [作図補助]

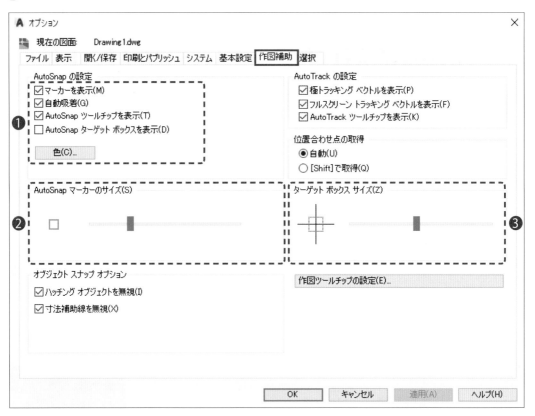

[AutoSnap や AutoTrack などの編集機能の設定]

[AutoSnap の設定]

ターゲット ボックスは、オブジェクトにスナップするときに、クロスヘア カーソルの中央に表示されるボックスです。

[AutoTrack の設定]

AutoTrack の設定を有効にするには、極トラッキングまたはオブジェクト スナップ トラッキングをオンにします。

| ① | AutoSnap の設定 |

オブジェクト スナップを使用するときに表示される AutoSnap と呼ばれる表示補助機能に関する設定をコントロールします。

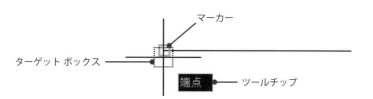

| マーカーを表示 < 初期値の色は緑 > |
| AutoSnap マーカーの表示をコントロールします。マーカーはジオメトリ記号で、クロスヘア カーソルをオブジェクトのスナップ点上に移動すると表示されます。 |
| 自動吸着 |
| スナップ点に近づくとクロスヘア カーソルが最も近いスナップ点に吸着します。 |
| AutoSnap ツールチップを表示 < 端点、中点、交点、中心などの文字 > |
| AutoSnap のツールチップの表示をコントロールします。
ツールチップは、オブジェクトのどの部分にスナップしているかを表示するラベルです。 |
| AutoSnap ターゲット ボックスを表示 |
| オンにすると、AutoSnap ターゲット ボックスを表示します。
オブジェクトにスナップするとクロスヘア カーソルの中央に破線で表示されます。 |

色(C)... ボタンから [AutoSnap マーカー] の色を変更できます。（初期値は < 緑系 >）

| ② | AutoSnap マーカーのサイズ |

マーカーの表示サイズを、スライダーで指定します。

[オブジェクト スナップ オプション] から [ハッチング] と [寸法補助線] のスナップを無視できます。

| ③ | ターゲット ボックス サイズ |

ターゲット ボックスの表示サイズを、スライダーで指定します。

ターゲット ボックスのサイズによって、ターゲット ボックスがスナップ点に吸着される前にどの程度までスナップ点に近づけるかが決まります。

図面設定

7 オプション [Options]（選択）

アプリケーションメニュー	[アプリケーション メニュー] -> [オプション]
プルダウンメニュー	[ツール] -> [オプション]
コマンド	Options

1 [アプリケーション メニュー] -> [オプション] -> [選択]

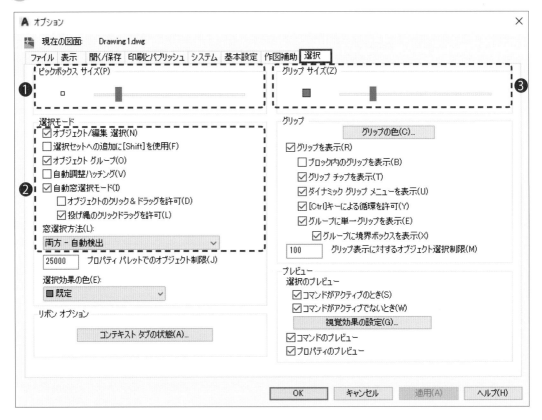

[図面設定] （縦書き左側）

[図形の選択に関する設定]

図形の選択方法や選択した時のグリップの色や役割を設定します。

① 図形を選択する時のピック ボックスの大きさを指定します。

② 図形の選択方法を選ぶことができます。

　マウスで個別に選択するのか、窓で囲って選択するのか等を指定します。

③ 図形を選択した時に表示されるグリップの大きさを設定します。

　[グリップの色(C)...] ボタンから、グリップの色を指定できます。

①	ピック ボックス サイズ

オブジェクトを選択するときに使用するピック ボックスのサイズを、スライダーで指定します。

②	選択モード

（オブジェクト / 編集 選択）

(オブジェクト / 編集 選択) にチェックすると、コマンドを呼び出す前にオブジェクトを選択したり、コマンドを呼び出した後にオブジェクトを選択することも両方可能です。

（選択セットへの追加に [Shift] を使用）

オンにした場合、オブジェクトを追加選択するときに [Shift] キーを押しながらマウスで選択します。

（自動窓選択モード）

オブジェクト以外の点をクリックしたときに、選択窓の描画が開始されます。

選択窓を左から右へ描画すると、窓枠の中に完全に含まれるオブジェクトが選択されます。

選択窓を右から左へ描画すると、窓枠の中に完全に含まれるオブジェクトおよび窓枠と交差する

オブジェクトが選択されます。

（窓選択方法）

システム変数 <PickDrag> を設定します。

① [PickDrag = 0]：クリックとクリック

② [PickDrag = 1]：プレス & ドラッグ

③ [PickDrag = 2]：両方ー自動検出

[両方ー自動検出] を選択すると、[自動窓選択モード] がオンになります。

初期値は [PickDrag = 2]：両方ー自動検出です。

値	選択方法
0	2 点を使用して選択窓を指定します。 選択窓の対角する 2 つのコーナーを順次クリックします。
1	クリックとドラッグ操作により選択窓を指定します。 マウスのボタンを放して選択します。
2	上記のいずれかの方法を使用して選択窓を指定します。

③	グリップ サイズ

グリップの表示サイズを、スライダーで指定します。

図面設定

8 図面範囲設定 [Limits]

リボンメニュー	ありません
プルダウンメニュー	[形式] -> [図面範囲設定]
コマンド	Limits

1 キーボードから設定する

LIMITS コマンドは、現在のモデル タブまたはレイアウト タブのビューポート内のグリッド表示の範囲を設定します。

①キーボードから [limits] と入力します。
②コマンドラインに図面範囲を入力します。（例：A3 の大きさ）

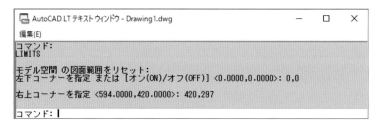

③コマンド :LIMITS モデル空間 の図面範囲をリセット :
　左下コーナーを指定 または [オン (ON)/ オフ (OFF)] <0.0000,0.0000>:　⏎ （そのまま受け入れます）

④右上コーナーを指定 <594.0000,420.0000>: キーボードから <420,297> と入力し、⏎

⑤ズームコマンドで図面範囲全体を表示します。

 図面範囲外には作図できないようにすることができます。
　①キーボードから [limits] と入力します。
　②左下コーナーを指定 または [オン (ON)/ オフ (OFF)]<0.0000,0.0000>：　ON ⏎

[図面範囲] の役割

①グリッドを [図面範囲] 内だけに表示できます。
② [図面範囲] 外の作図を禁止できます。
　（左図でグリッド外の P2 の点が入力できない。）

**図面範囲の外側です
▼ LINE 次の点を指定 または [元に戻す (U)]:

② マウスで設定する

①キーボードから [limits] と入力します。

②左下コーナーを指定 または [オン (ON)/ オフ (OFF)]<0.0000,0.0000>：
マウスで P1（適当な位置）を指示します。

③右上コーナーを指定 <297,210>:　キーボードから <@420,297> と入力します。P2

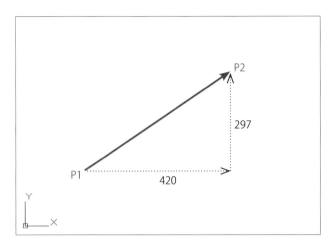

④ズームコマンドで図面範囲全体を表示します。

ZOOM ⏎

窓のコーナーを指定、表示倍率を入力 (nX または nXP) または

[図面全体 (A)/ 中心点 (C)/ ダイナミック (D)/ オブジェクト範囲 (E)/ 前画面 (P)/ 倍率 (S)/ 窓 (W)/

選択オブジェクト (O)] < リアル タイム >: A ⏎

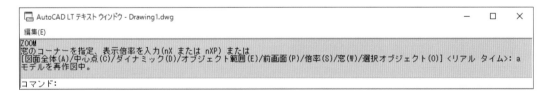

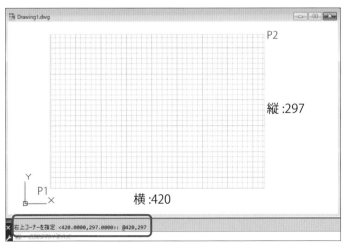

Point!

左下コーナーと右上コーナーの対角
の 2 点指定になります。

☞ @ は < 最後の点から >
の距離入力になります。

[図面範囲] の役割

③ [モデル空間] から印刷する時に
[図面範囲] を選択できます。

縦置き：図面設定

9 作図補助設定 [GridMode]（グリッドの設定）

ステータスバー	[作図グリッドを表示]		
プルダウンメニュー	[ツール] -> [作図補助設定]		
システム変数	GridMode	ファンクションキー	F7

①[ステータスバー] -> [作図グリッドを表示] -> [グリッドの設定] を選択します。

②[作図補助設定] ダイアログが表示されます。

③グリッド表示にチェックをつけると、[グリッド間隔] の (X、Y) の数値と [グリッドの動作] の指定ができるようになります。（図1）

④[OK] ボタンを押します。

⑤画面に [作図補助設定] ダイアログで設定したグリッドが表示されます。（図2）

図面設定

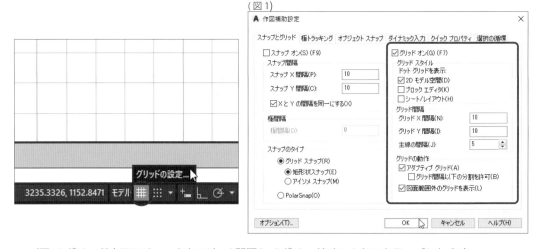

（図1）グリッド表示にチェックをつけ、[間隔]、[グリッド オン] をアクティブにします。

memo

グリッドの表示を切り替えるには、ステータスバーの [グリッド] をクリックします。
またファンクションキーの F7 を押しても変更できます。

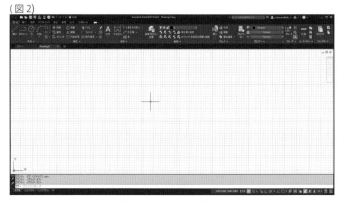

（図2）作図領域にグリッドが表示されます。

10 作図補助設定 [SnapMode]（スナップ設定）

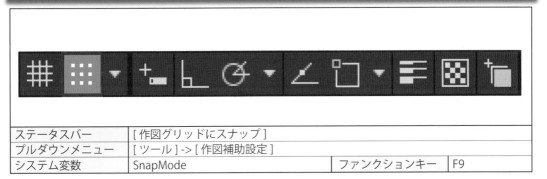

ステータスバー	[作図グリッドにスナップ]		
プルダウンメニュー	[ツール] -> [作図補助設定]		
システム変数	SnapMode	ファンクションキー	F9

① [ステータスバー] -> [スナップモード] -> [スナップ設定] を選択します。

② [作図補助設定] ダイアログが表示されます。

③ [スナップ オン] にチェックをつけます。（図 1- ①）

（図 1）

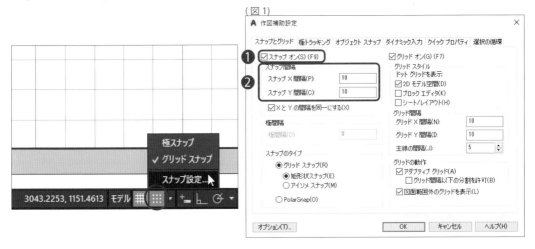

④ [スナップ間隔] の < X 間隔 > と < Y 間隔 > にカーソルの動きが固定されます。（図 1- ②）

⑤ [OK] ボタンを押します。

⑥下図は [作図補助設定] ダイアログでスナップを ON に設定している画面です。

memo

スナップの表示を切り替えるには、ステータスバーの [スナップ] をクリックします。
またファンクションキーの F9 を押しても変更できます。

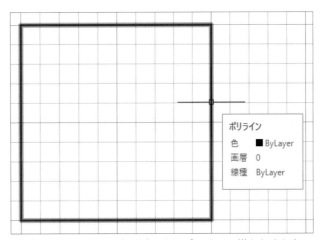

長方形コマンドで長方形がスナップにそって描かれました。

図面設定

11 作図補助設定 [DynMode]（ダイナミック入力）

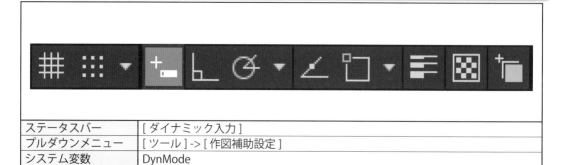

ステータスバー	[ダイナミック入力]
プルダウンメニュー	[ツール] -> [作図補助設定]
システム変数	DynMode

1 [ポインタの入力を使用 **A**] が ON のとき

①ステータスバーの [ダイナミック入力] から [作図補助設定] の [ダイナミック入力] を表示させます。

②[設定] ボタンを押して、[ポインタの入力設定] を開きます。

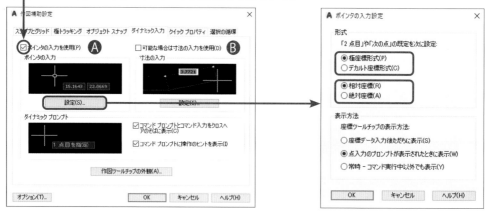

③[極座標形式] と [デカルト座標形式]

左下図が [極座標形式]、右下図が [デカルト座標形式] です。

[極座標形式] は [直線距離 < 角度]、[デカルト座標形式] は [X の距離、Y の距離] で表示されます。

④[相対座標] と [絶対座標]

(図 1) が [相対座標]、(図 2) が [絶対座標] で入力した結果です。

⑤原点 (P1) から (P2) まで線分を作図し、[相対座標] で <100,0> と
入力した結果が、(図 1) の P3-1 です。

相対座標での入力は、最後の点 (座標) からの距離になります。

⑥原点 (P1) から (P2) まで線分を作図し、[絶対座標] で <100,0> と
入力した結果が、(図 2) の P3-2 です。

絶対座標での入力は、原点 (0 , 0) からの距離になります。

(図 1)

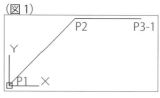

(図 2)

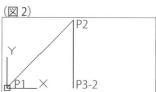

2 [寸法の入力を使用 **B**] が ON のとき

A と **B** が両方 ON の時は、**B** が優先。

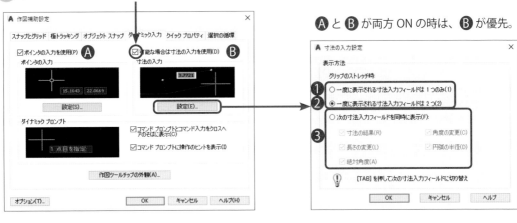

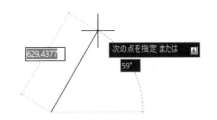

① [一度に表示される寸法入力フィールドは 1 つのみ]
　グリップ編集を使用してオブジェクトをストレッチして
　いるときに、[長さの変更] の入力ツールチップのみが
　表示されます。

② [一度に表示される寸法入力フィールドは 2 つ]
　グリップ編集を使用してオブジェクトをストレッチして
　いるときに、[長さと角度の変更] の入力ツールチップが
　表示されます。

③ [次の寸法入力フィールドを同時に表示]
　グリップ編集を使用してオブジェクトをストレッチしているときに、次に示すオプションがオンに
　なっている入力ツールチップが表示されます。

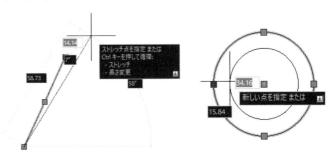

次の寸法入力フィールドを同時に表示	
寸法の結果	グリップを移動したときに更新された長さ寸法のツールチップを表示します。
長さの変更	グリップを移動したときに行われた長さの変更を表示します。
絶対角度	グリップを移動するときに更新された角度寸法のツールチップを表示します。
角度の変更	グリップを移動したときに行われた角度の変更を表示します。
円弧の半径	グリップを移動するときに更新された円弧の半径を表示します。

12 作図補助設定 [PolarAng]（極トラッキング）

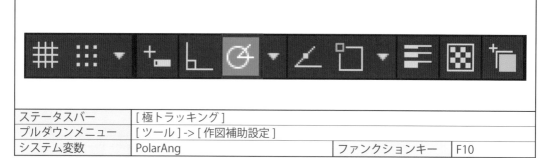

ステータスバー	[極トラッキング]		
プルダウンメニュー	[ツール] -> [作図補助設定]		
システム変数	PolarAng	ファンクションキー	F10

① [ステータスバー] -> [極トラッキング] -> [トラッキングの設定] を選択します。

② [作図補助設定] ダイアログの [極トラッキング] タブを選びます。

③ [極トラッキング] にチェックをつけます。（図 1- ①）

④ [角度の増分] に <30> を入力し、[追加角度を使用] にチェックします。（図 1- ②）

⑤ [OK] ボタンを押します。

⑥ カーソル角度が <30 度 > ごとにトラッキング ラインが表示されます。（図 2）

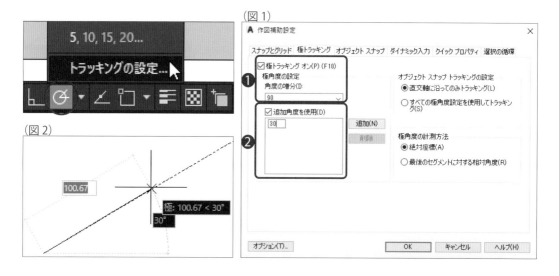

（図 1）

（図 2）

⑦ [トラッキングの設定] の上側に表示される規定値の組み合わせを
選択してもトラッキング角度を指定できます。

memo

極トラッキングの表示を切り替えるには、
ステータスバーの [極トラッキング] を
クリックします。
またファンクションキーの F10 を押しても
変更できます。

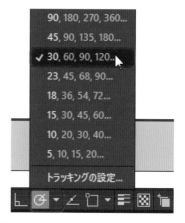

図面設定

13 作図補助設定 [AutoSnap](オブジェクト スナップ トラッキング)

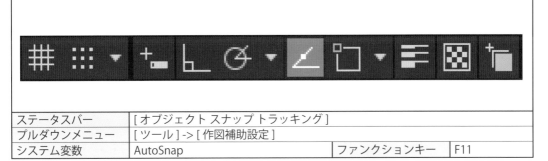

ステータスバー	[オブジェクト スナップ トラッキング]		
プルダウンメニュー	[ツール] -> [作図補助設定]		
システム変数	AutoSnap	ファンクションキー	F11

[極トラッキング] と [オブジェクト (スナップ) トラッキング] を併せて AutoTrack と呼びます。

[オブジェクト (スナップ) トラッキング] は、オブジェクトスナップと一緒に使うため
あらかじめ使用するオブジェクトスナップを設定しておきます。

また、直交モードと同時に使用できません。

①下図のように四角形の中心に円 (赤) をオブジェクト (スナップ) トラッキングを使って
　作図します。

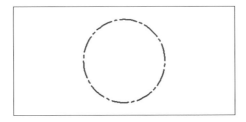

②ステータスバーの [オブジェクトスナップ] の設定を開き、< 中点 > にチェックします。

③ [円－中心、半径] を選び、左下図のように四角形の下辺の中点あたりにマウスを近づけます。
　三角形のマークが表示されます。(P1)

④続けて、マウスを四角形の左辺の中点あたりに近づけると、同じように三角形が表示されます。(P2)

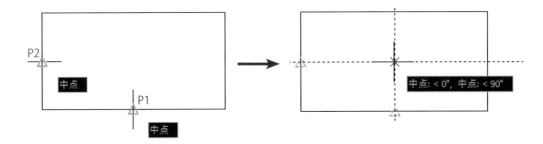

⑤マウスを四角形の中央あたりに近づけると（右図）、[中点：<0°, 中点：<90°] と表示されます。
　これは、左辺の中点から 0°の方向、下辺の中点から 90°上方にあることを示しています。
　つまり、この点が四角形の中心になりますので、円の中心を取ることができます。

図面設定

14 直交モード [OrthoMode]

ステータスバー	[直交モード] (カーソルの動きを直交に強制)		
プルダウンメニュー	ありません		
システム変数	OrthoMode	ファンクションキー	F8

1 水平・垂直の線分を作成する（Shift キーを押すと、一時的に直交モードになります。）

① [ステータスバー] -> [カーソルの動きを直交に強制] を <ON> にします。

② [作成] パネル -> [線分] を選択します。

③ 1 点目を指定：始点の位置を指定します。(図 1)

④次の点を指定：マウスを水平か垂直方向へ移動します。(図 2)

⑤キーボードから直線距離だけを入力します。(図 3)　角度の指定は必要ありません。

⑥水平・垂直の線分が作成されます。(図 4)

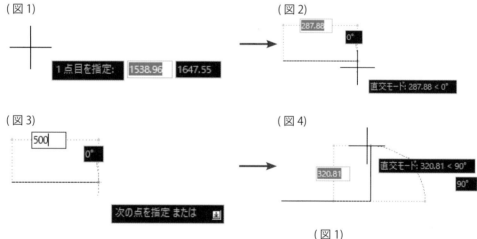

(図 1)

(図 2)

(図 3)

(図 4)

2 斜めの線に垂直の線分を作成する

① [ツール] -> [UCS] -> [オブジェクト] を選択します。(図 1)

② [ステータスバー] -> [直交モード] を <ON> にします。

③ [作成] パネル -> [線分] を選択します。

④ 1 点目を指定：線分の線上 (P1) を指定します。

⑤次の点を指定：マウスを直角方向へ移動します。

⑥斜めの線分に垂直な線分が作成されます。(図 2)

⑦ [ツール] -> [UCS] -> [ワールド] で座標系を WCS に戻します。

(図 1)

(図 2)

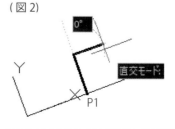

15 線の太さ [LWeight]

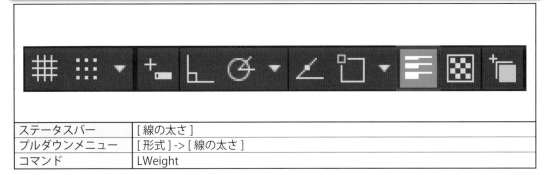

ステータスバー	[線の太さ]
プルダウンメニュー	[形式] -> [線の太さ]
コマンド	LWeight

①下図のように円を選び [プロパティ] を表示させます。

② [プロパティ] の中の [線の太さ] で <0.3> を選びます。

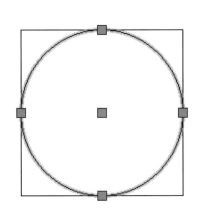

③ [線の太さ] が <OFF> のときは、円の線の太さの表示には変化ありませんが（左下図）、
　 ステータスバーの [線の太さ] を <ON> にすると、円の線が太く表示されます。（右下図）

④印刷も見た目の太さで印刷されます。

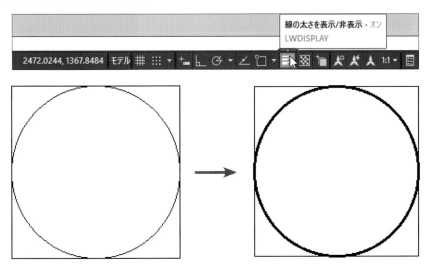

図面設定

16 透過性 [TransparencyDisplay]

ステータスバー	[透過性]
プルダウンメニュー	[形式] -> [透過性]
システム変数	TransparencyDisplay

1 既存のオブジェクトに透過性を設定する

① [ステータスバー] -> [透過性] を <ON> にします。

②床の塗り潰し (グラデーション) を選択します。(図 1)

③ハッチングエディタが表示されますから、その中の [ハッチング透過性] の数値を <80> にします。(図 2)

④床の塗り潰し (グラデーション) の色が薄くなりました。(図 3)

(図 2)

(図 1)

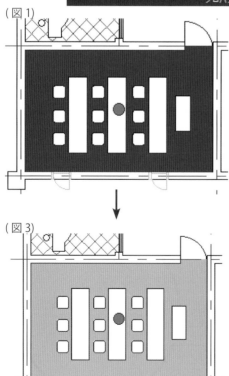

memo

グラデーションを選択して、[プロパティ]
からでも [透過性] を変更できます。

(図 3)

② 画層に透過性を設定する [room1-2.dwg]

① [画層プロパティ管理] で画層名 [ハッチング 1] と [ハッチング 2] を新規に作成します。

② [ハッチング 1] の [透過性] は <0>、[ハッチング 2] の [透過性] を <80> に設定します。

③画層 [ハッチング 1] で左の床にグラデーションを付けます。(図 1)

④画層 [ハッチング 2] で右の床にグラデーションを付けます。(図 2)

⑤両方とも同じグラデーションの色ですが、色の透過度 (濃さ / 薄さ) が異なっています。

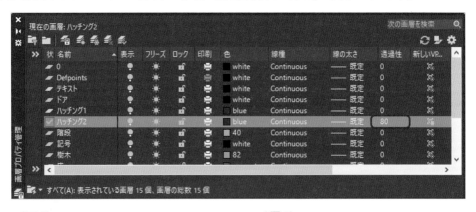

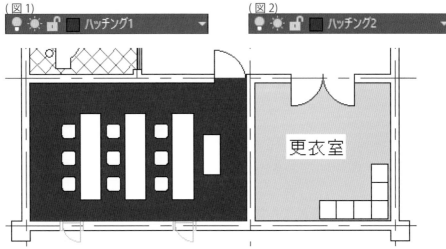

⑥ [透過性] を設定した画層でグラデーションを付けても、後で変更できます。

　下図の右の床では画層 [ハッチング 2] で作成したグラデーションの透過性を <20> に変更しました。

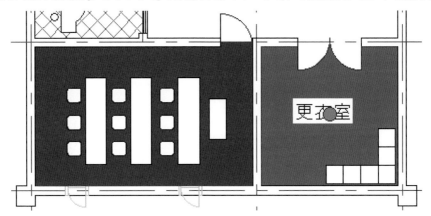

17 選択の循環 [SelectionCycling]

ステータスバー	[選択の循環]
プルダウンメニュー	[ツール] -> [作図補助設定]
システム変数	SelectionCycling

1 重なっているオブジェクト群から選択したいオブジェクトを取得する

① [修正] -> [削除] を選択します。

② (図1) の赤い線 (通り芯) を削除します。

(図1)

③マウスを近づけると、複数のオブジェクトがある絵 (🗗) が
表示されます。

(図2)

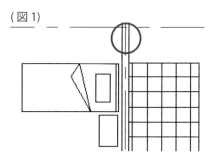

④マウスをクリックすると、(図3) のように重なっている
オブジェクトが表示されます。

⑤マウスで削除したいオブジェクトを選択します。
(ここでは、通り芯 < 赤色の線分 > を選択します。)

(図3)

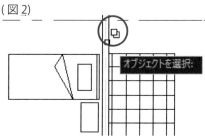

⑥選択した線分だけが削除されました。(図4)

(図4)

 オブジェクトが重なっていないときは、
🗗 の絵は表示されません。

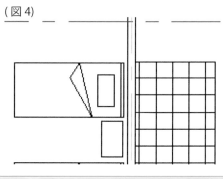

18 クイック プロパティ [Qpmode]

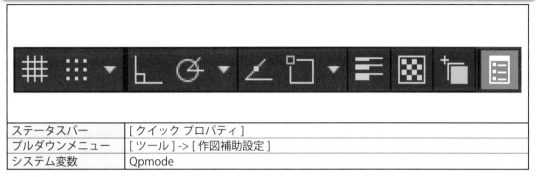

ステータスバー	[クイック プロパティ]
プルダウンメニュー	[ツール] -> [作図補助設定]
システム変数	Qpmode

1 [クイック プロパティ] を有効にする

① [ステータスバー] -> [クイック プロパティ] を <ON> にします。

② 確認したいオブジェクトを選択すると、[クイック プロパティ] パレットに図形情報が表示されます。

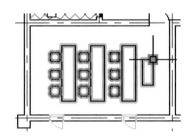

2 [クイック プロパティ] の設定

① [クイック プロパティ] の設定は、[ステータスバー] -> [クイック プロパティ] から行います。
[クイック プロパティ] で右ボタンを押して [クイック プロパティの設定] を選びます。

[クイック プロパティ] の設定	
①	[パレット表示の有効 / 無効] オブジェクトを選択した時に、パレットを表示するかどうかを選択します。
②	[パレットの表示] 全てのオブジェクトに対して、パレットを表示するかどうかを指定します。
③	[パレットの位置] 表示するパレットを [カーソルの位置] か [固定] かを指定します。
④	[パレットの動作] パレットに表示するプロパティの数を指定できます。（初期値は 3 行）

図面設定

19 画層プロパティ管理 [Layer]

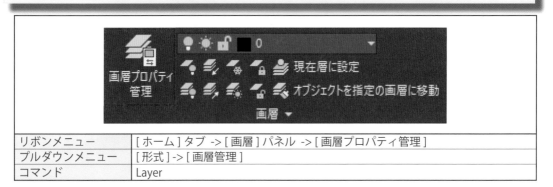

リボンメニュー	[ホーム] タブ -> [画層] パネル -> [画層プロパティ管理]
プルダウンメニュー	[形式] -> [画層管理]
コマンド	Layer

1 画層を新規に作成する

① [画層] パネル -> [画層プロパティ管理] を選択すると [画層プロパティ管理] ダイアログ が表示されます。（画層名 <0> が 1 つだけあります。）

②ダイアログの中の [新規作成] ボタンを押すと、< 画層 1> が作成されます。

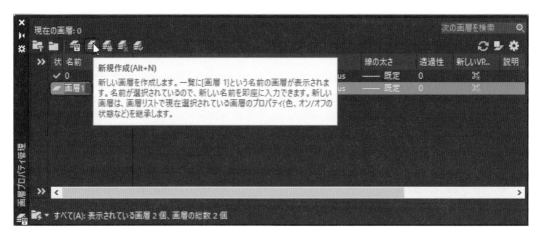

③画層の [名前]、[色]、[線の太さ]、[線種] 等を変更することができます。

各項目を変更する場合は、変更する項目をクリックして希望する内容に設定します。

④ [画層 < 画層 1>] の色を < 赤 > に設定します。

　色の項目 (初期値は < 黒 >) をクリックして、[色選択] パネルを表示させます。

⑤ [インデックス カラー] の中の < 赤 > を選択し、OK ボタンを押します。

⑥ [画層 < 画層 1>] の線種を < 一点鎖線 > に設定します。

　[ロードされている線種] の中に線種が無いときは、[ロード] ボタンをクリックして必要な線種を
取り込みます。

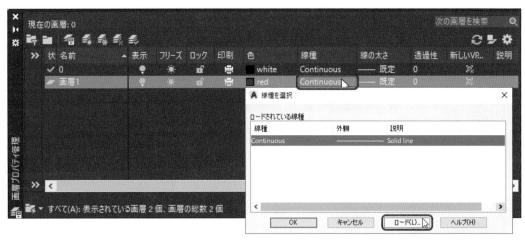

⑦ [線種のロードまたは再ロード] パネルから <CENTER> を選択して [OK] ボタンを押します。

　続いて表示される [線種を選択] パネルからロードした <CENTER> を選択します。

図面設定

② 画層名を変更する（例：＜画層1＞を＜Center＞に変更）

①画層名＜画層1＞の文字上でマウスを右クリックします。

　ショートカットの中の[画層名を変更]を選択し、＜Center＞に変更します。

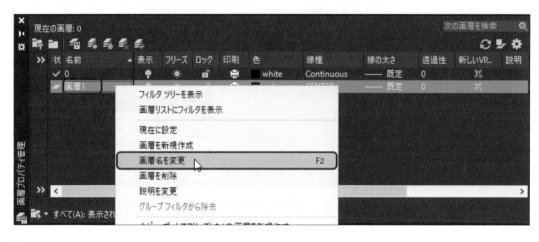

③ 画層名を削除する（例：＜Center＞を削除）

①画層名＜Center＞の文字上でマウスを右クリックし、ショートカットの中の[画層を削除]を選択します。
　（その画層にオブジェクトがある時は、削除できません。）

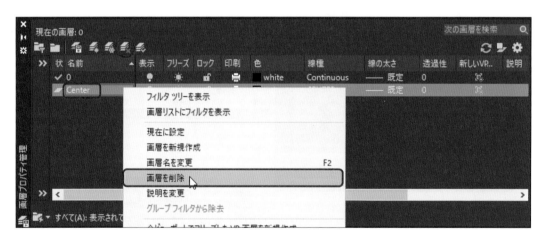

memo

オブジェクトのある画層を削除するには、2つの方法があります。

| ① | 画層合成 | 選択した画層を図面から削除し、別の画層に合成します。 |
| ② | 画層削除 | 選択した画層にあるすべてのオブジェクトを削除し、その画層も削除します。 |

図面設定

④ 画層の [ON] と [OFF]

①左図は [寸法] 画層の表示が <ON> ですが、右図では <OFF> になっています。

　表示されていない画層はマウスで操作できませんし、印刷もされません。

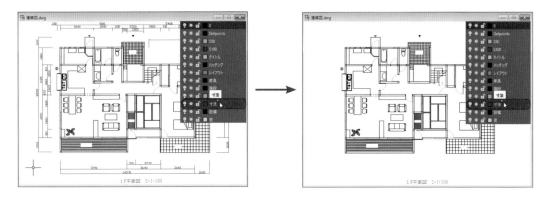

⑤ 画層の [ロック] と [ロック解除]

①左図は [寸法] 画層のロックが <OFF> ですが、右図では <ON> になっています。

　ロックされた画層は表示されていますがマウスで操作できません。しかし印刷はできます。

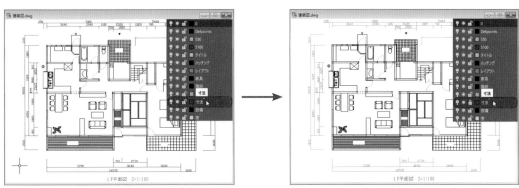

ロック画層の色は薄くなっています。

⑥ 画層の [印刷可] と [印刷不可]

①[画層プロパティ管理]の[印刷]を <OFF> にすると、画面に表示されていても印刷されません。

図面設定

20 線種設定 [Linetype]

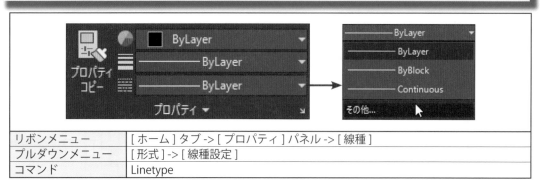

リボンメニュー	[ホーム] タブ -> [プロパティ] パネル -> [線種]
プルダウンメニュー	[形式] -> [線種設定]
コマンド	Linetype

1 線種を設定する

① [プロパティ] パネル -> [線種] を選択します。

② [線種管理] ダイアログが表示されます。

③ [線種管理] ダイアログの右上の [ロード] ボタンを押します。
線種名 <CENTER> を選択して、OK ボタンを押します。

④ 現図面に読み込まれた線種を削除するには、
[削除] ボタンを押すことになりますが、
その線種を使用している場合には、削除する
ことはできません。

⑤ [名前削除 <purge>] コマンドを使っても、線種を削除できます。

memo

図面に使われていない線種だけが表示されます。

図面設定

21 線種の尺度設定 [Linetype]

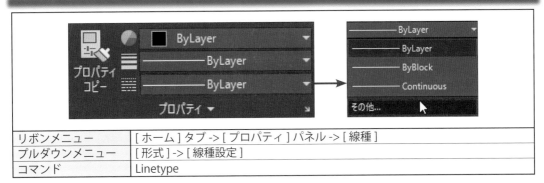

リボンメニュー	[ホーム] タブ -> [プロパティ] パネル -> [線種]
プルダウンメニュー	[形式] -> [線種設定]
コマンド	Linetype

1 全体の線種尺度の設定

① [プロパティ] パネル -> [線種] を選択します。

② [線種管理] ダイアログが表示されます。

③ [グローバル線種尺度] の数値を <100> にします。（通常は印刷尺度の逆数を指定します。① ②）
すべての線種の間隔が初期値の <100> 倍で作図されます。

memo

モデル空間で印刷を
1/100 で行う場合。
① [グローバル線種尺度]
100 前後にします。
②のチェックは外します。

図面設定

2 現在の個々の線種尺度の設定

① [現在のオブジェクトの尺度] の数値を <2> にします。これ以降、選択した線種の間隔が現在値の
<2> 倍になります。（[グローバル線種尺度] が <100> であれば、<100 × 2> の 200 倍になります。）

memo

印刷をレイアウト空間で
行う場合。
① [グローバル線種尺度]
1 にします。
②にチェックします。

22 長さの単位設定 [Units]

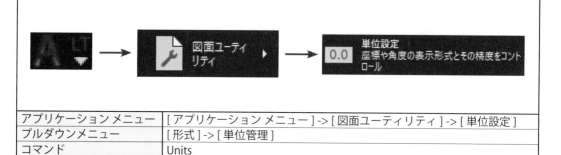

アプリケーションメニュー	[アプリケーションメニュー] -> [図面ユーティリティ] -> [単位設定]
プルダウンメニュー	[形式] -> [単位管理]
コマンド	Units

1 長さの作図単位の設定

① [アプリケーションメニュー] -> [図面ユーティリティ] から [単位設定] を選択します。

② [単位管理] ダイアログが表示されます。

③ [タイプ] の項目から、< 十進表記 > を選択します。

[タイプ]

長さの単位モードの設定	例
1 = 指数表記	3.25E + 01
2 = 十進表記	25.80
3 = 工業図面表記	2' - 2.50"
4 = 建築図面表記	2' - 2 1/2"
5 = 分数表記	2 1/2

④ [精度] で、<0.00> を選びます。（小数第 2 位まで表示させます。）
長さの計測を表示する場合の小数点以下の桁数または
分母の精度を設定します。

[精度]

> 単位の表示精度を設定すると、表示される値は指定した
> 精度のレベルに四捨五入されます。
> しかし座標や距離の実際の精度は、表示精度に関係なく
> 保持されます。

⑤ [挿入尺度] が < ミリメートル > であることを確認します。

[挿入尺度]

> 現在の図面に挿入されるブロックおよび図面の尺度を
> コントロールします。
> 現在の図面で使用されている単位とは異なる単位で作成
> されたブロックまたは図面を挿入すると、挿入尺度値に
> より不一致が修正されます。

23 角度の単位設定 [Units]

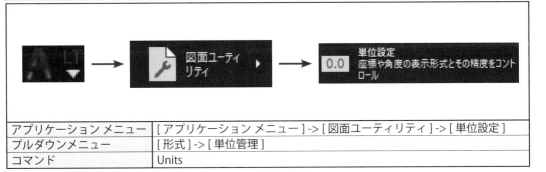

アプリケーション メニュー	[アプリケーション メニュー] -> [図面ユーティリティ] -> [単位設定]
プルダウンメニュー	[形式] -> [単位管理]
コマンド	Units

1 角度の作図単位の設定

① [アプリケーション メニュー] -> [図面ユーティリティ] から [単位設定] を選択します。

② [単位管理] ダイアログが表示されます。

③ [タイプ] の項目から、< 十進表記 > を選択します。

角度の単位モードの設定	例
0 = 十進数	35.00
1 = 度 / 分 / 秒	45d0'0"
2 = グラジェント	60.00g
3 = ラジアン	0.785398r
4 = 測量用単位	N 45d0'0" E

[タイプ]

④ [精度] で、<0.00> を選びます。（小数第 2 位まで表示させます。）
角度の表示精度を設定します。

> 単位の表示精度を設定すると、表示される値は指定した
> 精度のレベルに四捨五入されます。
> しかし座標や距離の実際の精度は、表示精度に関係なく
> 保持されます。

[精度]

⑤ [時計回り] にチェックが無いことを確認します。

> 無 = 角度を反時計回りに計測します。< 既定値 >
> 有 = 角度を時計回りに計測します。

[時計回り]

 Point!

CAD では [反時計回り] が正の角度になります。

図面設定

24 文字スタイル管理 [Style]

リボンメニュー	[注釈] タブ -> [文字] パネル -> [文字スタイル管理]
プルダウンメニュー	[形式] -> [文字スタイル管理]
コマンド	Style

1 文字スタイルの設定

① [注釈] タブ -> [文字] パネルの右下の矢印を選択します。（ダイアログ ボックス ランチャー）

② [文字スタイル管理] ダイアログが表示されます。（図 1）

③ [現在のスタイル名] の <Standard> は初期値です。

④ 新しい文字スタイルを作成するには、[新規作成] のボタンを押します。（図 1）

⑤ 文字の [高さ] を <0>、[ビッグフォント] に <extfont2.shx> を選びます。（図 2）

　文字の [高さ] を <0> にすると、文字の記入ごとに文字の大きさを変更できます。

　[ビッグフォント] に <extfont2.shx> を指定すると、日本語入力が可能になります。

（図 1）

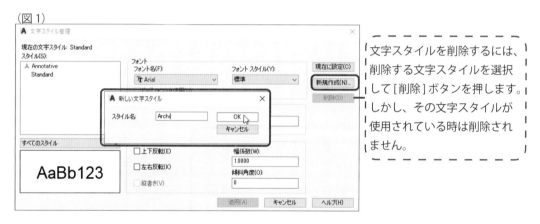

文字スタイルを削除するには、削除する文字スタイルを選択して [削除] ボタンを押します。しかし、その文字スタイルが使用されている時は削除されません。

（図 2）

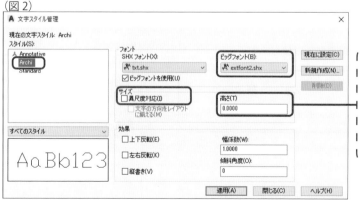

文字スタイルで文字の高さを <0> にすると、入力ごとに文字高さを指定できます。それ以外の場合は、現在のスタイルの文字高さが優先されます。

⑥ [フォント名] に < ゴシック > や < 明朝 > を選択すると、TrueType の文字が使用できます。（図 3）

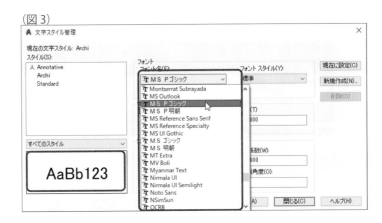

（図 3）

⑦文字記入の時に、左下図のように <?> で表示される場合は、文字スタイルが日本語表記でないこと
が原因です。

⑧ [ホーム] -> [オブジェクトプロパティ管理] で [文字スタイル] を変更すると、日本語が表示されます。
（文字スタイルを上記の⑤か⑥に設定している場合。）

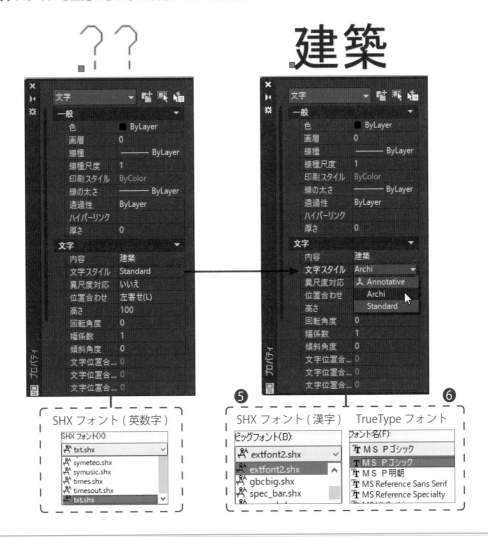

SHX フォント (英数字)　　　SHX フォント (漢字)　　TrueType フォント

25 寸法スタイル管理 [DimStyle]

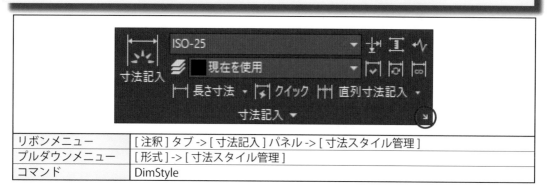

リボンメニュー	[注釈]タブ-> [寸法記入]パネル-> [寸法スタイル管理]
プルダウンメニュー	[形式]-> [寸法スタイル管理]
コマンド	DimStyle

1 [寸法スタイル]の新規作成

① [注釈]タブ-> [寸法記入]パネルの右下の矢印を選択します。(ダイアログ ボックス ランチャー)

② [寸法スタイル管理]ダイアログが表示されます。(図1)

　　初期値として[Annotative][Standard][ISO-25]の寸法スタイル名があります。

③ [新規作成]のボタンを押して、新しい寸法スタイルを作成します。(下図では<Archi>で新規作成)

(図1)

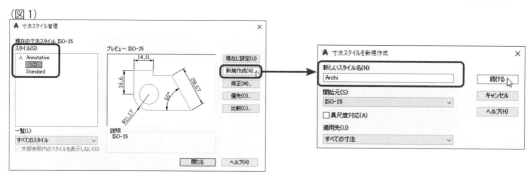

2 寸法線の設定

① [寸法線]タブを選択します。(図2)

②寸法線の[並列寸法の寸法線間隔]を<5>にします。(図2-1のA)(印刷時の大きさを指定します。)

③寸法補助線の[補助線延長長さ]を<1>にします。(図2-1のB)(印刷時の大きさを指定します。)

④寸法補助線の[起点からのオフセット]を<1>にします。(図2-1のC)(印刷時の大きさを指定します。)

(図2)

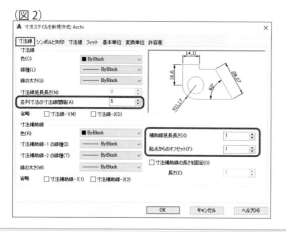

(図2-1)

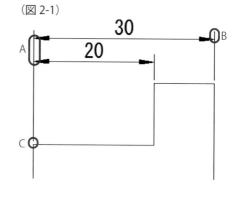

③ 矢印の設定

① [シンボルと矢印] タブを選択します。（図 3）

② [矢印] のタイプから、矢印タイプを選びます。（下図では <30 度開矢印 > を選択しています。）

③ [矢印のサイズ] を指定します。（印刷時の大きさを指定します。）

（図 3）

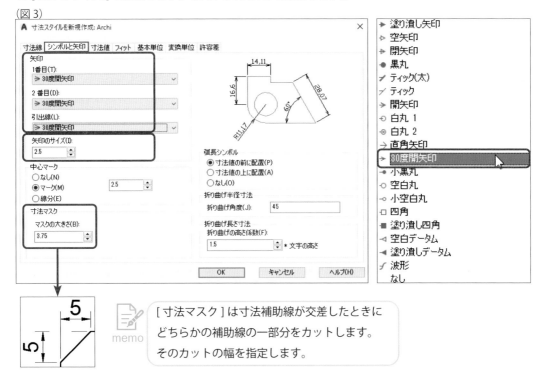

[寸法マスク] は寸法補助線が交差したときに
どちらかの補助線の一部分をカットします。
そのカットの幅を指定します。

④ 寸法文字の設定

① [寸法値] タブを選択します。（図 4）

② [文字スタイル] を選択します。<初期値>：ISO-25（下図では <Archi> に変更しています。）

③ [文字の高さ] を設定します。<初期値>：2.5（印刷時の大きさを指定します。）

（図 4）

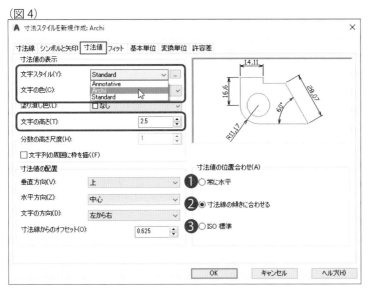

（長さ寸法の位置合わせ）

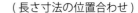

（半径寸法の位置合わせ）

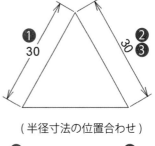

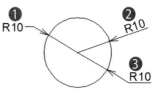

図面設定

⑤ 寸法値や矢印の設定

① [フィット] タブを選択します。（図 5）
　特に [寸法図形の尺度] に注意します。

② [フィットオプション] と [寸法値の配置]
　を確認します。

③ [寸法図形の尺度] では、異尺度対応を使
　わない場合は、印刷の逆数を入力します。
　モデル空間で 1/100 で印刷する場合の尺度
　は <100> にします。
　レイアウト空間で 1/1 で印刷する場合の
　尺度は <1> にします。

（図 5）

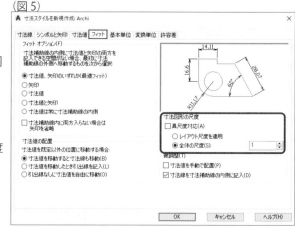

⑥ 基本単位の設定

① [基本単位] タブを選択します。（図 6）
　[長さ] と [角度] の表記方法を決めます。

② [長さ寸法] の精度に <0> を 入力します。
　（整数のみ表示）

③ [0 省略表記] では、< 末尾 > にチェック
　します。

④ [角度寸法] では、単位の形式を < 度 > に
　精度を <0> にします。

⑤ [単位形式] を [Windows デスクトップ] に
　すると、小数点の表示が < 点 > になります。

（図 6）

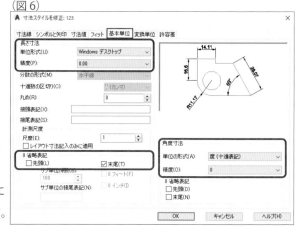

 [長さ寸法] の精度を <0> に設定すると、小数点第 1 位を四捨五入します。

⑦ 許容差の設定

① [許容差] タブを選択します。（図 7）

② 機械系の図面で許容差を付加する場合は、
　[許容差] タブで設定します。

③ [許容差の形式] の項目から、[方法]、
　[プラス値]、[マイナス値] を入力します。

[最大許容差] と [最小許容差] が同じ値の
場合は、寸法許容差の値の前に±記号が
記入されます。

（図 7）

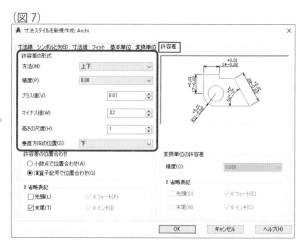

図面設定

26 マルチ引出線スタイル管理 [Mleaderstyle]

リボンメニュー	[注釈] タブ -> [引出線] パネル -> [マルチ引出線スタイル管理]
プルダウンメニュー	[形式] -> [マルチ引出線スタイル管理]
コマンド	Mleaderstyle

1 マルチ引出線の設定

① [引出線] パネル -> パネルの右下の矢印を
選択します。
（ダイアログ ボックス ランチャー）

② [マルチ引出線スタイル管理] ダイアログが
表示されます。

③マルチ引出線スタイルを新規に作成する
には、 新規作成(N)... ボタンを押します。

④ [新しいマルチ引出線スタイル名] に
引出線の名前を入力して 続ける(O)
ボタンを押します。

[異尺度対応] にするかどうかは
ここで指定します。

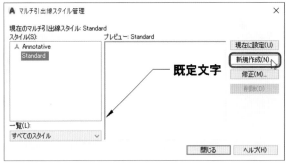

⑤既存の引出線スタイルを編集するには、
[修正] ボタンを押して、[マルチ引出線
スタイルを修正] ダイアログの各項目を
編集します。

[マルチ引出線スタイル] 設定タブ
①引出線の形式
②引出線の構造
③内容

図面設定

⑥マルチ引出線のプロパティは3つあります。

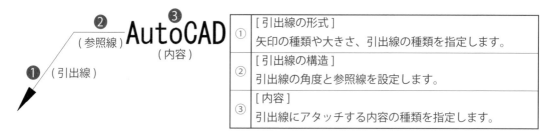

①	[引出線の形式] 矢印の種類や大きさ、引出線の種類を指定します。
②	[引出線の構造] 引出線の角度と参照線を設定します。
③	[内容] 引出線にアタッチする内容の種類を指定します。

⑦引出線の内容の種類は3つあります。

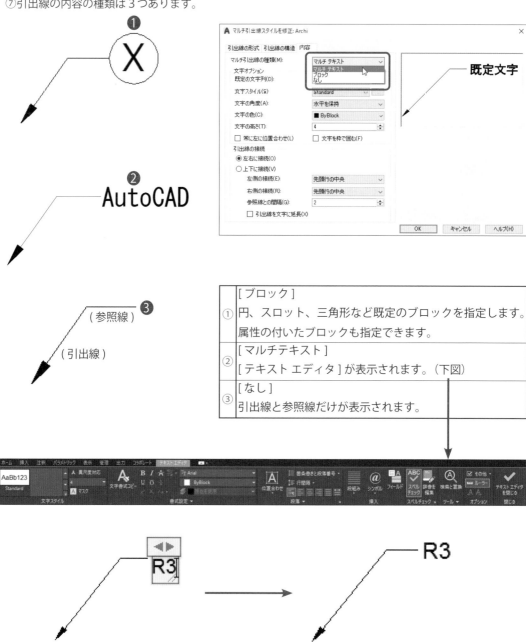

①	[ブロック] 円、スロット、三角形など既定のブロックを指定します。 属性の付いたブロックも指定できます。
②	[マルチテキスト] [テキスト エディタ] が表示されます。（下図）
③	[なし] 引出線と参照線だけが表示されます。

27 色設定 [Color]

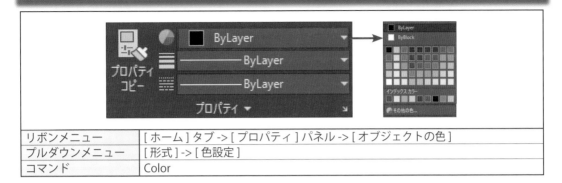

リボンメニュー	[ホーム] タブ -> [プロパティ] パネル -> [オブジェクトの色]
プルダウンメニュー	[形式] -> [色設定]
コマンド	Color

1 色の設定

① [ホーム] タブ -> [プロパティ] パネル -> [オブジェクトの色] を選択します。

②一番下の [その他の色] を選ぶと [色選択] パネルが表示されます。（図 1）

③ [AutoCAD カラー インデックス] ①では 10 番〜 249 番までのインデックス カラーが選択できます。

④ [標準色] ②で色番号 1〜9 を選択すると色名か色番号が [色] テキストボックス に表示されます。

⑤ [グレイ階調] ③グレイ階調は色番号 250 〜 255 です。

⑥ [論理色] ④

　[BYLAYER] はオブジェクトが描かれる画層の色を割り当てます。

　[BYBLOOK] はブロックとしてグループ化されるまで、新しいオブジェクトを規定値の色で描くことを
　指定します。そのブロックを図面に挿入すると指定されている色で描かれます。

⑦ [True Color] タブ (図 2) では、255 色以外の色を指定できます。

　[カラーモデル] から [HSL] か [RGB] を指定し、画面から色を選ぶか、一番下の [RGB カラー] に
　カラー番号を入力します。

⑧ [カラーブック] タブ (図 3) では、[.acb 形式] のカラーブックファイルを使用できます。

　このファイルは [オプション] ダイアログの [ファイル] タブで、保存されているパスを指定します。

図面設定

(図 1)

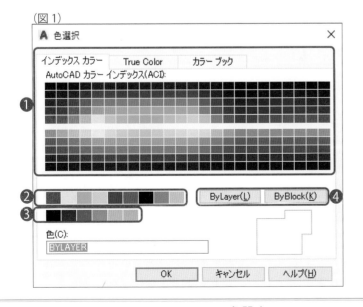

(図 2)

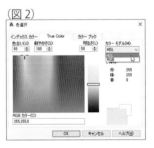

(図 3)

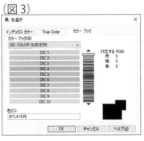

28 ページ設定管理 [PageSetup]

リボンメニュー	[出力] タブ -> [印刷] パネル -> [ページ設定管理]
プルダウンメニュー	[ファイル] -> [ページ設定管理]
コマンド	PageSetup

① [ページ設定管理]

[ページ設定管理] を使用して、プリンタや用紙サイズ、印刷尺度などの設定を行います。
この設定はページ設定で保存されます。

レイアウト タブとモデル タブのページ設定は別々に管理されます。
モデル空間で印刷するときは、モデル空間用の [ページ設定] を使用し、レイアウト空間で印刷するときは、
レイアウト空間用の [ページ設定] を使用します。どちらも作成方法は同じです。

モデル空間用のページ設定　　　　　　　　　　レイアウト空間用のページ設定

①[モデル] タブで [ページ設定管理] を選ぶと、[モデル空間] 用のページ設定ダイアログが表示されます。

②[レイアウト] タブで [ページ設定管理] を選ぶと、[レイアウト空間] 用のページ設定ダイアログが
　表示されます。

③どちらも同じ画面ですが、[モデル空間] 用と [レイアウト空間] 用と別々に保存されます。

2 [レイアウト空間] 用のページ設定 ([モデル空間] 用も同じです。)

① [ページ設定管理] ダイアログから、[新規作成] を選びます。(左下図)

② [ページ設定を新規作成] ダイアログで、新しい設定名を [A3PDF] として [OK] ボタンを押します。

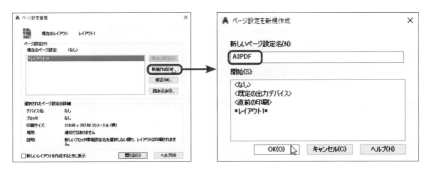

③次ページの [印刷の設定] と同じ設定を行い保存します。

（①〜⑤は次ページの番号に対応します。）

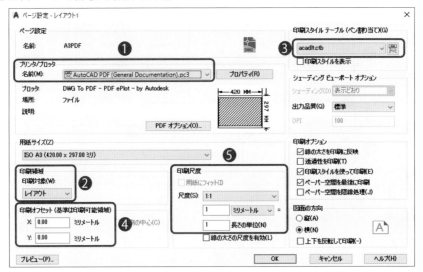

④ [印刷] パネル -> [印刷] で表示されるダイアログの [ページ設定] から <A3PDF> を選択すると、
設定済みの印刷設定が表示されますから、すぐに印刷できます。

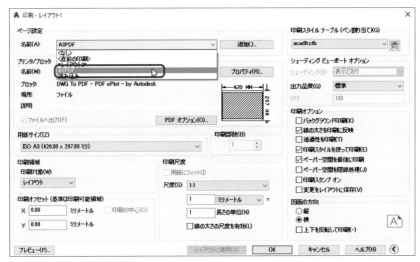

図面設定

29 印刷 [Plot]

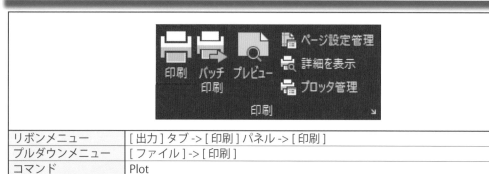

リボンメニュー	[出力] タブ -> [印刷] パネル -> [印刷]
プルダウンメニュー	[ファイル] -> [印刷]
コマンド	Plot

❶ [印刷] の設定

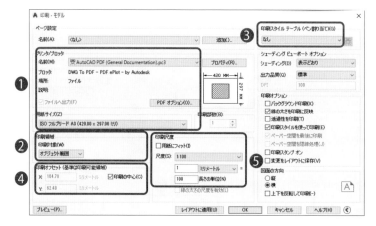

① [プリンタ / プロッタ]・・使用するプリンタや用紙サイズの選択

出力するプリンタや PDF を選択します。

下図では [名前] の一覧表から、AutoCAD PDF を選択しています。

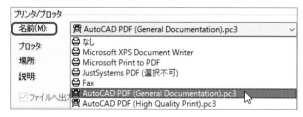

用紙の大きさを決めます。

[用紙サイズ] の一覧表から、印刷用紙の大きさを選択します。

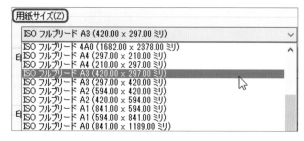

他の項目は、[プロパティ] ボタンを押して用紙の配置 (縦横) や印刷枚数などを決定します。

② [印刷領域]・・印刷範囲の設定

[印刷対象] の中から＜オブジェクト範囲＞＜図面範囲＞＜窓＞＜表示画面＞を選択します。

オブジェクト範囲	図面全体を印刷します。（余白は印刷しません。）
図面範囲	プルダウンメニュー [形式] -> [図面範囲設定] で設定した図面範囲が印刷されます。
窓	マウスで囲った範囲が印刷されます。
表示画面	画面に表示されている範囲が印刷されます。

[印刷対象] で＜表示画面＞を選びます。　　　　　表示されている範囲が印刷されます。

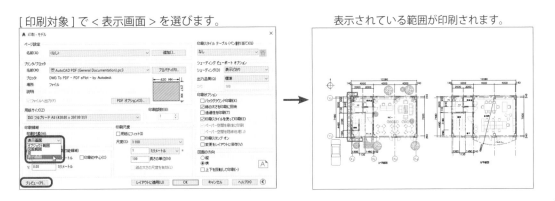

[印刷対象] で＜窓＞を選び、印刷範囲を囲みます。　下図のように P1-P2 とマウスで囲みます。

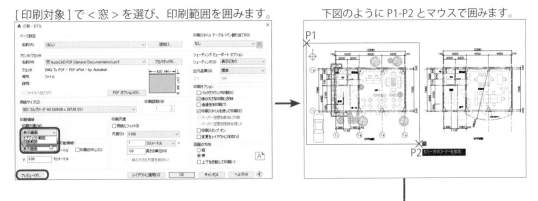

マウスで囲った範囲だけが印刷されます。

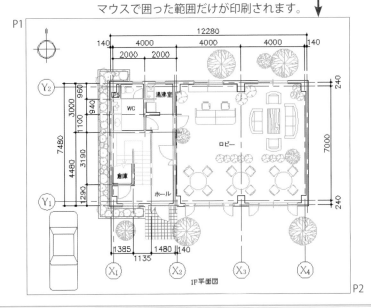

図面設定

③ [印刷スタイル テーブル]・・印刷スタイルの編集と保存

印刷スタイルの編集や新規作成
図面ごとにスタイルを切り替えて印刷できます。 画層や色、線種ごとに印刷する色や線の太さを記憶 させておく機能です。

 AutoCAD LT から提供されている印刷スタイル
を使って独自の印刷スタイルを作成できます。

[印刷スタイル テーブル] の右にある [編集 ...] ボタン (赤丸)

印刷スタイル テーブル エディタ] を表示
[一般] タブ
このスタイル情報の [保存場所] や [線種の尺度] が 確認できます。
[テーブル表示] タブ
[図面の色と印刷時の色の対応] や [線の種類と太さ] が設定できます。

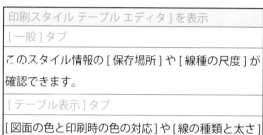

[フォーム表示] タブの [プロパティ]

色（初期値 < オブジェクトの色を使用 >）
オブジェクト (図形) の色が赤なら印刷も赤色で 印刷します。 もし、オブジェクトの赤を黒で印刷をする場合は、 ペン番号を <7> に指定します。
線の太さ
ペンレスプロッタやプリンタで印刷するときの、 線の幅を指定します。

 ペンプロッタの場合は、この設定は無視されます。
ペンプロッタにおけるペン番号の指定は、[出力色] の番号が適応されます。

[印刷スタイルテーブル] の保存

保存する場所
初期値では <PrintStyles> です。
拡張子
<ctb> が自動的に付加されます。

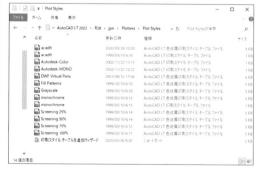 <ctb> 形式は、色番号 1 〜 255 までしか印刷
できません。
TrueColor を使用する場合は、<stb> 形式の
ファイルを修正して保存して下さい。

④ [印刷オフセット]・・図面の印刷位置の設定

　＜印刷の中心＞をチェックすると、図面が用紙の中央になるように自動計算されて印刷されます。

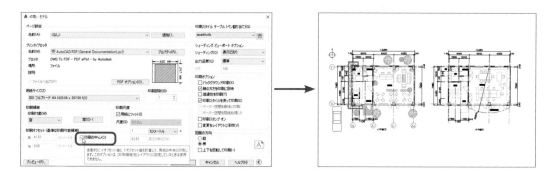

⑤ [印刷尺度]・・図面の印刷尺度の設定

[用紙にフィット] にチェック	縮尺を考慮せずに、指定の用紙にフィットするように印刷尺度を自動設定します。
[用紙にフィット] のチェックをはずす	縮尺を指定できます。尺度の一覧から設定済み尺度を選ぶか、キーボードから数値入力します。

[1/100]・・1/100 の大きさで印刷します。 　　　　　[1/1]・・原寸で印刷します。

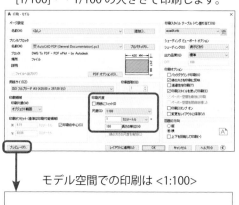

　　モデル空間での印刷は <1:100>

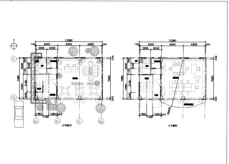

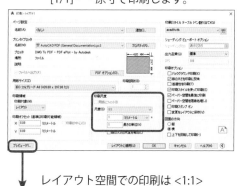

　　レイアウト空間での印刷は <1:1>

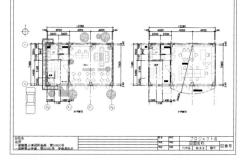

印刷する範囲	
[モデル] と [レイアウト] で共通	
オブジェクト範囲	描かれているオブジェクトの範囲を印刷
窓	マウスで四角で囲った範囲を印刷
表示画面	表示されているオブジェクトの範囲を印刷
[モデル]	
図面範囲	LIMITS(図面範囲) で設定されている範囲を印刷
[レイアウト]	
レイアウト	ページ設定の用紙サイズの範囲を印刷

30 印刷スタイル ([名前の付いた印刷スタイル] と [色従属印刷スタイル])

1 2 つの印刷スタイルの相違

① [名前の付いた印刷スタイル] では、色の指定に制限はありません。
  [色従属印刷スタイル] では、色は 1 番から 255 番まで指定できます。

② [名前の付いた印刷スタイル] では、画層やオブジェクトごとに指定できます。
  [色従属印刷印刷スタイル] では、色ごとにきまります。画層は関係ありません。

項目	名前の付いた印刷スタイル	色従属印刷スタイル
色指定	指定数は無制限	1 番から 255 番まで指定
設定方法	画層やオブジェクトごとに割り当てる	画面の色ごとに番号を割り当てる

memo

> テンプレートの設定は図面に保存されますが、[印刷スタイル] は図面には保存されません。
> [オプション] -> [ファイル] -> [印刷スタイル テーブル検索パス] で指定したフォルダに
> 保存されます。

③ [印刷スタイル] が保存されている場所 (初期値)

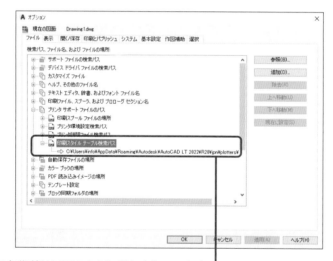

④ [印刷スタイル] の初期値は以下のように保存されています。

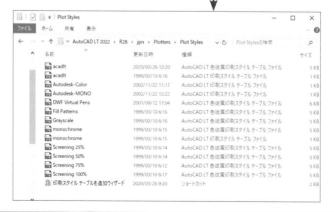

② [名前の付いた印刷スタイル] を指定する

[名前の付いた印刷スタイル] のテンプレートを使います。

① [クイックアクセス ツールバー] -> [新規作成] を選びます。

② [名前の付いた印刷スタイル] が設定済みの <acadltISO-Named Plot Styles.dwt> を指定します。

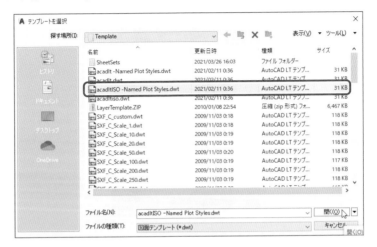

③ [名前の付いた印刷スタイル] の特徴

①画層ごとに印刷スタイルを指定できます。[色従属印刷スタイル] ではできません。

　[画層プロパティ管理] の [印刷スタイル] を押して、他の印刷スタイルを選択できます。

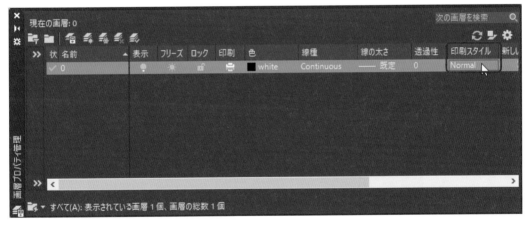

②表示される [印刷スタイルを選択] から使用したいスタイルを選びます。(画層ごとに指定できます。)

この時点で [エディタ] で修正も可能です。

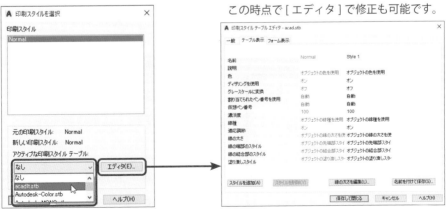

図面設定

③オブジェクトごとに印刷スタイルを割り当てることもできます。

割り当てたいオブジェクトを選択して、[プロパティ] を使用します。

[一般] の項目の上から 5 番目の [印刷スタイル] から、変更する印刷スタイルを選びます。

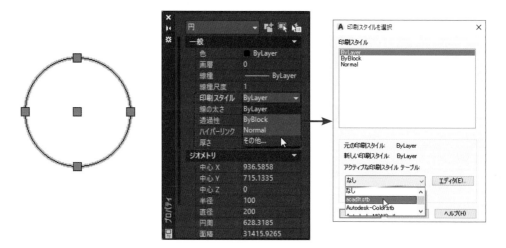

4 [色従属印刷スタイル] を指定する

[色従属印刷スタイル] のテンプレートを使います。

① [クイックアクセス ツールバー] -> [新規作成] を選びます。

② [色従属印刷スタイル] が設定済みの <acadltiso.dwt> を指定します。

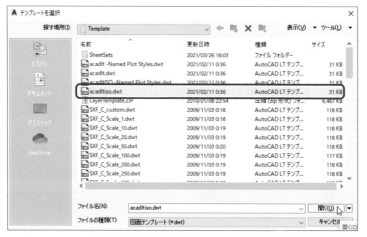

③ [色従属印刷スタイル] は下図のように、1 番から 255 番までの色に割り当てられます。

例えば、画面上の < 赤 > はどの画層の赤であっても、同じ色番号が割り当てられます。

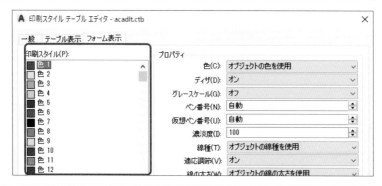

5 [色従属印刷スタイル] の特徴

①画層ごとに印刷スタイルの指定はできません。

画面の中で同じ色はすべて同じ色番号で印刷されます。

従って下図の [画層プロパティ管理] ダイアログには、[印刷スタイル] の項目がありません。

②オブジェクトごとに印刷スタイルを割り当てることもできません。

割り当てたいオブジェクトを選択して、[プロパティ] を使用しても、印刷スタイルを選択できません。

[印刷スタイル] の <ByColor> は画層の色の設定に従うという意味です。

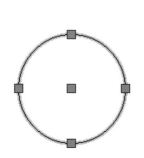

③下図のように印刷スタイル [色 1] のプロパティを <Black> に指定すると、画面の赤色はすべて黒色で印刷されます。

図面設定

❻ [名前の付いた印刷スタイル] を新規に作成する

①新規作成で [名前の付いた印刷スタイル] が設定されているテンプレート <acadltISO-Named Plot Styles> を開くか、すでに [名前の付いた印刷スタイル] が設定されている図面内で行います。

②新規作成で <acadltISO-Named Plot Styles.dwt> を選択して開きます。

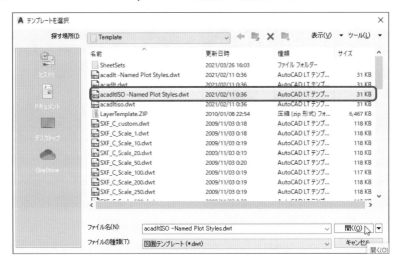

③モデル空間で行います。（レイアウト空間で行っても同じです。）
　[モデル] タブ上で右ボタンを押して、ショートカットから [ページ設定管理] を選びます。

④ [ページ設定管理] から [修正] ボタンを押して、新しい色設定を作成します。

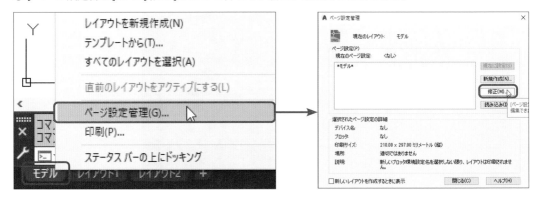

⑤ [印刷スタイル テーブル] の中の <monochrome.stb> を使って、赤と黒のスタイルを作成します。
　<monochrome.stb> は全体を黒一色で印刷する設定になっています。(黒の濃淡で指定します。)

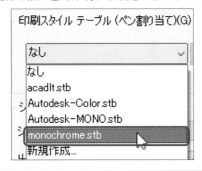

⑥ [印刷スタイル テーブル エディタ] ダイアログが表示されます。

⑦ [スタイルを追加] ボタンを押して 2 つのスタイルを新たに作ります。
　1 つは [赤色] のスタイルを <red>、もう一つは [黒色] のスタイルを <mono> にします。

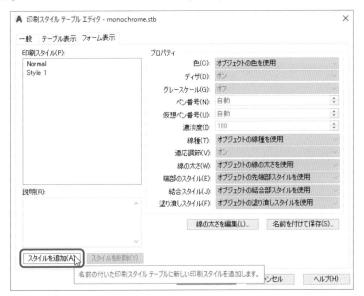

⑧ [印刷スタイルを追加] の [印刷スタイル名] に <red> と入力し、[OK] ボタンを押します。
　表示される [印刷スタイル テーブル エディタ] の中の [プロパティ] で < 赤 > を選びます。

⑨再度 [印刷スタイル追加] の [印刷スタイル名] に <mono> と入力し、[OK] ボタンを押します。
　表示される [印刷スタイル テーブル エディタ] の中の [プロパティ] で < 黒 > を選びます。

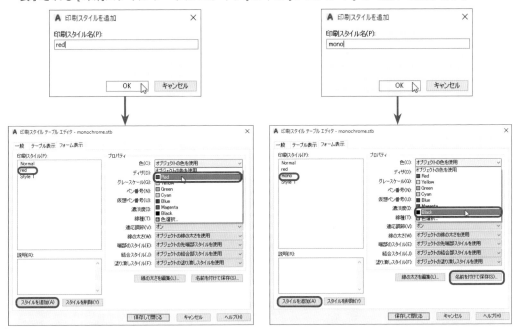

⑩最後に [名前を付けて保存] を押して、<A3 横 PDF> とします。

❼ [印刷スタイル] を個々の画層に割り当てる

①下図の画層に個別に印刷スタイルを割り当てます。

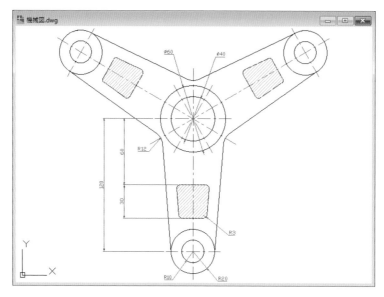

②画層 <CEN> の印刷スタイルに <red> を指定します。

その他の画層の印刷スタイルに <mono> を指定します。

画層 <Defpoint> は寸法用の特殊な画層ですから印刷はされません。

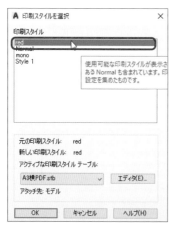
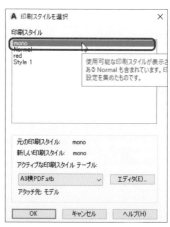

③ [印刷 - モデル] ダイアログの [印刷スタイル テーブル] で <acadlt.stb> を選択します。

下図のように、初期値の設定では画面通りに印刷します。（画層で割り当てた色は無視されます。）

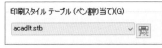

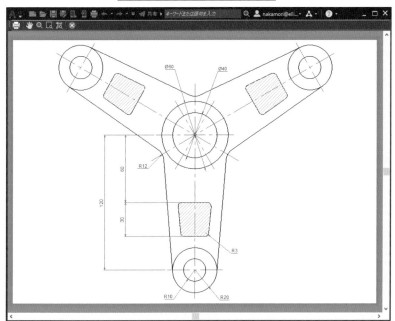

④ [印刷 - モデル] ダイアログの [印刷スタイル テーブル] で <A3 横 PDF.stb> を選びます。

下図のように、画層の印刷スタイルの指示に従って、画層 <CEN> の色は赤、他の画層の色は
黒で印刷されます。

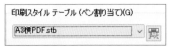

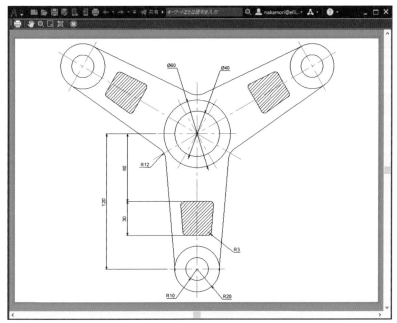

8 [色従属印刷スタイル] を新規に作成し、図面に適用する

①新規作成で [色従属印刷スタイル] が設定されているテンプレート <acadltiso> を開くか、
すでに [色従属印刷スタイル] が設定されている図面内で行います。

②新規作成で <acadltiso.dwt> を選択して開きます。

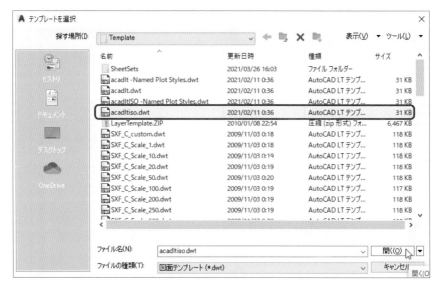

③レイアウト空間で行います。（モデル空間で行っても同じです。）
[レイアウト] タブ上で右ボタンを押して、ショートカットから [ページ設定管理] を選びます。

④[ページ設定管理] から [修正] ボタンを押して、新しい色設定を作成します。

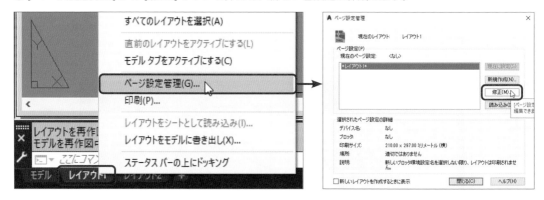

⑤[印刷スタイル テーブル] の中の <monochrome.ctb> を使って、赤と黒のスタイルを作成します。
<monochrome.ctb> は全体を黒一色で印刷する設定になっています。(黒の濃淡で指定します。)

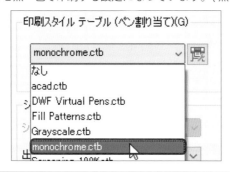

図面設定

⑥ [印刷スタイル テーブル エディタ]-monochrome.ctb ダイアログが表示されます。

　左下の [名前を付けて保存] を押して、新しい名前を付けます。

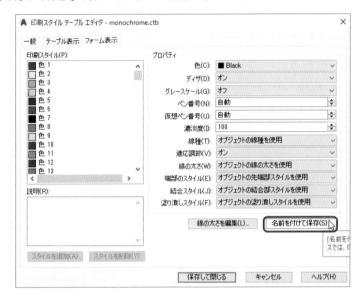

⑦ [新しい印刷スタイル名] に <DIM-red> と入力し、[OK] ボタンを押します。

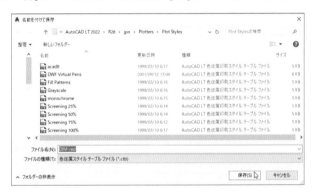

⑧ [印刷スタイル] の [色 2] から [色 255] までを一度に選択します。

　(Shift キーを押しながら、[色 2] から [色 255] までを選ぶと、一度に選択できます。)

⑨ [プロパティ] から <黒> を選びます。これで色番号 <色 2> から <色 255> までは黒で印刷されます。

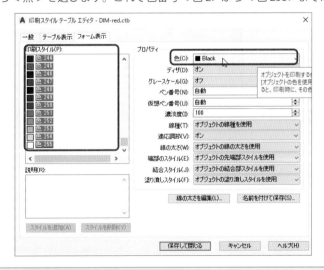

図面設定

⑩続けて、[色 1] に [オブジェクト色の使用 (赤)] を選びます。

　これで画面上の赤は印刷も赤で印刷されます。

⑪ [保存して閉じる] を指示し、終了します。

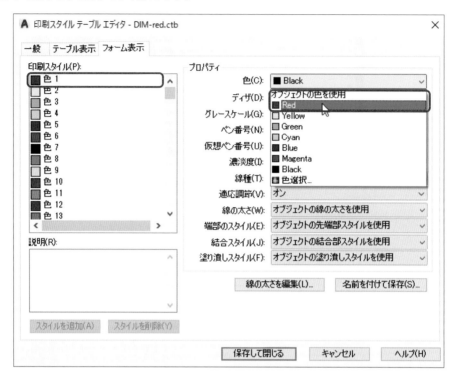

⑫作図した図面をレイアウト空間 (レイアウト 1) から印刷します。

⑬ [印刷 - レイアウト 1] ダイアログの [印刷スタイル テーブル] で <acadlt.ctb> を選択します。
下図のように、初期値の設定では画面通りに印刷します。

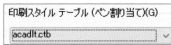

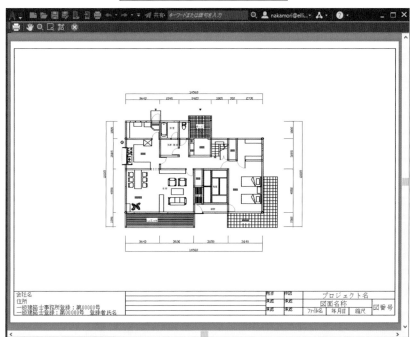

⑭ [印刷 - レイアウト 1] ダイアログの [印刷スタイル テーブル] で <DIM-red.ctb> を選びます。
下図のように、画層の印刷スタイルの指示に従って、画層 <DIM> の色は赤、他の画層の色は
黒で印刷されます。

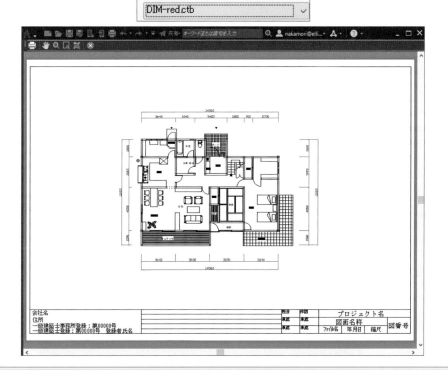

31 印刷スタイルの変換

1 [色従属印刷スタイル] を [名前の付いた印刷スタイル] に変換する

①下図の [画層プロパティ管理] を見ると、この図面の印刷スタイルは [色従属印刷スタイル] です。
[印刷スタイル] の項目が無いことから判ります。

この印刷スタイルを [名前の付いた印刷スタイル] に変換するためには [ConvertStyles] コマンドを使います。

②キーボードから [ConvertStyles] と入力すると、(図 1) の警告メッセージが表示されます。
[OK] ボタンを押して、キーボードから [ConvertCtb] と入力すると、[名前の付いた印刷スタイル
(CTB ファイル)] を選択するダイアログが表示されます。(図 2)

③ここでは [acadlt.stb] を選択して、[開く] ボタンを押します。(図 2)

(図 1)

④再度 [ConvertStyles] と入力すると、(図 3) の警告メッセージが表示されるので、[OK] ボタンを押します。
コマンドラインに (図 4) のように [... 変換されました。] のメッセージが表示されます。

(図 3)

(図 4)

💡 [名前の付いた印刷スタイル] から [色従属
印刷スタイル] への変換も [ConvertStyles]
を使います。

⑤確認すると、[印刷スタイル] が [名前の付いた印刷スタイル (Style_1)] に変換されています。

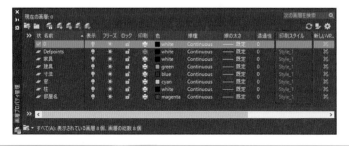

第4章　図面管理

作成した図形の情報や面積などの情報を知る方法には何があるのでしょう。
図形の検索や登録を行うにはどうすればよいのでしょう。

この章では、
図面や図形の情報を得る方法を学びます。

第1節　　　　　　　　　　図形管理

1　クイック選択 [Qselect]

リボンメニュー	[ホーム] タブ -> [ユーティリティ] パネル -> [クイック選択]
プルダウンメニュー	[ツール] -> [クイック選択]
コマンド	Qselect

1 [クイック選択] パネルから選択

[ユーティリティ]パネル -> [クイック選択]を選びます。
目的のオブジェクトを簡単に取得できます。

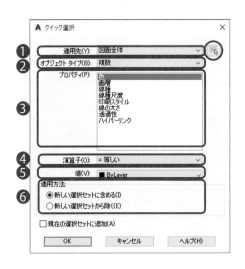

目的のオブジェクトを抽出する順番	
①	[図面全体] または [オブジェクトを選択]
②	オブジェクトのタイプ (種類) を選択
③	オブジェクトのプロパティを選択
④	演算子 (＝, <>, >, <, すべて) の選択
⑤	値を選択
⑥	新しく選択セットにするかどうかの選択

① [図面全体] から指定するか、⬚ ボタン (赤丸) を押して、オブジェクトを選択します。

② [図面全体] を選ぶと、[オブジェクト タイプ] の中から選択します。

　　⬚ ボタンを押すと、図面の中から図形を選択します。
　　右図では [オブジェクト タイプ] の中から [文字] を
　　選択しています。

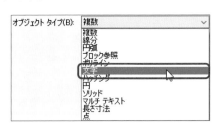

 図面内にあるオブジェクトだけが
　　　　　　表示されます。

③ [プロパティ] の中からオブジェクトの属性を選び、
　　対象を絞り込みます。

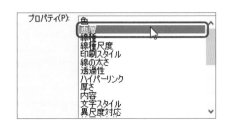

 複数を選択することはできません。

図面管理

④ [演算子] から (= 等しい)、(<> 等しくない)、(すべて選択) 等の条件を選びます。

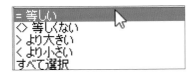

 下の⑤の項目に対して [等しい] か [等しくない] か
[より大きい] か [より小さい] かの指定です。

⑤ [値] の項目の中から選ぶか、数値等を入力します。

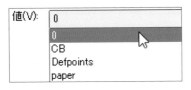

 ②③④⑤の組み合わせで、[画層] が <0> の
[文字] の絞り込みになります。

⑥選択したオブジェクトを選択セットに含めるか、新規に作成するかを決めます。

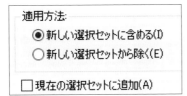

 すでにある選択セットに含めるか、
新たな選択セットにするかを選択します。

2 (例) 指定した半径の円を選択する

① [半径] が <7> 以下の円を選択します。
[オブジェクトタイプ] は (円)、[プロパティ] は (半径)、[演算子] は (< より小さい)、
[値] は (7) にします。

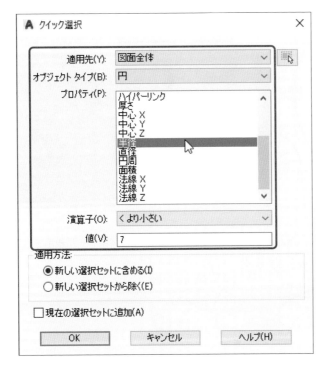

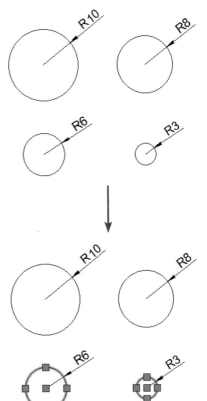

②右図のように <R6>、<R3> の円が選択されました。

2　クイック プロパティ [Qpmode]

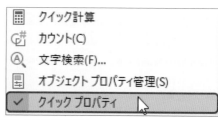

ステータスバー	[クイック プロパティ]
プルダウンメニュー	[ツール] -> [作図補助設定]
システム変数	Qpmode

1 [ステータスバー] -> [クイック プロパティ] が OFF の場合

①オブジェクトを選択して、右ボタンのショートカットから [クイック プロパティ] を選択します。
　[クイック プロパティ] パレットに選択したオブジェクトの情報が表示されます。

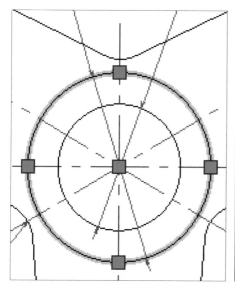

②オブジェクトをダブルクリックすると、上と同様に [クイック プロパティ] パレットが表示されます。
　一度のクリックでは、基本情報だけが表示されます。(下図)

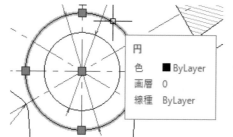

マウスをオブジェクトに重ねた
だけでも表示されます。

❷ [ステータスバー] -> [クイック プロパティ] が ON の場合

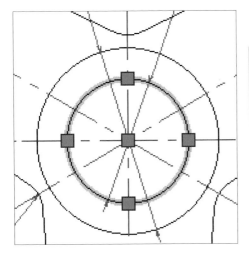

①オブジェクトを選択するだけで自動的に [クイック プロパティ] パレットが表示されます。

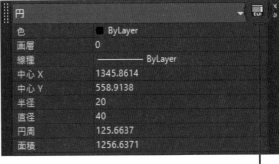

❸ [クイック プロパティ] のカスタマイズ

①表示された [クイック プロパティ] パレットの右上にある [CUI] ボタンを押すと、
[クイック プロパティ] をカスタマイズできます。

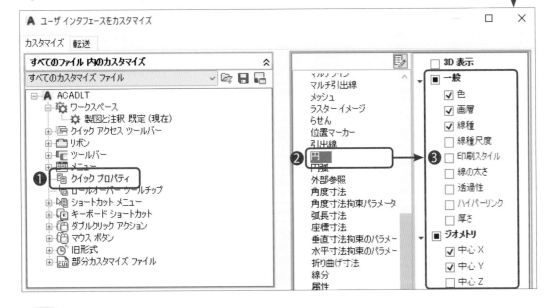

図面管理

Point!

[クイック プロパティ] パレットのカスタマイズ

① [すべてのカスタマイズ ファイル] から [クイック プロパティ] を選択します。

② [クイック プロパティ] を変更するオブジェクト タイプ (例：円) を選びます。

③ [プロパティ] パレットに表示する項目を選びます。([一般] 項目の初期値は [色][画層][線種])

---

3 類似オブジェクト [SelectSimilar]

リボンメニュー	ありません
プルダウンメニュー	ありません
コマンド	SelectSimilar

1 選択した図形の [類似オブジェクト] の選択セットを作成する

①キーボードから [selectsimilar] と入力します。

②<u>オブジェクトを選択</u> または [設定 (SE)]: 1 つの寸法線 (S1) を選択します。(図 1)

③図面内の寸法が全て選択されます。(図 2)

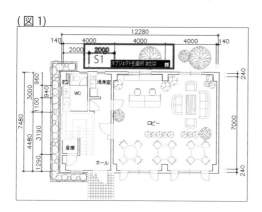

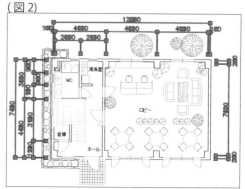

2 [類似オブジェクト] の設定

①キーボードから [selectsimilar] と入力します。

②<u>オブジェクトを選択</u> または [設定 (SE)]: キーボードから <SE> と入力します。

　または、マウスの右ボタンを押してショートカットから [設定 (SE)] を選びます。

③[類似オブジェクトの選択設定] パネルが表示されます。

　[類似の判定基準] では、同じ種類のオブジェクトの他に [色][画層][線種][線種尺度][線の太さ]

　[印刷スタイル][オブジェクト スタイル][名前] が指定できます。

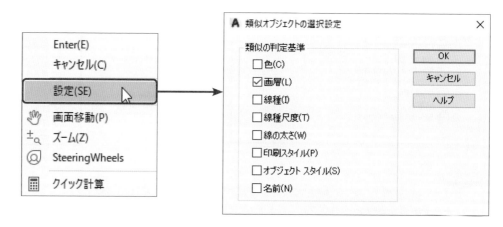

[類似の判定基準] で、どのプロパティも選択していない場合は、

同じ種類のオブジェクトが選択されます。

4 選択の表示 / 非表示 [IsolateObjects][HideObjects]

リボンメニュー	ありません
プルダウンメニュー	[ツール] -> [選択表示]
コマンド	IsolateObjects、HideObjects

1 選択した図形の [類似オブジェクト] の選択セットを非表示にする

①プルダウンメニュー [ツール] -> [選択表示] -> [オブジェクトを非表示] を選びます。

　または、マウスの右ボタンのショートカットから [選択表示] -> [オブジェクトを非表示] を選びます。

②選択されているオブジェクト (図1の寸法) が非表示になります。(図2)

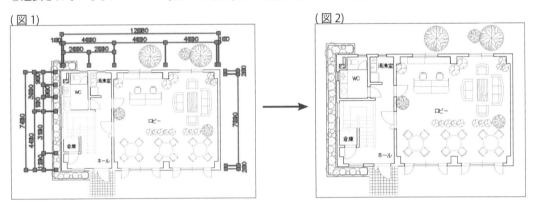

2 非表示のオブジェクトを再表示する

①プルダウンメニュー [ツール] -> [選択表示] -> [オブジェクトの選択表示を終了] を選びます。

　または、マウスの右ボタンのショートカットから [オブジェクトの選択表示を終了] を選びます。

②非表示されていた寸法オブジェクト (図1) が再表示されます。(図2)

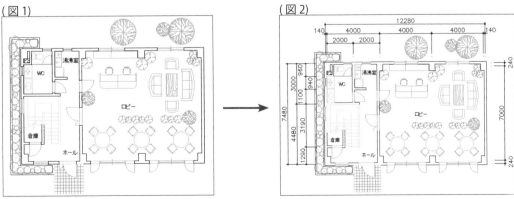

図面管理

5 オブジェクト プロパティ管理 [Properties]

リボンメニュー	[表示] タブ -> [パレット] パネル -> [オブジェクト プロパティ管理]
プルダウンメニュー	[ツール] -> [パレット] -> [オブジェクト プロパティ管理]
コマンド	Properties

1 選択した図形によって表示される情報は異なる

① [パレット] パネル -> [オブジェクト プロパティ管理] を選択します。

(図 1) のパネル が表示されますが、図形が選択されていない時は [何も選択されていません] となっています。

②図形を 1 つだけ選択した時は、単独の図形情報が表示されます。(図 2)

複数の図形が選択された時は、選択した図形の数と共通の情報が表示されます。(図 3)

(図2)

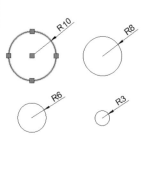

(図3)

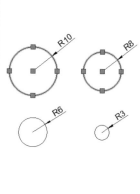

2 選択した図形を変更

① [プロパティ] パネルを開き、下図のように半径 <10> と半径 <8> の円を選択します。(図 1)

② [プロパティ] パネルの中の [半径] を <5> に変更し、⏎ を押します。
　(図 2) のように、2 つの円が変更されました。(寸法値も連動します。)

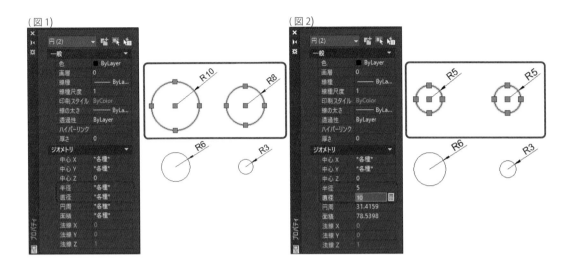

(図 1)　　　　　　　　　　　　　　　　　　　　(図 2)

③ [プロパティ] パネルの [クイック選択] ボタンを押すと (図 3)、[クイック選択] のダイアログが
　表示されます。(図 4)
　複雑な条件を指定できますから、目的のオブジェクトを簡単に取得できます。

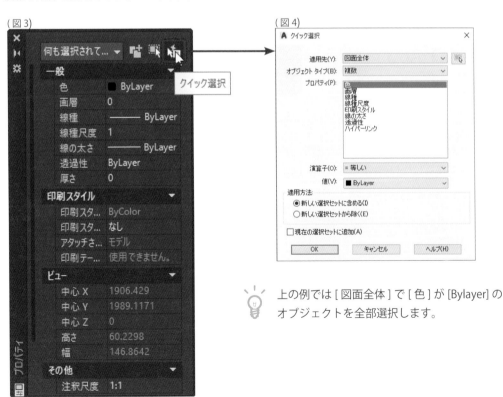

(図 3)　　　　　　　　　　　　　　　　　　　　(図 4)

上の例では [図面全体] で [色] が [Bylayer] の
オブジェクトを全部選択します。

6 ツールパレット [Toolparettes]

リボンメニュー	[表示] タブ -> [パレット] パネル -> [ツールパレット]
プルダウンメニュー	[ツール] -> [パレット] -> [ツールパレット]
コマンド	Toolparettes

① ツールパレットから登録済みのブロックやコマンドを使用する【建築図 5.dwg】

① [パレット] パネル -> [ツールパレット] を選択します。

パレット内にグループ名とアイコンの一覧が表示されます。

② ツールパレットのアイコンをマウスの左ボタンで選択すると、その部品が使用できます。

③ 下図のように車のブロックを選び、マウスで左ボタンを押したまま図面内にドラッグします。

（オブジェクトの尺度や回転は、コマンドラインから変更します。）

memo

[ツールパレット] には、
ブロックやハッチング、
表、引出線、中心線などの
オブジェクトやコマンドな
どの非オブジェクトを登録
できます。

② コンテンツのプロパティを設定する

① パレットに登録したブロックなどのコンテンツのプロパティを設定できます。

上図で使用した [自動車・メートル] の上で右クリックすると、ツールプロパティが表示されます。

ブロック (車) のプロパティ

表のプロパティ

ハッチングのプロパティ

③ ツールパレットにブロック図形を登録する

① [ツールパレット] の領域で、マウスの右ボタンを押します。
　右図のように、ショートカットメニューの中の [パレットを新規作成] を選びます。(図 1)
②新規パレットの名前を <ブロック> と入力します。(図 2)

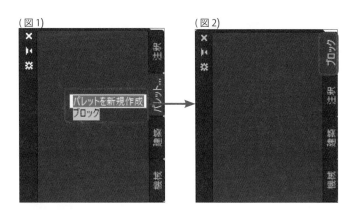

③登録したいブロック図形を選択して、マウスの右ボタンから [クリップボード] -> [コピー] を選びます。
　次にツールパレット内で、マウスの右ボタンから [貼り付け] を選びます (図 3)
④ブロックパレット内にブロックが配置されます。(図 4)
　ブロックの図形とブロック名がツールパレットの [ブロック] タブに登録されます。(図 4)

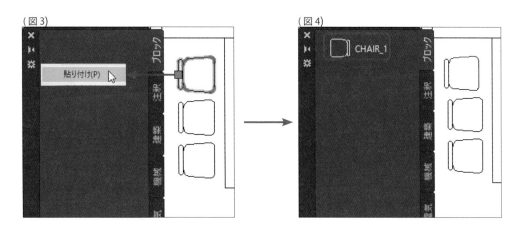

Point!

[ツールパレット] と [ブロック挿入 (P304)] の主な相違

[ツールパレット]
　ツールパレットに登録してあるブロックなどのオブジェクトやコマンドなどの非オブジェクトを
　現在の図面に挿入できますが、オブジェクトの尺度や回転はコマンドラインから変更します。
[ブロック挿入]
　現在の図面だけでなく、他の図面にあるブロックでも現在の図面に挿入できます。
　挿入時に全体の尺度や縦横の比率を変更できますが、挿入できるのは DWG と DXF だけです。

図面管理

7　デザインセンター [Adcenter]

リボンメニュー	[表示] タブ -> [パレット] パネル -> [DesignCenter]
プルダウンメニュー	[ツール] -> [パレット] -> [DesignCenter]
コマンド	Adcenter

❶ デザインセンターからツールパレットへ他の図面のブロックを登録

①[ツールパレット] に他の図面から登録するための
　専用のパレットを新規に作成します。（ブロック）

②[パレット] パネル -> [DesignCenter] を開きます。

③他の図面を開き、ブロックの項目をクリックします。
　その図面に登録されているブロックの一覧が表示され
　ます。

④[ツールパレット] に登録したいブロックを選択し、
　[ツールパレット] 内でドラッグ & ドロップします。

⑤このようにしてデザインセンターを使えば、
　ブロックのライブラリーが作成できます。

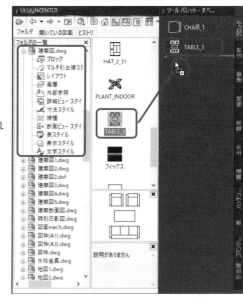

❷ デザインセンターから現在の図面内へ他の図面のブロックを挿入

①[ツールパレット] と同様に [デザインセン
　ター] からも他の図面にあるブロックを直接
　現在の図面内に挿入できます。

②他の図面内の [ブロック] を選択して、現在
　の図面内でドラッグ & ドロップします。

[ブロック] 以外でも [寸法スタイル] や
[文字スタイル] などの非オブジェクトも
挿入できます。

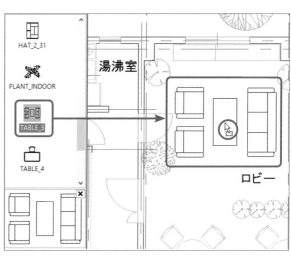

図面管理

3 デザインセンターから現在の図面内へ他の図面の寸法スタイルを挿入

①現在の図面に [寸法スタイル] が登録されていなくても、[デザインセンター] から他の図面の
寸法スタイルをコピーすることができます。

②現在の図面には [Annotative][ISO-25][Standard] の 3 種類の寸法スタイルがあります。
デザインセンターから他の図面の寸法スタイル <archi> を現在の図面に挿入します。

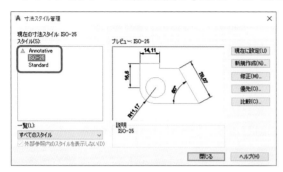
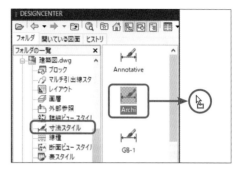

③現在の図面の [寸法スタイル管理] を見ると、<archi> の寸法スタイルが追加されています。
同様にして寸法スタイル以外の画層や線種などもデザインセンターからコピーすることが可能です。

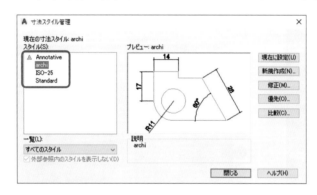

Point!

デザインセンターから他の図面にあるブロックのようなオブジェクトの他、画層や文字スタイル
のような非オブジェクトも現在の図面内に挿入して利用できます。

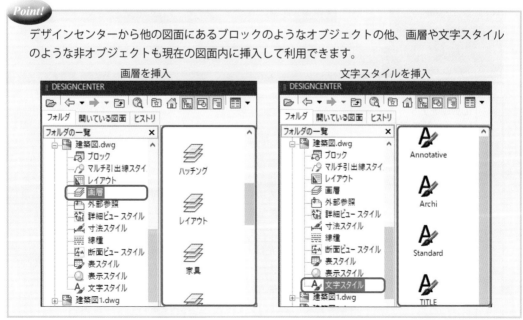

8 外部参照 [ExternalReferences]

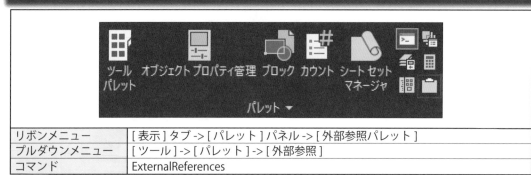

リボンメニュー	[表示] タブ -> [パレット] パネル -> [外部参照パレット]
プルダウンメニュー	[ツール] -> [パレット] -> [外部参照]
コマンド	ExternalReferences

① 参照パネルを表示する【中部国際空港 .dwg】

① [パレット] パネル -> [外部参照パレット] を選択します。（下図は DWG ファイルを参照で挿入済み）

	[DWG をアタッチ] [イメージをアタッチ] [DWF をアタッチ] [DGN をアタッチ] [PDF をアタッチ]	参照データとして挿入するファイルの種類を選択します。
②	参照名	アタッチしたファイル名が表示されます。
③	状態	アタッチの状態が表示されます。（アタッチ、ロード等の情報)
④	サイズ	アタッチしたファイルの大きさを表示します。
⑤	種類	[アタッチ] または [オーバーレイ] を示します。
⑥	日付	アタッチしたファイルが作成された日付を表示します。
⑦	見つかった場所	参照図面を読み込んだフォルダを記述しています。
⑧	保存パス	読み込んだ図面のフォルダへのパスを記述しています。

② 参照図面をアタッチする

① [アタッチ] する種類を選択します。

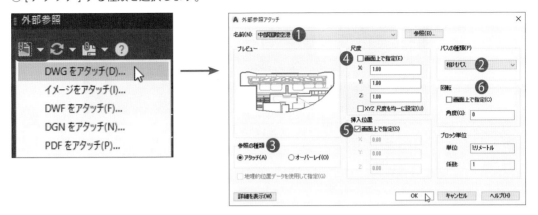

	名前	アタッチする参照図面を指定します。
①		
②	パスの種類	絶対パスか相対パスかを指定します。パスが違うと表示されません。
③	参照の種類	[アタッチ] または [オーバーレイ] を選びます。
④	尺度	尺度を指定します。指定しないときは等倍の大きさで挿入されます。
⑤	挿入位置	挿入位置を指定します。指定しないときは原点 (0 ,0) の位置に挿入されます。
⑥	回転	回転角度を指定します。指定しないときは 0 度の方向で挿入されます。

②現在の図面内に外部の図面ファイルが < 参照図 > として挿入されました。

コマンドラインの < ロードされました > の文字で確認できます。

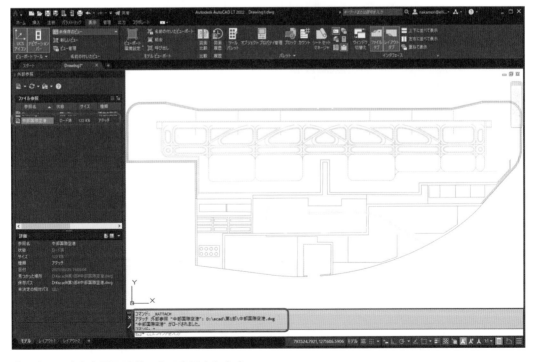

③アタッチされた図面は薄い色で表示されます。

☞ [アタッチ] は保存時に外部図形も保存されますが、その図面の一部になったわけではありません。また、[オーバーレイ] は文字情報 < 図面名とパス情報 > だけが保存されます。

9 カウント [Count]

リボンメニュー	[表示] タブ -> [パレット] パネル -> [カウント]
プルダウンメニュー	ありません
コマンド	Count

① 図面内にあるブロックの個数をカウントする【カウント .dwg】

①[パレット] パネル -> [カウント] を選択します。

②この図面内にあるブロック図形の名前と個数の一覧が [カウント パレット] に表示されます。①

③ブロックの１つを選択すると、そのブロックがハイライト表示されます。②

④作図領域の上部に [カウント] ツールバーが表示されます。③

② [カウント] ツールバー

①	カウント	選択したオブジェクトの個数が表示されます。
②	カウントの詳細	選択したオブジェクトのカウント情報が表示されます。
③	[前] または [次]	カウント内の前または次のオブジェクトにズームします。
④	フィールドを挿入	現在のカウント値を図面内にフィールド オブジェクトとして挿入します。
⑤	終了	[カウント] ツールバーを閉じて、カウントを終了します。

③ 選択したブロックの個数を表にして挿入する

①このボタンを押すと、カウント パレットから選択したオブジェクトを含む表を作成します。①

②一覧表に含めたいブロックを選択します。②

③[挿入] ボタンを押すと、図面内に表形式で挿入されます。③

④マウスで指定した位置にブロック名と個数の一覧表が挿入されます。（個数はフィールド文字）④

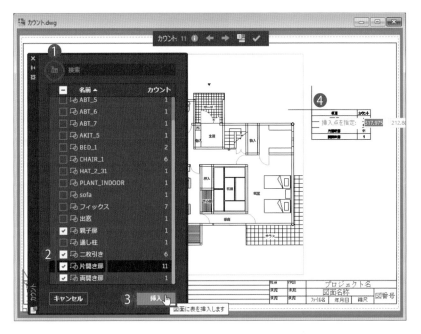

④ ブロックを追加または削除すると表の数値も変更される

①[片開き扉] を 1 つ削除します。①

②[再作図 <regen>] を実行すると、[カウント パレット] の数値が変更されます。②

③同時に、一覧表内の数値も変更されます。③

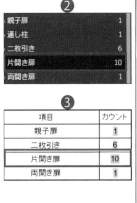

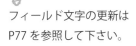

フィールド文字の更新は
P77 を参照して下さい。

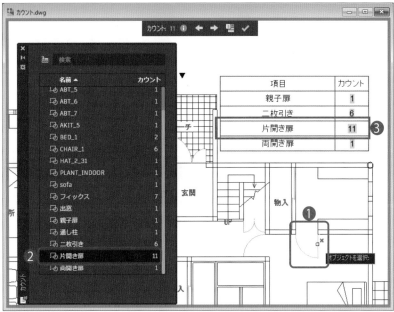

10 グループ [Group]

リボンメニュー	[ホーム] タブ -> [グループ] パネル -> [グループ]
プルダウンメニュー	[ツール] -> [グループを作成]
コマンド	Group

1 複数のオブジェクト (図形) を 1 つのグループにする

① [グループ] パネル -> [グループ] を選択します。

②オブジェクトを選択 または [名前 (N)/ 説明 (D)]:

マウスで P1-P2 と応接セットを囲んで選択します。

③名前のないグループが作成されました。

選択した図形群が 1 つのグループになりました。

> **Point!**
> 上記②で名前を付けない時は、AutoCAD が自動的に
> 名前を付けます。(*A1、*A2、*A3 等)
> 名前を付けなくても図面に保存されます。

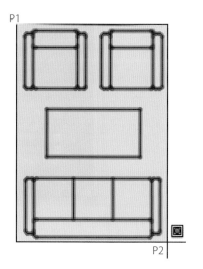

2 移動コマンドでグループ図形を選択する

① [修正] パネル -> [移動] を選択します。

②オブジェクトを選択: 応接セットの 1 つを選択します。

③オブジェクトを選択:

右図のように、グループ < 応接セット > の図形が一度に選択できます。

☞ [グループ選択オン / オフ] で
[オン] にしておきます。

3 グループを解除する

① [グループ] パネル -> [グループ解除] を選択します。

②グループを選択 または [名前 (N)]: 名前のないグループ < 応接セット > を選択します。

③グループが分解されました。

これで名前のないグループ < 応接セット > は解除されました。

図面管理

11 グループ管理 [PkfstGroup][ClassicGroup]

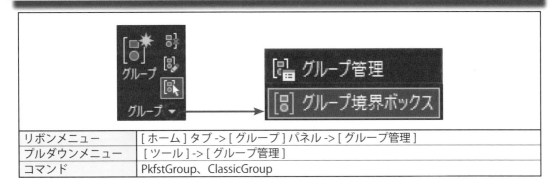

リボンメニュー	[ホーム] タブ -> [グループ] パネル -> [グループ管理]
プルダウンメニュー	[ツール] -> [グループ管理]
コマンド	PkfstGroup、ClassicGroup

1 複数のオブジェクト (図形) に名前を付けて 1 つのグループにする

① [グループ] パネル -> [グループ] を選択します。

②オブジェクトを選択 または [名前 (N)/ 説明 (D)]:
  キーボードから <N> と入力します。

③グループ名を入力 または [一覧 (?)]:< テーブル > と入力。

④オブジェクトを選択 または [名前 (N)/ 説明 (D)]:
  キーボードから <D> と入力します。

⑤グループの説明を入力 : < 事務所用 > と入力。

⑥オブジェクトを選択 または [名前 (N)/ 説明 (D)]:
  マウスで P1-P2 とテーブルを囲んで選択します。

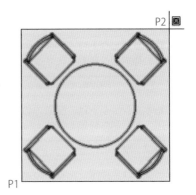

2 [グループ管理] ダイアログを使用する

① [グループ管理] ダイアログには、グループ名の一覧が表示されます。
  グループ名を選択して [詳細] ボタンを押すと、グループの詳細が表示されます。

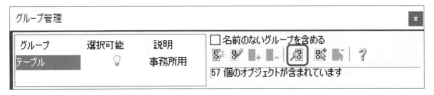

②グループを解除するには、[グループ管理] ダイアログの [グループを解除] ボタンを押します。

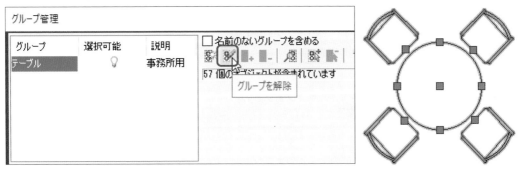

 [PkfstGroup] は [AutoCAD LT] のコマンドです。([ClassicGroup] は [AutoCAD] のコマンドです。)

12 表示順序 [DrawOrder] [TextToFront][HatchToBack]

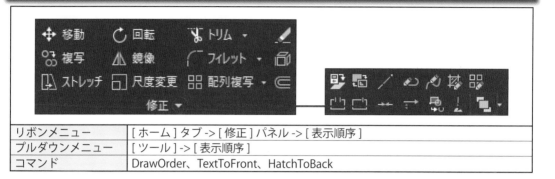

リボンメニュー	[ホーム] タブ -> [修正] パネル -> [表示順序]
プルダウンメニュー	[ツール] -> [表示順序]
コマンド	DrawOrder、TextToFront、HatchToBack

1 重なり合ったオブジェクトの表示順序をコントロールする

最前面へ移動	DrawOrder
選択したオブジェクトは、図面内のオブジェクトの表示順序の最前面へ移動します。	最前面へ移動
最背面へ移動	DrawOrder
選択したオブジェクトは、図面内のオブジェクトの表示順序の最背面へ移動します。	最背面へ移動
指定オブジェクトの前面	DrawOrder
オブジェクトは、指定した基準のオブジェクトの前面へ移動します。	指定オブジェクトの前面
指定オブジェクトの背面	DrawOrder
オブジェクトは、指定した基準のオブジェクトの背面へ移動します。	指定オブジェクトの背面

文字を前面に移動	TextToFront
すべての文字を図面の他のすべてのオブジェクトの前へ移動します。	文字を前面に移動
寸法を前面に移動	TextToFront
すべての寸法を図面の他のすべてのオブジェクトの前へ移動します。	寸法を前面に移動
引出線を前面に移動	TextToFront
すべての引出線を図面の他のすべてのオブジェクトの前へ移動します。	引出線を前面に移動
すべての注釈を前面に移動	TextToFront
すべての注釈を図面の他のすべてのオブジェクトの前へ移動します。(注釈とは文字と寸法です。)	すべての注釈を前面に移動
ハッチングを背面に移動	HatchToBack
すべてのハッチングを図面の他のすべてのオブジェクトの背面へ移動します。	ハッチングを背面に移動

② 指定オブジェクトの前面へ移動する

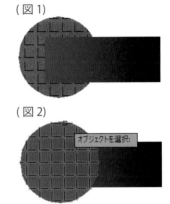
指定オブジェクトの前面

① [修正] パネル -> [指定オブジェクトの前面] を選択します。
現在は、[赤丸] が [青い四角] の下に隠れています。(図 1)

(図 1)

② オブジェクトを選択 :
[赤丸] を選択して、⏎ (図 2)

(図 2)

③ 基準にするオブジェクトを選択 :
[青い四角] を指定して、⏎ (図 3)

④ [赤丸] が [青い四角] の上になりました。(図 4)

(図 3)

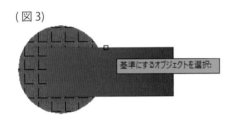

(図 4)

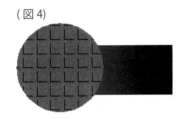

③ 文字を前面に移動する

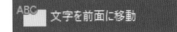
文字を前面に移動

① [修正] パネル -> [文字を前面に移動] を選択します。
図面内の全ての文字が文字以外のオブジェクトの手前に表示されます。
(文字を選択する必要はありません。)

応接間 → 応接間

④ 寸法を前面に移動する

寸法を前面に移動

① [修正] パネル -> [寸法を前面に移動] を選択します。
図面内の全ての寸法が寸法以外のオブジェクトの手前に表示されます。
(寸法を選択する必要はありません。)

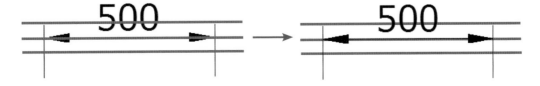

図面管理

13 貼り付け [PasteClip]

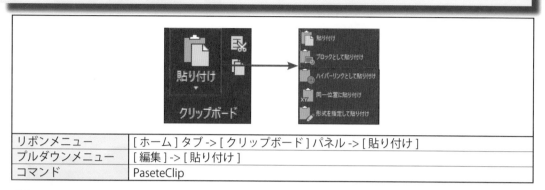

リボンメニュー	[ホーム] タブ -> [クリップボード] パネル -> [貼り付け]
プルダウンメニュー	[編集] -> [貼り付け]
コマンド	PaseteClip

1 ブロック図形を他の図面内にコピーする

① [クリップボード] パネル -> [コピークリップ] を選択します。

②左下図のイス (赤丸) を選択します。

③右下図に移り、[クリップボード] パネル -> [貼り付け] でイスを貼り付けます。(A)

④同時に、[クリップボード] パネル -> [ブロックとして貼り付け] でイスを貼り付けます。(B)

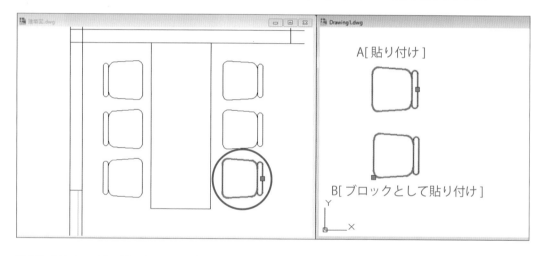

⑤ [貼り付け] で貼り付けたイスはブロック名 [CHAIR_1] の情報もコピーされています。

[ブロックとして貼り付け] で貼り付けたイスは [A$Cd06dc02a] という名が任意に付けられています。

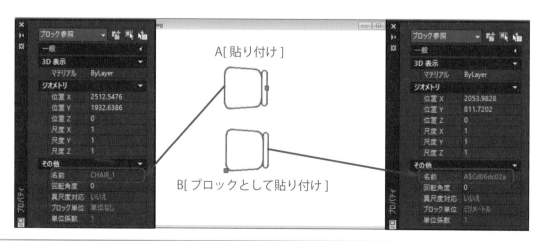

14 形式を選択して貼り付け [PasteSpec]

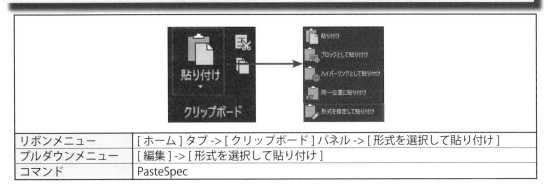

リボンメニュー	[ホーム] タブ -> [クリップボード] パネル -> [形式を選択して貼り付け]
プルダウンメニュー	[編集] -> [形式を選択して貼り付け]
コマンド	PasteSpec

① 他の図面のオブジェクトを [AutoCAD LT 図形] として貼り付ける

① [クリップボード] パネル -> [形式を選択して貼り付け] を選択します。

② [形式を選択して貼り付け] ダイアログの [AutoCAD LT 図形] を選び、[OK] ボタンを押します。

③通常のブロック図形として、図面内に挿入されます。挿入点はオブジェクトの左下になります。

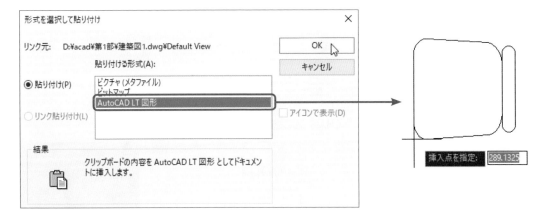

② 他の図面のオブジェクトを [ピクチャー] または [イメージ] として貼り付ける

① [クリップボード] パネル -> [形式を選択して貼り付け] を選択します。

② [形式を選択して貼り付け] ダイアログの [ピクチャー] を選び、[OK] ボタンを押します。

③選択した図形だけでなく、全体の画面範囲が外枠として一緒に図面内に画像として挿入されます。

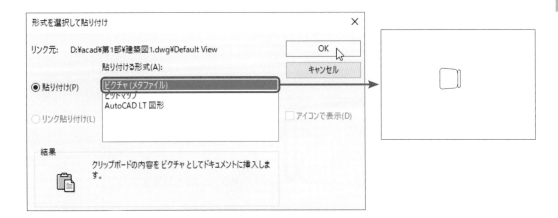

15 名前変更 [Rename]

リボンメニュー	ありません
プルダウンメニュー	[形式] -> [名前変更]
コマンド	Rename

1 オブジェクトまたは非オブジェクトの名前を変更する

①キーボードから <rename> と入力します。

②[名前変更] ダイアログが表示されます。

③[ブロック] の項目を選択します。

④[Step1]・・<A$Cd06dc02a> を選択します。

⑤[Step2]・・一番下の欄に <CHAIR_2> と入力し、
　　　　　[新しい名前] ボタンを押します。

⑥[Step3]・・<A$Cd06dc02a> が <CHAIR_2> に変更されています。

Step1	Step2	Step3

⑦[プロパティ] で確認すると、<CHAIR_2> に変更されています。

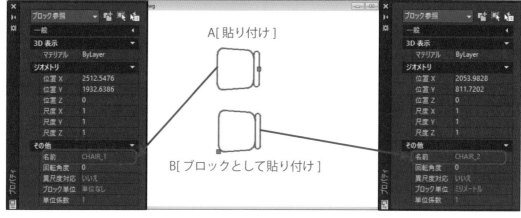

A[貼り付け]

B[ブロックとして貼り付け]

Point!

A[貼り付け]　　B[ブロックとして貼り付け]

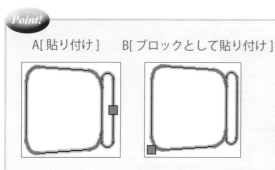

A[貼り付け] コマンドで貼り付けた図形の
挿入基点は元のブロックの挿入基点ですが、
B[ブロックとして貼り付け] コマンドで貼り
付けた図形の挿入基点はブロックの左下が
挿入基点になります。

16 名前削除 [Purge]

アプリケーション メニュー	[管理] タブ -> [クリーンアップ] パネル -> [名前削除]
プルダウンメニュー	[ファイル] -> [図面ユーティリティ] -> [名前削除]
コマンド	Purge

1 オブジェクトまたは非オブジェクトの名前を削除する

① [クリーンアップ] パネル -> [名前削除] を選択します。

② [名前削除] ダイアログが表示されます。

　現在の図面内で使用されていない画層や線種、ブロックなどが表示されます。

(図 1)

③右図では、ブロックの <ABT_10> に
　チェックしています。
　右側のプレビューで確認できます。

④ダイアログの一番下にある [チェック
　マークが付いた項目を名前削除] の
　ボタンを押します。

⑤ブロック <ABT_10> は図面から削除
　されます。

 必要な画層や線種でも使用して
いなければ表示されますから、
注意してください。

(図 1)

(図 2)

⑥ダイアログの一番下にある [すべて
　名前削除] を指示すると、使用されて
　いない画層や線種、ブロックなどは
　全部削除されます。

 memo
[名前削除] ダイアログの右側の
[名前削除できない項目を検索]
を開くと、現在使用されている
画層や線種、ブロックなど削除
できない項目が表示されます

(図 2)

図面管理

第 2 節　　　　　　　　　　図形情報

1　距離 [Measuregeom(D)]

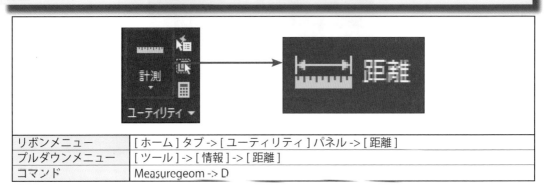

リボンメニュー	[ホーム] タブ -> [ユーティリティ] パネル -> [距離]
プルダウンメニュー	[ツール] -> [情報] -> [距離]
コマンド	Measuregeom -> D

① 2点間の距離を表示する【中部国際空港 .dwg】

① [ユーティリティ] パネル -> [距離] を選択します。

②オプションを入力 [距離 (D)/ 半径 (R)/ 角度 (A)/ 面積 (AR)/ 体積 (V)/ クイック (Q)/ モード (M)/ 終了 (X)]

　< 距離 (D)>:_distance

　1 点目を指定 : P1 を指示します。

③ 2 点目を指定 または [複数点 (M)]: P2 を指示します。（滑走路の P1 から P2）

④テキストウィンドウに長さやX、Y、Zの増加分が表示されます。

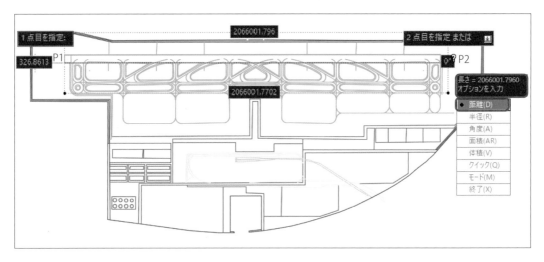

2　半径 [Measuregeom(R)]

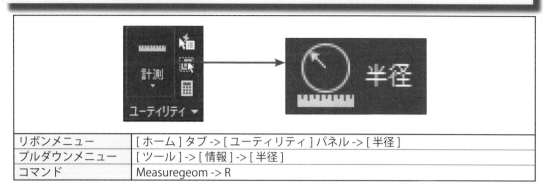

リボンメニュー	[ホーム] タブ -> [ユーティリティ] パネル -> [半径]
プルダウンメニュー	[ツール] -> [情報] -> [半径]
コマンド	Measuregeom -> R

1 円や円弧の半径と直径を表示する【建築図 2.dwg】

① [ユーティリティ] パネル -> [半径] を選択します。

②オプションを入力 [距離 (D)/ 半径 (R)/ 角度 (A)/ 面積 (AR)/ 体積 (V)/ クイック (Q)/ モード (M)/ 終了 (X)]

<u>< 距離 (D)>:_radius</u>

<u>円弧または円を選択</u>：円弧 S1(バルコニーの円弧) を選択します。

③テキストウィンドウに、半径と直径が表示されます。

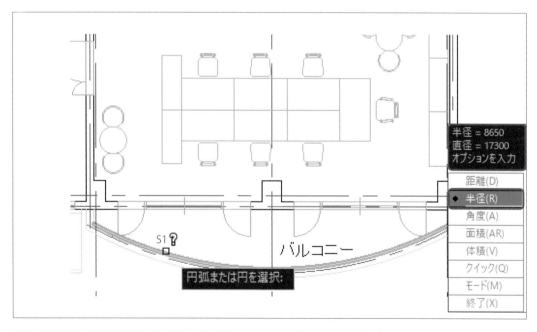

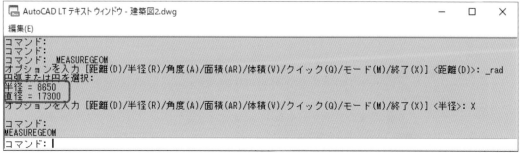

3 角度 [Measuregeom(A)]

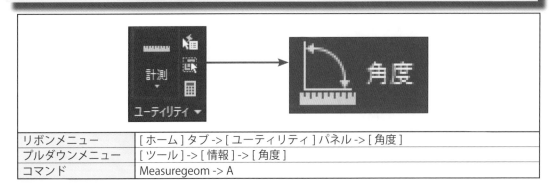

リボンメニュー	[ホーム] タブ -> [ユーティリティ] パネル -> [角度]
プルダウンメニュー	[ツール] -> [情報] -> [角度]
コマンド	Measuregeom -> A

① 指示した円弧や円、線分の角度を表示する【建築図 3.dwg】

① [ユーティリティ] パネル -> [角度] を選択します。

② オプションを入力 [距離 (D)/ 半径 (R)/ 角度 (A)/ 面積 (AR)/ 体積 (V)/ クイック (Q)/ モード (M)/ 終了 (X)]
　 < 距離 (D)>: _angle　円弧、円、線分を選択 または < 頂点を指定 (S)>:　 左の屋根 (S1) を選択します。

③ 2 本目の線分を選択：右の屋根 (S2) を選択します。

④ テキストウィンドウに角度が表示されます。

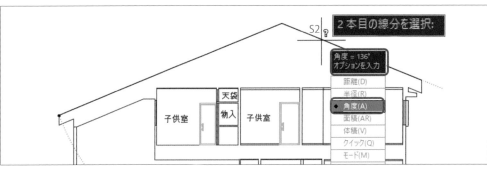

4 体積 [Measuregeom(V)]

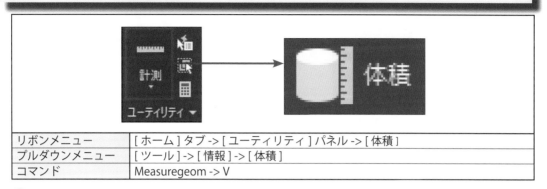

リボンメニュー	[ホーム] タブ -> [ユーティリティ] パネル -> [体積]
プルダウンメニュー	[ツール] -> [情報] -> [体積]
コマンド	Measuregeom -> V

1 立体図の体積を表示する【オブジェクト (3D).dwg】

① [ユーティリティ] パネル -> [体積] を選択します。

②マウスの右ボタンを押して、ショートカットから [オブジェクト] を選択します。

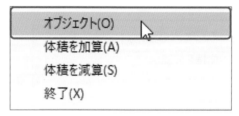

③オブジェクトを選択: マウスで立体図形 (S1) を選択します。

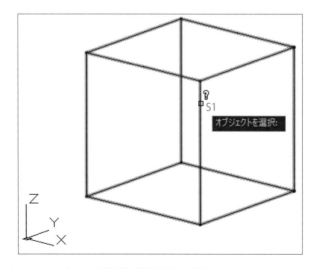

④ショートカットの中に、[体積] が表示されます。

図面管理

5 面積 [Measuregeom(AR)]

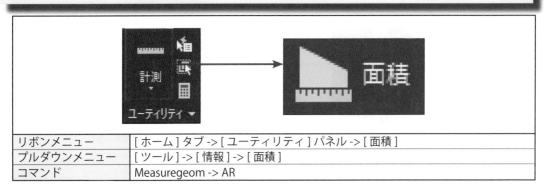

リボンメニュー	[ホーム] タブ -> [ユーティリティ] パネル -> [面積]
プルダウンメニュー	[ツール] -> [情報] -> [面積]
コマンド	Measuregeom -> AR

1 閉図形の外形線を指示する

① [ユーティリティ] パネル -> [面積] を選択します。

②マウスの右ボタンを押して、ショートカットから [オブジェクト] を選択します。

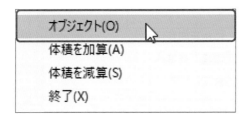

③オブジェクトを選択：マウスで閉図形 (S1) を選択します。

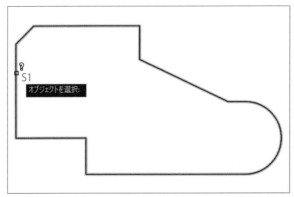

④ショートカットの中に、[面積] と [周長] が表示されます。

 閉図形は [円][楕円][ドーナツ]
[長方形][ポリゴン][閉じたポリ
ライン][リージョン] です。

② 図形の端点を順番に指示する【土木図 2.dwg】

① [ユーティリティ] パネル -> [面積] を選択します。

② オプションを入力 [距離 (D)/ 半径 (R)/ 角度 (A)/ 面積 (AR)/ 体積 (V)/ クイック (Q)/ モード (M)/ 終了 (X)]

< 距離 (D)>:_area

P1、P2、P3、P4 と 順に端点を指示します。

③ テキストウィンドウに、面積と周長が表示されます。

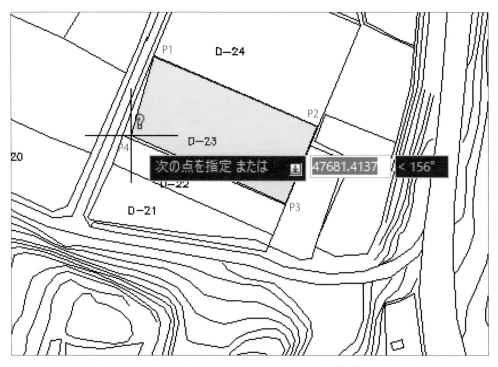

④ ショートカットの中にも、[面積] が表示されます。

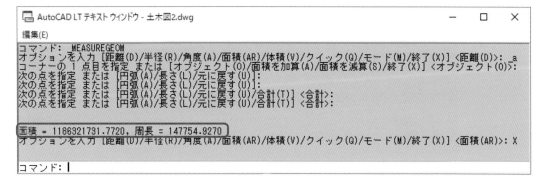

6 位置表示 [Id]

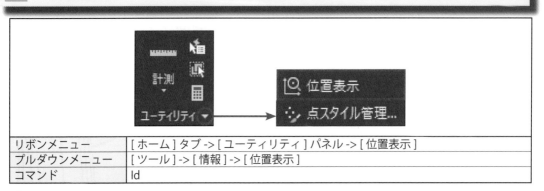

リボンメニュー	[ホーム] タブ -> [ユーティリティ] パネル -> [位置表示]
プルダウンメニュー	[ツール] -> [情報] -> [位置表示]
コマンド	Id

① 指示した点の (X , Y , Z) の座標を表示する【オブジェクト (3D).dwg】

①[ユーティリティ] パネル -> [位置表示] を選択します。

②点を指定： P1 を指示します。

③点を指定： P2 を指示します。

④点を指定： P3 を指示します。

⑤点を指定： P4 を指示します。

⑥テキストウィンドウに X、Y、Z座標が表示されます。

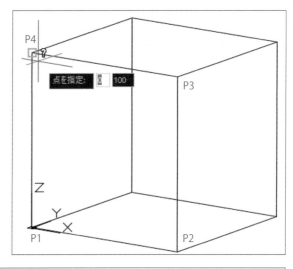

```
AutoCAD LT テキスト ウィンドウ - 3DBOX.dwg          ─   □   ×

編集(E)

コマンド：　ID
点を指定：　X = 0.0000        Y = 0.0000        Z = 0.0000

コマンド：　ID
点を指定：　X = 100.0000      Y = 0.0000        Z = 0.0000

コマンド：　ID
点を指定：　X = 100.0000      Y = 0.0000        Z = 100.0000

コマンド：　ID
点を指定：　X = 0.0000        Y = 0.0000        Z = 100.0000

コマンド：|
```

7 オブジェクト情報 [List]

リボンメニュー	[ホーム] タブ -> [プロパティ] パネル -> [オブジェクト情報]
プルダウンメニュー	[ツール] -> [情報] -> [オブジェクト情報]
コマンド	List

① 選択した図形のプロパティを表示する【オブジェクト (3D).dwg】

① [プロパティ] パネル -> [オブジェクト情報] を選択します。

②オブジェクトを選択：

　オブジェクト (S1) を選択します。

③テキストウィンドウに 選択した図形の図形情報が表示されます。

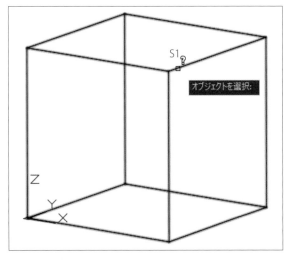

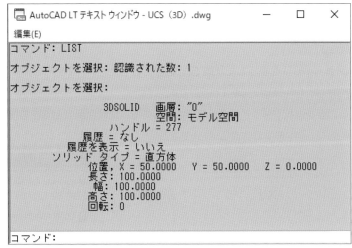

第3節　　　図面比較［2019版］～［2022版］

1　図面比較の設定 [Compare]

| | 2019版 | 2020版・2021版 | 2022版 |

リボンメニュー	[コラボレート]タブ -> [比較]パネル -> [図面比較]
アプリケーションメニュー	[図面ユーティリティ] -> [図面比較]
コマンド	Compare

[図面比較]ユーティリティを使用して、同じ図面の2つの改定間または異なる図面間の違いをハイライト表示することができます。【中部国際空港1.dwg】【中部国際空港2.dwg】

① 2つの比較する図面を指定して、比較した結果の図面を作成する

2019版

① 比較する図面を指定します。

　 [図面比較]ダイアログ ボックスで、[参照 (...)]ボタンから最初の図面ファイルを選択します。(DWG1)

　 続いて、(DWG2)にも2番目の図面ファイルを選択します。(図1)

　 (図2)のように、(DWG1)と(DWG2)に比較する図面ファイルが表示されます。

②次に、一番下の　比較(C)　ボタンを押します。

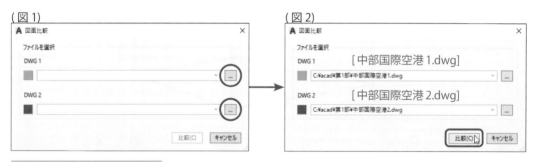

(図1)　　　　　　　　　　　　　　　　　　　　(図2)

2020版～2022版

①比較する基本図面(DWG1)を表示した状態で、[図面比較]コマンドを使用します。

　 基本図面(DWG1)は、[中部国際空港1.dwg]です。

　 次に[比較する図面を選択]ダイアログが表示されるので、比較図面(DWG2)を指定します。

　 比較図面(DWG2)は、[中部国際空港2.dwg]です。

② [図面比較]ツールバーが表示されます。

　 [図面比較]ツールバーの[スナップショットを書き出す]を選択します。

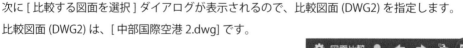

② 比較結果の図面名　🔒 比較(_C)中部国際空港1 vs 中部国際空港2

①比較結果のファイルの既定の名前は < 比較 (_C) 最初の図面の名前 vs 2 番目の図面の名前 > になります。

②この例では (DWG1) が < 中部国際空港 1> で、(DWG2) が < 中部国際空港 2> ですから
比較結果の図面名は < 比較 (_C) 中部国際空港 1 vs 中部国際空港 2> になります。

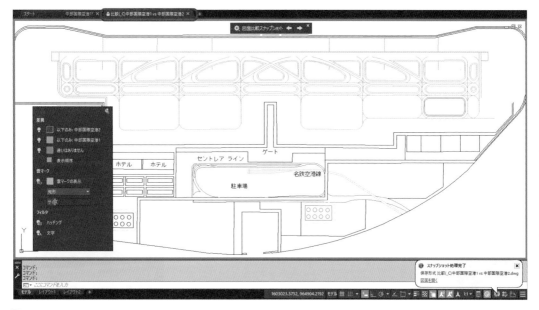

③ 変更箇所の色を指定する

① 1 番目の図面 (DWG1) にのみ存在するオブジェクトの既定の色の設定を変更するには、色アイコンを
クリックします。

② 2 番目の図面 (DWG2) にのみ存在するオブジェクトの既定の色の設定を変更するには、色アイコンを
クリックします。

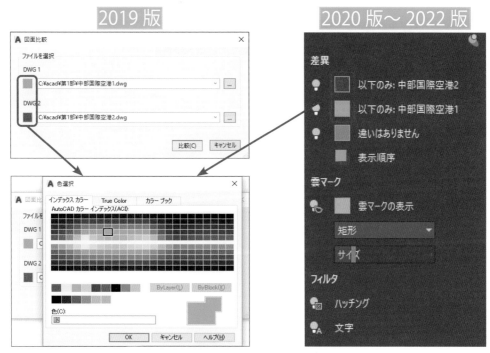

2　図面比較の結果 [CompareShowCommon]

リボンメニュー [2019 版]	[図面比較] コンテキスト リボン タブ -> [比較] パネル -> [表示 / 非表示]
設定パネル [2020 版]	[設定] パネル -> [差異]
システム変数	COMPARESHOWCOMMON

1　表示 / 非表示を切り替える

①　ボタンを押して、表示と非表示を切り替えることができます。

下図では、一番下の < 両方に共通 > のオブジェクトを非表示にしています。

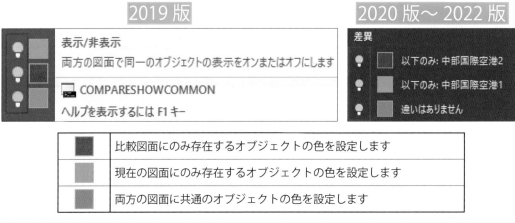

	比較図面にのみ存在するオブジェクトの色を設定します
	現在の図面にのみ存在するオブジェクトの色を設定します
	両方の図面に共通のオブジェクトの色を設定します

② 図面情報を管理する　2019 版

① [図面比較] コンテキスト リボン タブ -> [比較] -> [図面情報] から、2 つの図面ファイルの情報を
　取得できます。

② [図面情報] を選択すると、(図 1) のパネルが表示されます。パネルの一番下にある [図面に挿入]
　ボタンを押すと、(図 2) のように [情報テーブルの挿入点を指定] のメッセージが表示されます。

(図 1)　　　　　　　　　　　　　　　　　　　　　　　(図 2)

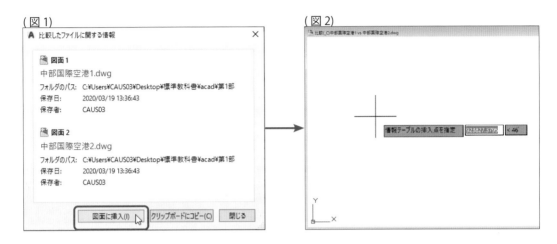

③ 下図のように、比較している図面ファイルに関する情報を現在の図面に表形式で挿入できます。

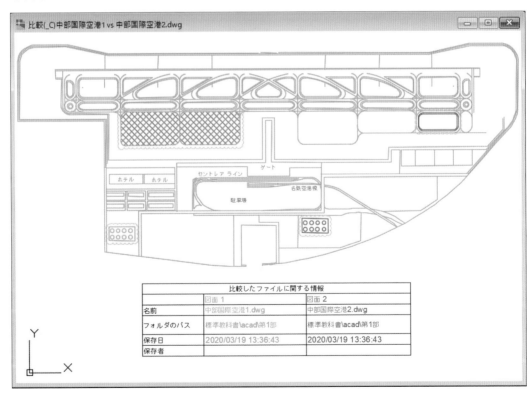

④ [クリップボードにコピー] を選ぶと、比較している図面ファイルに関する情報がクリップボードに
　コピーされますので、Excel や Word に貼り付けることができます。

3 比較図面の表示順序 [CompareFront]

リボンメニュー [2019 版]	[図面比較] コンテキスト リボン タブ -> [比較] パネル -> [表示順序]
設定パネル [2020 版]	[設定] パネル -> [表示順序]
システム変数	COMPAREFRONT

① 画層を確認する 2019 版 2020 版〜 2022 版

①下図は＜中部国際空港 1.dwg＞の図面とその画層名一覧です。

＜中部国際空港 2.dwg＞の画層名も同じです。

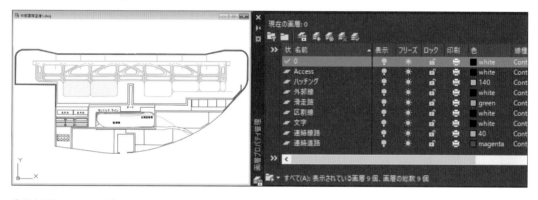

②比較図面では、最初の図面 (図面 1) と 2 番目の図面 (図面 2) からの画層に、次の形式を使用して名前が付けられます。(＜画層名＞_DWG1 および＜画層名＞_DWG2)

この規則に従って作成された画層が下図になります。

例えば、＜外郭線＞は＜外郭線 _DWG1＞と＜外郭線 _DWG2＞の 2 つが作成されています。①

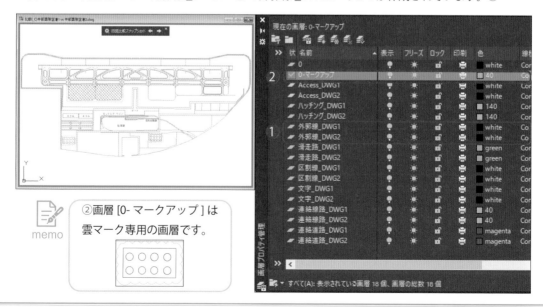

memo

②画層 [0- マークアップ] は雲マーク専用の画層です。

② 表示順序を変更する

① [表示順序] では、図面比較の結果ファイルで重なり合っているオブジェクトの表示をコントロールすることができます。

② 既定では、下図のように図面1の重なり合っているオブジェクトが前面に、図面2の重なり合っているオブジェクトが背面に表示されます。

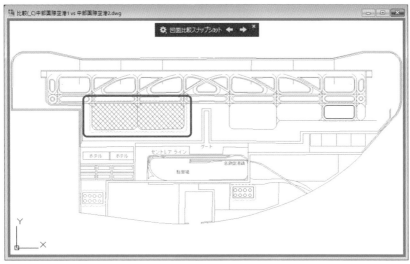

③ [表示順序] をクリックすると、[1] と [2] が入れ替わります。

下図は [図面2] を前面に表示した図です。[図面2] のハッチングが確認できます。

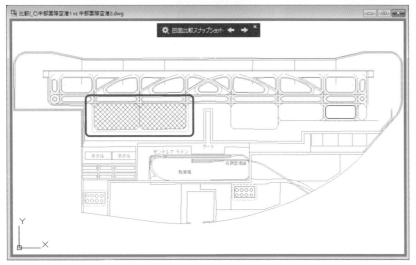

図面管理

4 比較図面のフィルタ [CompareText][CompareHatch]

リボンメニュー [2019 版]	[図面比較] コンテキスト リボン タブ -> [比較フィルタ]
設定パネル [2020 版]	[設定] パネル -> [フィルタ]
システム変数	COMPARETEXT , COMPAREHATCH

1 [比較フィルタ] を使用する

①フィルタを使って、比較結果から [文字] と [ハッチング] オブジェクトを除外することができます。

(図 1) ～ (図 3) は [文字] と [ハッチング] オブジェクトの <ON> と <OFF> を切り替えた図です。

オブジェクト	システム変数	値
文字	COMPARETEXT	ON
ハッチング	COMPAREHATCH	ON

(図 1)

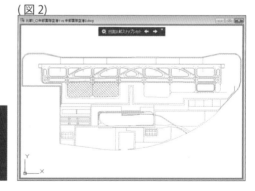

オブジェクト	システム変数	値
文字	COMPARETEXT	OFF
ハッチング	COMPAREHATCH	ON

(図 2)

オブジェクト	システム変数	値
文字	COMPARETEXT	OFF
ハッチング	COMPAREHATCH	OFF

(図 3)

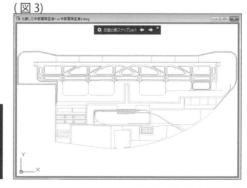

5 比較図面の変更セット [CompareRcShape][CompareShowRc]

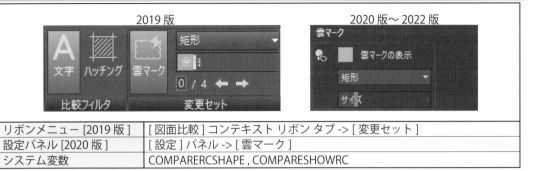

リボンメニュー [2019 版]	[図面比較] コンテキスト リボン タブ -> [変更セット]
設定パネル [2020 版]	[設定] パネル -> [雲マーク]
システム変数	COMPARERCSHAPE , COMPARESHOWRC

雲マークは、2 つの比較した図面で変更されている部分をハイライト表示するために使用されます。

1 雲マークの形状を指定する (システム変数 <COMPARERCSHAPE>)

①比較結果の図面で、個々の変更がマージされて 1 つの大きな矩形にされるのか、一連の小さい矩形と
されるのかをコントロールします。[COMPARERCSHAPE < 矩形 = 0 >、< ポリゴン = 1 >]

2 境界から雲マークまでの余白を指定する

① [変更セット][雲マーク] パネルの [余白] ボックスでは、スライダを使用して境界ボックスから
雲マークまでの余白を定義できます。

②左下図は < 余白が狭い > 例、右下図は < 余白が広い > 例です。

③雲マークの色は [画層プロパティ管理] や [プロパティ] から変更できます。

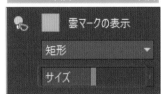

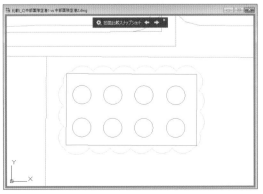
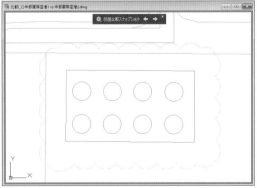

図面管理

6　図面比較の制約

① 図面の比較処理でサポートされないオブジェクト

①	コーディネーション モデル（建設プロジェクトの仮想調整に使用される Navisworks モデル）
②	DGN アンダーレイ
③	DWF アンダーレイ
④	AutoCAD Map 3D で作成された図面からの GIS オブジェクト
⑤	イメージ
⑥	OLE オブジェクト
⑦	PDF アンダーレイ
⑧	点群（既存の構造物の 3D 表現を作成するための大量の点の集まり）

② 図面比較の制限

①	モデル空間で動作します。比較のために選択した図面がレイアウトに保存されている場合、[図面比較] によって自動的に [モデル] タブに切り替えられます。
②	DWG ファイルのみをサポートします。
③	他の図面と比較結果の図面との比較はサポートされません。
④	シフトされただけのオブジェクトも、変更されたオブジェクトとして識別されます。
⑤	ネストされたオブジェクトの ByBlock または ByLayer プロパティの変更は検出できません。
⑥	ブロックに変換されたオブジェクトは、変更されたと識別されます。
⑦	比較のグラフィックスは、[2D ワイヤフレーム] 表示スタイルでのみ表示されます。
⑧	アイソメ ビューでは、変更は雲マークによって囲まれません。

③ [図面比較] コマンド

COMPARE[図面比較]	同じ図面の 2 つの改定間または異なる図面間の違いをハイライト表示します。
COMPAREINFO[図面比較情報]	2 つの比較している図面に関するプロパティ情報を図面内に挿入、またはクリップ ボードにコピーできます。

④ [図面比較] 主なシステム変数

COMPARESHOW1	最初の図面にのみ存在するオブジェクトが表示されます。
COMPARESHOW2	2 番目の図面にのみ存在するオブジェクトが表示されます。
COMPARESHOWCOMMON	比較している図面の両方で同一であるオブジェクトを表示します。
COMPARESHOWRC	比較結果の図面で、差異の周囲に雲マークを表示します。
COMPARETEXT	図面比較に文字オブジェクトが含まれるかどうかをコントロールします。
COMPARETOLERANCE	2 つの図面ファイルを比較するときに使用する許容差を指定します。図形は、指定した小数点以下の桁数以下の場合は同一であるとみなされます。

第5章　作成機能

2次元図形を作図するには、どうすればよいのでしょう。
寸法を作図するには、どうすればよいのでしょう。

この章では、
2D 図形の作成方法を学びます。

第 1 節　平面図形

第 1 節　　　　　　平面図形

1　線分 [Line]

リボンメニュー	[ホーム] タブ -> [作成] パネル -> [線分]
プルダウンメニュー	[作成] -> [線分]
コマンド	Line

1　単独の線分

① [作成] パネル -> [線分] を選択します。

② 1 点目を指定 : P1 をクリックします。

③ 次の点を指定 : P2 をクリックします。

　ショートカットで、Enter を選んで

　コマンドを終了します。

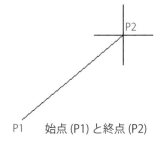

始点 (P1) と終点 (P2)

2　連続した線分

① [作成] パネル -> [線分] を選択します。

② 1 点目を指定 : P1 をクリックします。

③ 次の点を指定 : P2 をクリックします。

④ 次の点を指定 : P3 をクリックします。

⑤ 次の点を指定 または [閉じる (C)/ 終了 (X)/ 元に戻す (U)]:

　P4 をクリックします。

　ショートカットで、Enter を選んで

　コマンドを終了します。

始点 (P1) と次の点 (P2) と (P3) と終点 (P4)

> 作図した最後の図形が円弧の場合、円弧の終点から始まる線分の接線を作図することが
> できます。

3　円弧の終点に接続した線分

円弧を P1 から P2 に作図した直後に、(P2 が円弧の終点)

① [作成] パネル -> [線分] を選択します。

② 1 点目を指定 : 右クリックします。（円弧の終点 P2 が線分の始点）

③ 次の点を指定 : P3 をクリックします。

　ショートカットで、Enter を選んでコマンドを終了します。

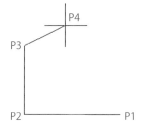

2 構築線 [Xline]

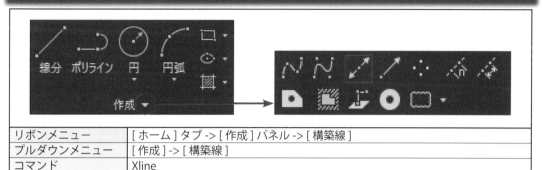

リボンメニュー	[ホーム] タブ -> [作成] パネル -> [構築線]
プルダウンメニュー	[作成] -> [構築線]
コマンド	Xline

1 任意の点を指定して、構築線を描く

① [作成] パネル -> [構築線] を選択します。

② 点を指定 または [水平 (H)/ 垂直 (V)/ 角度 (A)/2 等分 (B)/
オフセット (O)] : P1 をクリックします。

③ 通過点を指定 : P2 をクリックします。

④ 続けて、通過する点を指定します。

⑤ 最後は、右クリックをして確定します。

基準点 (P1) と方向 (P2)

2 水平な構築線を描く

① [作成] パネル -> [構築線] を選択します。

② ショートカットから，水平 (H) を選びます。

③ 通過点を指定 : P1 をクリックします。

　続けて、通過する点を指定します。

④ 右クリックをして、確定します。

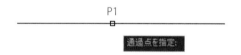

通過点 (P1)

3 特定の角度で、構築線を描く

① [作成] パネル -> [構築線] を選択します。

② ショートカットから、角度 (A) を選びます。

③ 構築線の角度を入力 (0) または [参照 (R)]: R ⏎

④ 線分オブジェクトを選択 :
　線分 S1 をクリックします。

⑤ 構築線の角度を入力 <0>: 30 ⏎
　選択した図形に対する角度を指定します。

⑥ 通過点を指定 : P1 をクリックします。

⑦ 右クリックをして、確定します。

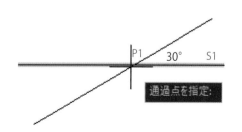

参照図形 (S1) と角度を指定

作成機能

3 放射線 [Ray]

リボンメニュー	[ホーム] タブ -> [作成] パネル -> [放射線]
プルダウンメニュー	[作成] -> [放射線]
コマンド	Ray

① 始点から一方向に無限の半直線を描く

①[作成] パネル -> [放射線] を選択します。

②<u>始点を指定</u>：P1 をクリックします。

③<u>通過点を指定</u>：P2 をクリックします。

④コマンドを終了するために、⏎ を押します。

（右クリックしても ⏎ になります。）

始点 (P1) と通過点 (P2)

memo

[放射線] コマンドの使用例

下図のように [時間日影図] を作図する時に、[放射線] コマンドは使われます。

【時刻日影図 .dwg】

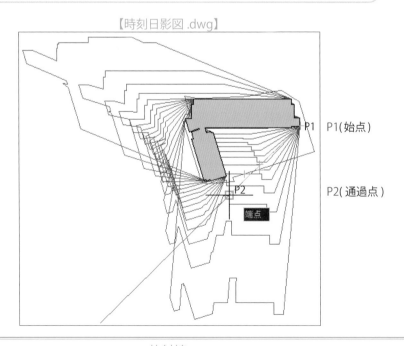

作成機能

4 スプライン [Spline]

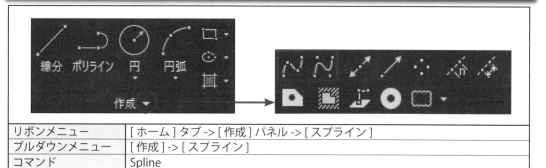

リボンメニュー	[ホーム] タブ -> [作成] パネル -> [スプライン]
プルダウンメニュー	[作成] -> [スプライン]
コマンド	Spline

① スプライン フィットを作成する

①[作成] パネル -> [スプライン フィット] を選択します。

②<u>1 点目を指定 または [方法 (M)/ ノット (K)/</u>
<u>オブジェクト (O)]:</u>
マウスで点 P1 を指示します。

③<u>次の点を入力 または [開始接線方向 (T)/許容差 (L)]:</u>
マウスで点 P2 を指示します。

④<u>次の点を入力 または [終了接線方向 (T)/ 許容差 (L)/</u>
<u>元に戻す (U)/ 閉じる (C)]:</u>
マウスで点 P3 を指示します。

⑤同様にして、点 P5 までを指示して
右ボタンで確定します。

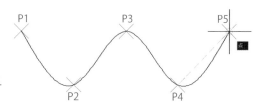

許容差 (フィット点からの許容距離)
(❶ = 0) (❷ =10) (❸ = 20)

② スプライン 制御点を作成する

①[作成] パネル -> [スプライン 制御点] を選択します。

②<u>1 点目を指定 または [方法 (M)/ 次数 (D)/</u>
<u>オブジェクト (O)]:</u>
マウスで点 P1 を指示します。

③<u>次の点を指定 または [元に戻す (U)] :</u>
マウスで点 P2 を指示します。

④<u>次の点を入力 または [閉じる (C)/ 元に戻す (U)]:</u>
マウスで点 P3 を指示します。

⑤同様にして、点 P5 までを指示して
右ボタンで確定します。

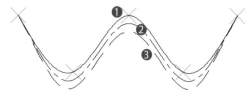

次数 (多項式の次数 <1 ～ 10>)
(❶ = 1) (❷ = 3) (❸ = 5)

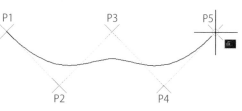

memo

[スプライン フィット] はフィット点を通過する曲率をフィット許容差で指定できます。
[スプライン 制御点] は山谷の数の次数を指定できます。

作成機能

5 ポリライン [Pline]

リボンメニュー	[ホーム] タブ -> [作成] パネル -> [ポリライン]
プルダウンメニュー	[作成] -> [ポリライン]
コマンド	Pline

1 閉じたポリラインを描く

①[作成] パネル -> [ポリライン] を選択します。

②始点を指定 : 現在の線幅は 0.0000

　次の点を指定 または [円弧 (A)/2 分の 1 幅 (H)/ 長さ (L)/

　元に戻す (U)/ 幅 (W)]: P1 をクリックします。

③次の点を指定 : P2 をクリックします。

④次の点を指定 : P3 をクリックします。

⑤次の点を指定 : P4 をクリックします。

⑥ショートカットで、閉じる (C) を選びます。

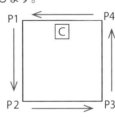

2 幅のあるポリラインを描く

①[作成] パネル -> [ポリライン] を選択します。

②始点を指定 : 現在の線幅は 0.0000

　次の点を指定 または [円弧 (A)/2 分の 1 幅 (H)/ 長さ (L)/

　元に戻す (U)/ 幅 (W)]: P1 をクリックします。

③ショートカットの幅 (W) を選択します。

　始点での幅を指定 〈0〉: ⏎

　終点での幅を指定 〈0〉: 5 ⏎

④次の点を指定 : P2 をクリックします。

⑤次の点を指定 : P3 をクリックします。

⑥次の点を指定 : W ⏎

　始点での幅を指定 〈5〉: ⏎

　終点での幅を指定 〈5〉: 0 ⏎

⑦次の点を指定 : P4 をクリックします。

⑧ショートカットの Enter を選択します。

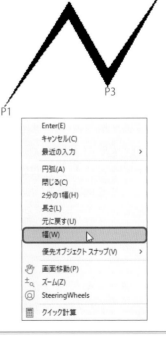

❸ 幅のある円弧のポリラインを描く

① [作成] パネル -> [ポリライン] を選択します。

② 始点を指定 : 現在の線幅は 0.0000

次の点を指定 または [円弧 (A)/2 分の 1 幅 (H)/ 長さ (L)/

元に戻す (U)/ 幅 (W)： P1 をクリックします。

③ ショートカットの円弧 (A) を選択します。

④ ショートカットの幅 (W) を選択します。

始点での幅を指定 <0>：⏎

終点での幅を指定 <0>：5 ⏎

⑤ 円弧の終点を指定： P2 をクリックします。

⑥ ショートカットの Enter を選択します。

memo

[ポリライン] コマンドの使用例

(図 1) の地積図には等高線 (コンタ) が描かれていますが、

(図 2) のように、この等高線 (コンタ) には [ポリライン] が使われています。

(図 1)　　　　【土木図 2.dwg】　　　　(図 2)

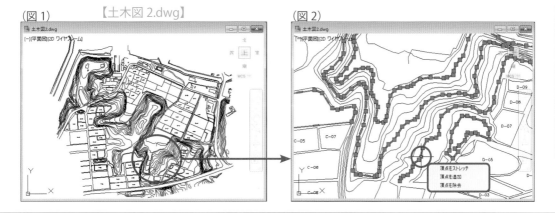

作成機能

6 円 [Circle]

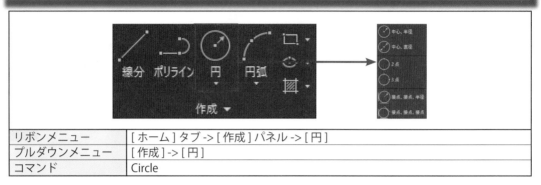

リボンメニュー	[ホーム] タブ -> [作成] パネル -> [円]
プルダウンメニュー	[作成] -> [円]
コマンド	Circle

円コマンドのオプション	
[中心点を指定]	（規定）点をクリック、または座標入力して円の中心点を指定します。
[直径]	中心点を指定した後、直径を指定します。
[3 点]	円周上の 3 点を指定します。
[2 点]	選択した 2 点を直径として円を作成します。
[接点・接点・半径]	指定した半径で他の図形に接する円を作成します。

① 中心と半径を指定した円

①[作成] パネル -> [円] -> [中心、半径] を選択します。

②円の中心点を指定 または [3 点 (3P)/2 点 (2P)/ 接、接、半 (T)]：
　P1 を指示します。

③円の半径を指定 または [直径 (D)]：
　キーボードから数値を入力するか
　マウスで P2 を指示します。

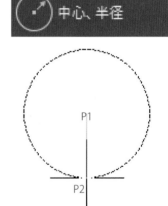

② 中心を通る 2 点を指定した円

①[作成] パネル -> [円] -> [2 点] を選択します。

②円の中心点を指定 または [3 点 (3P)/2 点 (2P)/ 接、接、半 (T)]:
　_2p 円の直径の一端を指定：
　P1 を指示します。

③円の直径の他端を指定：
　P2 を選択します。

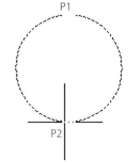

3 円周上の3点を指定した円

① [作成] パネル -> [円] -> [3点] を選択します。

②円の中心点を指定 または [3点 (3P)/2点 (2P)/接、接、半 (T)]:

 _3p 円周上の1点目を指定：

 P1 を指示します。

③円周上の2点目を指定：

 P2 を選択します。

④円周上の3点目を指定：

 P3 を選択します。

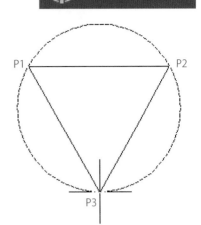

4 二つの図形に接する円

① [作成] パネル -> [円] -> [接点、接点、半径] を選択します。

②円の中心点を指定 または [3点 (3P)/2点 (2P)/接、接、半 (T)]:

 _ttr

③円の第1の接線に対するオブジェクト上の点を指定：

 線分 S1 を選択します。

④円の第2の接線に対するオブジェクト上の点を指定：

 線分 S2 を選択します。

⑤円の半径を指定：20 ↵

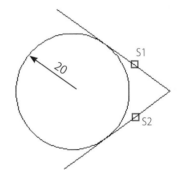

5 三つの図形に接する円

① [作成] パネル -> [円] -> [接点、接点、接点] を選択します。

②円の中心点を指定 または [3点 (3P)/2点 (2P)/接、接、半 (T)]:

 _3p 円周上の1点目を指定： 線分 S1 を選択します。

③円周上の2点目を指定： _tan どこに 線分 S2 を選択します。

④円周上の3点目を指定： _tan どこに 線分 S3 を選択します。

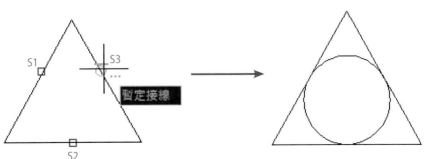

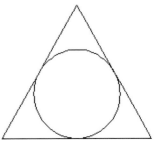

7 円弧 [Arc]

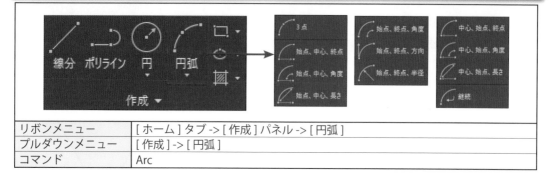

リボンメニュー	[ホーム] タブ -> [作成] パネル -> [円弧]
プルダウンメニュー	[作成] -> [円弧]
コマンド	Arc

① 3 点を通る円弧を描く

①[作成] パネル -> [円弧] -> [3 点] を選択します。

②<u>円弧の始点を指定 または [中心 (C)]：</u>

　P1 をクリックします。

③<u>円弧の 2 点目を指定 または [中心 (C)/ 終点 (E)]：</u>

　P2 をクリックします。

④<u>円弧の終点を指定：</u>

　P3 をクリックします。

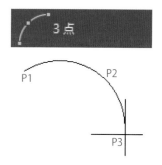

始点 (P1) と通過点 (P2) と終点 (P3)

② 始点、中心、終点を指定した円弧を描く

①[作成] パネル -> [円弧] -> [始点、中心、終点] を選択します。

②<u>円弧の始点を指定 または [中心 (C)]：</u>

　P1 をクリックします。

③<u>円弧の 2 点目を指定 または [中心 (C)/ 終点 (E)]：_c</u>

　<u>円弧の中心点を指定：</u>

　P2 をクリックします。

④<u>円弧の終点を指定 (方向を切り替えるには［Ctrl］を押す)</u>

　<u>または [角度 (A)/ 弦の長さ (L)]：</u>

　P3 をクリックします。

始点 (P1) と中心 (P2) と終点 (P3)

③ 始点、中心、角度を指定した円弧を描く

①[作成] パネル -> [円弧] -> [始点、中心、角度] を選択します。

②<u>円弧の始点を指定 または [中心 (C)]：</u>

　P1 をクリックします。

③<u>円弧の 2 点目を指定 または [中心 (C)/ 終点 (E)]：_c</u>

　<u>円弧の中心点を指定：P2 をクリックします。</u>

④<u>円弧の終点を指定 (方向を切り替えるには［Ctrl］を押す)</u>

　<u>または [角度 (A)/ 弦の長さ (L)]：_a 中心角を指定 (方向を切り替え</u>

　<u>るには［Ctrl］を押す)：P3 をクリックします。</u>

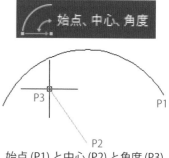

始点 (P1) と中心 (P2) と角度 (P3)

④ 始点、中心、長さを指定した円弧を描く

① [作成] パネル -> [円弧] -> [始点、中心、長さ] を選択します。

② 円弧の始点を指定 または [中心 (C)] :

　 P1 をクリックします。

③ 円弧の 2 点目を指定 または [中心 (C)/ 終点 (E)]: _c

　 円弧の中心点を指定 :

　 P2 をクリックします。

④ 円弧の終点を指定 (方向を切り替えるには［Ctrl］を押す) または

　 [角度 (A)/ 弦の長さ (L)]: _l 弦の長さを指定 (方向を切り替えるには

　 ［Ctrl］を押す): P3 をクリックします。

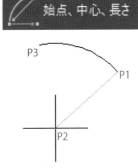

始点 (P1) と中心 (P2) と長さ (P3)

⑤ 始点、終点、方向を指定した円弧を描く

① [作成] パネル -> [円弧] -> [始点、終点、方向] を選択します。

② 円弧の始点を指定 または [中心 (C)] :

　 P1 をクリックします。

③ 円弧の 2 点目を指定 または [中心 (C)/ 終点 (E)]: _e

　 円弧の終点を指定 :

　 P2 をクリックします。

④ 円弧の中心点を指定 (方向を切り替えるには［Ctrl］を押す) または

　 [角度 (A)/ 方向 (D)/ 半径 (R)]: _d 円弧の始点の接線方向を指定

　 (方向を切り替えるには［Ctrl］を押す): P3 をクリックします。

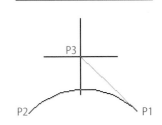

始点 (P1) と終点 (P2) と方向 (P3)

　　 💡 線分 P1-P3 は、始点 P1 で接します。

⑥ 中心、始点、終点を指定した円弧を描く

① [作成] パネル -> [円弧] -> [中心、始点、終点] を選択します。

② 円弧の中心点を指定 :

　 P1 をクリックします。

③ 円弧の始点を指定 :

　 P2 をクリックします。

④ 円弧の終点を指定 (方向を切り替えるには［Ctrl］を押す)

　 または [角度 (A)/ 弦の長さ (L)]: P3 をクリックします。

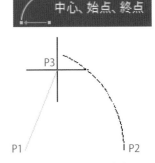

中心 (P1) と始点 (P2) と終点 (P3)

⑦ 前の円弧から続けて円弧を描く (継続)

① [作成] パネル -> [円弧] -> [継続] を選択します。

② 円弧の始点を指定 または [中心 (C)]:

　 円弧の終点を指定 (方向を切り替えるには

　 ［Ctrl］を押す): P1 をクリックします。

　　 💡 前の円弧の接円弧を作成します。

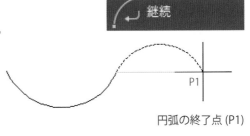

円弧の終了点 (P1)

作成機能

8 楕円 [Ellipse]

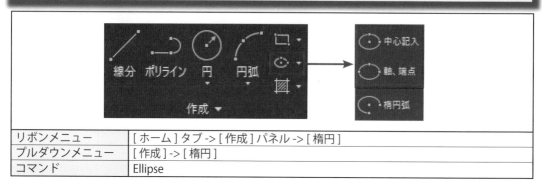

リボンメニュー	[ホーム] タブ -> [作成] パネル -> [楕円]
プルダウンメニュー	[作成] -> [楕円]
コマンド	Ellipse

楕円コマンドのオプション	
[中心点を指定]	（規定）点をクリック、または座標入力して楕円の中心点を指定します。
[直径]	一方の軸を指定した後、他の軸の半径を指定します。

1 中心と軸で楕円を描く (中心と 2 つの半径指定)

①[作成] パネル -> [楕円] -> [中心記入] を選択します。

②楕円の軸の 1 点目を指定 または [円弧 (A)/ 中心 (C)]: _c

　楕円の中心を指定：

　P1 をクリックします。

③軸の端点を指定：

　P2 をクリックします。

④もう一方の軸の距離を指定 または [回転 (R)]:

　P3 をクリックします。

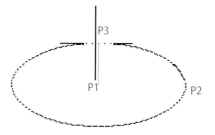

楕円の中心を指定 (P1), 軸の端を指定 (P2),
他の軸の端を指定 (P3)

2 両方の軸で楕円を描く (1 つの軸と他の軸の半径指定)

①[作成] パネル -> [楕円] -> [軸、端点] を選択します。

②楕円の軸の 1 点目を指定 または [円弧 (A)/ 中心 (C)]:

　P1 をクリックします。

③軸の 2 点目を指定：

　P2 をクリックします。

④もう一方の軸の距離を指定 または [回転 (R)]:

　P3 をクリックします。

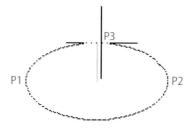

軸の 1 点目を指定 (P1), 軸の 2 点目を指定 (P2),
他の軸を指定 (P3)

9 楕円弧 [EllipseArc]

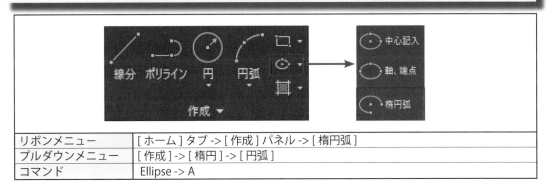

リボンメニュー	[ホーム] タブ -> [作成] パネル -> [楕円弧]
プルダウンメニュー	[作成] -> [楕円] -> [円弧]
コマンド	Ellipse -> A

1 主軸、短軸、角度で楕円弧を描く

① [作成] パネル -> [楕円弧] を選択します。

②楕円の軸の 1 点目を指定 または [円弧 (A)/ 中心 (C)]:

　a　楕円弧の軸の 1 点目を指定 または [中心 (C)]:

　P1 をクリックします。

③軸の 2 点目を指定 :

　P2 をクリックします。

④もう一方の軸の距離を指定 または [回転 (R)] :

　P3 をクリックします。

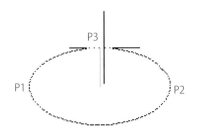

軸の 1 点目を指定 (P1), 軸の 2 点目を指定 (P2),
他の軸を指定 (P3)

☞ はじめに楕円を確定して、つぎに円弧の始点と終点を指定します。

⑤始点での角度を指定 または [パラメータ (P)]:

　キーボードから角度を数値入力するか

　マウスで P4 をクリックします。

⑥終点での角度を指定 または [パラメータ (P)/ 中心角 (I)]:

　キーボードから角度を数値入力するか

　マウスで P5 をクリックします。

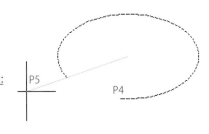

円弧の開始角度点 (P4) と終了角度点 (P5)

💡 楕円弧でも面積は表示されます。

中心 Y	1333.7107
中心 Z	0
終点 X	2059.6368
終点 Y	1335.3058
終点 Z	0
主軸の半径	3.6471
副軸の半径	2.0476
半径比	0.5614
始点での角度	319
終点での角度	215
主軸ベクトル X	-3.6471
主軸ベクトル Y	0
主軸ベクトル Z	0
補助軸ベクト...	0
補助軸ベクト...	-2.0476
補助軸ベクト...	0
面積	22.3197

作成機能

10 長方形 [Rectang]

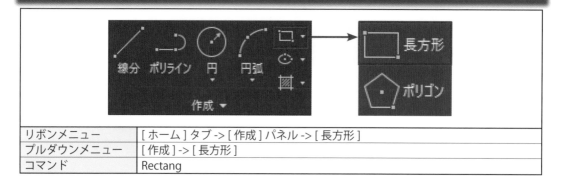

リボンメニュー	[ホーム] タブ -> [作成] パネル -> [長方形]
プルダウンメニュー	[作成] -> [長方形]
コマンド	Rectang

1 長方形を描く

① [作成] パネル -> [長方形] を選択します。

②一方のコーナーを指定 または [面取り (C)/ 高度 (E)/
 フィレット (F)/ 厚さ (T)/ 幅 (W)]：
 P1 をクリックします。

③もう一方のコーナーを指定 または [面積 (A)/ サイズ (D)/
 回転角度 (R)：
 P2 をクリックします。

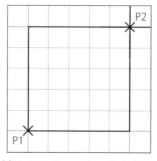

対角しているコーナー (P1) と (P2)

2 面取りをする

コーナーを面取りした長方形を作成します。

① [作成] パネル -> [長方形] を選択します。

②ショートカットから、面取り (C) を選択します。

③ 1 辺目の面取り距離と 2 辺目の面取り距離を入力します。

④一方のコーナーを指定：
 P1 をクリックします。

⑤もう一方のコーナーを指定：
 P2 をクリックします。

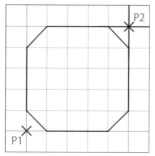

対角しているコーナー (P1) と (P2)

3 フィレットをする

コーナーを丸めた長方形を作成します。

① [作成] パネル -> [長方形] を選択します。

②ショートカットから、フィレット (F) を選択します。

③角丸めの半径値を入力します。

④一方のコーナーを指定：
 P1 をクリックします。

⑤もう一方のコーナーを指定：
 P2 をクリックします。

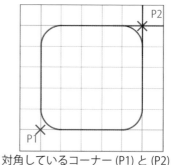

対角しているコーナー (P1) と (P2)

作成機能

11 ポリゴン [Polygon]

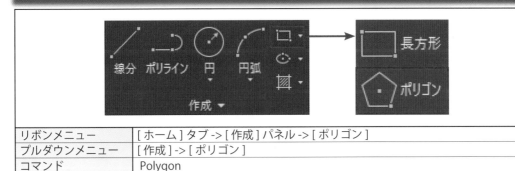

リボンメニュー	[ホーム] タブ -> [作成] パネル -> [ポリゴン]
プルダウンメニュー	[作成] -> [ポリゴン]
コマンド	Polygon

1 中心点と頂点を指定する (円に内接)

① [ポリゴン] を [中心 - 頂点] で作図します。

②エッジの数を入力 <4>:

　キーボードから <5> ⏎

③ポリゴンの中心を指定 または [エッジ (E)]:

　マウスで点 P1 を指示します。

④オプションを入力 [内接 (I)/ 外接 (C)] <I>: I ⏎

⑤円の半径を指定:

　マウスで点 P2 を指示します。

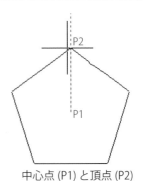

中心点 (P1) と頂点 (P2)

2 中心点と辺までの距離を指定する (円に外接)

① [ポリゴン] を [中心 - 辺の中点] で作図します。

②エッジの数を入力 <4>:

　キーボードから <5> ⏎

③ポリゴンの中心を指定 または [エッジ (E)]:

　マウスで点 P1 を指示します。

④オプションを入力 [内接 (I)/ 外接 (C)] <I>: C ⏎

⑤円の半径を指定:

　マウスで点 P2 を指示します。

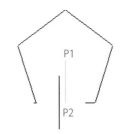

中心点 (P1) と辺の中点 (P2)

3 一辺の長さを指定する (辺の長さ指定)

① [ポリゴン] を [辺の長さ] で作図します。

②エッジの数を入力 <4>:

　キーボードから <5> ⏎

③ポリゴンの中心を指定 または [エッジ (E)]:

　ショートカットから、エッジ <E> を選択します。

④エッジの 1 点目を指定:

　マウスで点 P1 を指示します。

⑤エッジの 2 点目を指定:

　マウスで点 P2 を指示します。

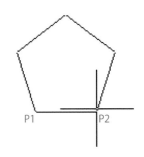

一辺の端点 (P1) と他の端点 (P2)

作成機能

12 リージョン [Region]

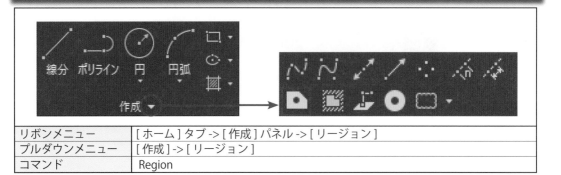

リボンメニュー	[ホーム] タブ -> [作成] パネル -> [リージョン]
プルダウンメニュー	[作成] -> [リージョン]
コマンド	Region

❶ 閉じられた図形 (円、四角形等) をリージョン図形 (面) にする

① [作成] パネル -> [リージョン] を選択します。

②<u>オブジェクトを選択：</u>

　四角形を選択します。（ポリライン図形）

③<u>1 個のループが抽出されました。</u>

　<u>1 個のリージョンが作成されました。</u>

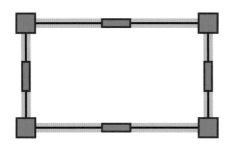

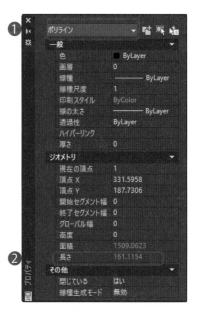

❷ [オブジェクトプロパティ管理] で確認する

①オブジェクトの種類が [ポリライン] から [リージョン] に変わっています。①

②[ジオメトリ] の項目が < 長さ > から < 周長 > に変わっています。②

　これは、面であることを表しています。

13 ワイプアウト [Wipeout]

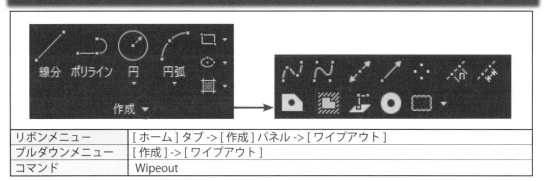

リボンメニュー	[ホーム] タブ -> [作成] パネル -> [ワイプアウト]
プルダウンメニュー	[作成] -> [ワイプアウト]
コマンド	Wipeout

1 ワイプアウトする外形線を作成する (囲った範囲を現在の背景色で隠します。)

① <1 階平面図　S=1:100> の上側をワイプアウトします。

② [作成] パネル -> [ワイプアウト] を選択します。

③ 1 点目を指定 または [フレーム (F)/ ポリライン (P)]

　< ポリライン >: P1 を指示します。

　次の点を指定 : P2 から P4 までを指示します。

④ P4 の位置で右ボタンを押して、[閉じる] を選択します。

⑤上側の <1 階平面図 > が非表示になりました。

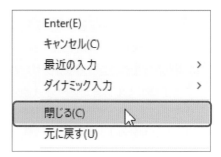

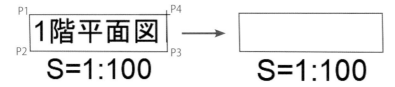

2 既存のオブジェクトを外形線にする (フレームはオン / オフできます。)

① <1 階平面図　S=1:100> の下側をワイプアウトします。

② [作成] パネル -> [ワイプアウト] を選択します。

③右ボタンのショートカットから [ポリライン] を選択。

④ 1 点目を指定 または [フレーム (F)/ ポリライン (P)]

　< ポリライン >:P　閉じたポリラインを選択 :

　四角形 (S1) を選択します。

⑤ポリラインを削除しますか？

　[はい (Y)/ いいえ　(N)] <N> : ↵

⑥下側の <S=1:100> が非表示になりました。

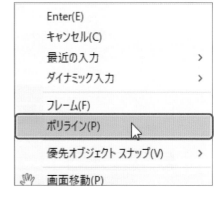

☞ ⑤で <Y> を選択すると、選択したポリラインは削除されます。

14 雲マーク [RevCloud]

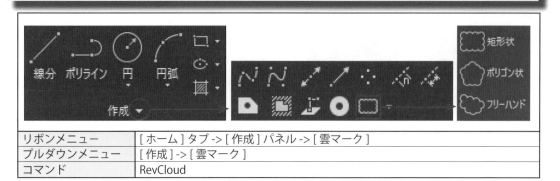

リボンメニュー	[ホーム] タブ -> [作成] パネル -> [雲マーク]
プルダウンメニュー	[作成] -> [雲マーク]
コマンド	RevCloud

1 雲マークを描く

① [作成] パネル -> [雲マーク] を選択します。

② <u>1 点目を指定 または [円弧の長さ (A)/ オブジェクト (O)/</u>
<u>矩形状 (R)/ ポリゴン状 (P)/ フリーハンド (F)/ スタイル (S)/</u>
<u>修正 (M)] < オブジェクト >:</u> 1 点目を指示 (P1) 又は F ↵

③ <u>雲のパスに沿ってカーソルを移動してください ...</u>

④ マウスを動かすと自動的に雲マークが作図されます。(P2)

⑤ 始点の P1 に近づくと (P3)、自動的に P1 に結ばれます。

1F平面図　S=1:100

↓

P1 1F平面図　S=1:100 P2

↓

P3 1F平面図　S=1:100

Point!

ショートカットから雲マークの
円弧の長さを指定できます。

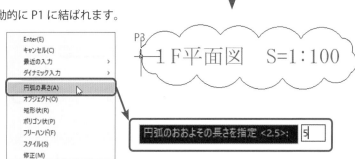

☞ 雲マークのスタイルには、[標準] と [カリグラフ] の 2 種類があります。

標準　　　　カリグラフ

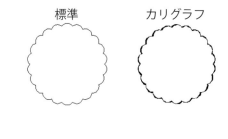

2 既存の閉図形を雲マークに変換する

① [作成] パネル -> [雲マーク] を選択します。

② <u>オブジェクトを選択:</u>
四角形と五角形を選択します。

四角形　　　　五角形

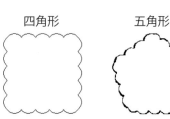

作成機能

15 複数点 [Point]

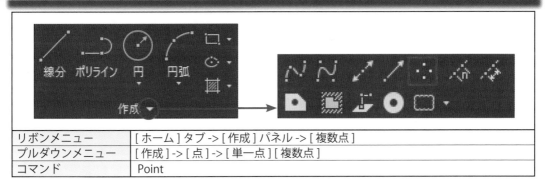

リボンメニュー	[ホーム] タブ -> [作成] パネル -> [複数点]
プルダウンメニュー	[作成] -> [点] -> [単一点] [複数点]
コマンド	Point

1 [点] の表示タイプを設定する

① [ホーム] タブ -> [ユーティリティ] パネル -> [点スタイル管理] コマンドを選択します。

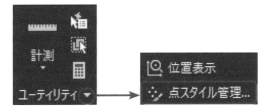

②下のダイアログが表示されます。

　[点スタイル管理] の中から <X> にチェックをつけます。

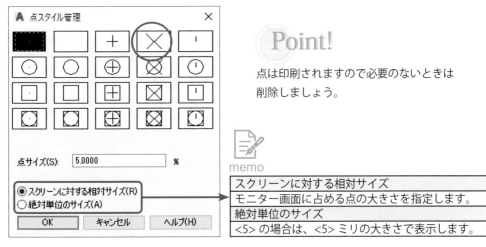

Point!

点は印刷されますので必要のないときは
削除しましょう。

memo

スクリーンに対する相対サイズ		
モニター画面に占める点の大きさを指定します。		
絶対単位のサイズ		
<5> の場合は、<5> ミリの大きさで表示します。		

③ [作成] パネル -> [複数点] コマンドを選択します。

④ 点を指定： [O スナップ] の < 中点 > で線分を指示します。

memo

点のスタイルは < ディバイダ > や < 計測 (メジャー)> でも使用されます。

16 ディバイダ [Devide]

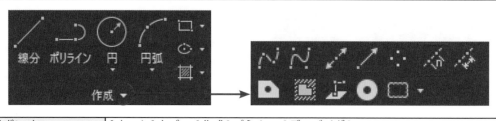

リボンメニュー	[ホーム] タブ -> [作成] パネル -> [ディバイダ]
プルダウンメニュー	[作成] -> [点] -> [ディバイダ]
コマンド	Devide

1 指示した図形を等分する点を描く

(線分を等分)

① [作成] パネル -> [ディバイダ] を選択します。

②分割表示するオブジェクトを選択 :

　線分 S1 をクリックします。

③分割数を入力 または [ブロック (B)]: 3 ↵

＊ 3 等分の位置に点マークを表示します。

(円弧を等分)

① [作成] パネル -> [ディバイダ] を選択します。

②分割表示するオブジェクトを選択 :

　円弧 S1 をクリックします。

③分割数を入力 または [ブロック (B)]: 5 ↵

＊ 5 等分の位置に点マークを表示します。

(円を等分)

①[作成] パネル -> [ディバイダ] を選択します。

②分割表示するオブジェクトを選択 :

　S1 をクリックします。

③分割数を入力 または [ブロック (B)]: 7 ↵

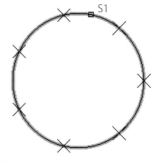

＊円の場合は、3 時の位置から反時計回りに
　点マークを表示します。

memo

オプションの [ブロック (B)] を使うと、点マークの代わりにブロックが配置されます。

17 計測 [Measure]

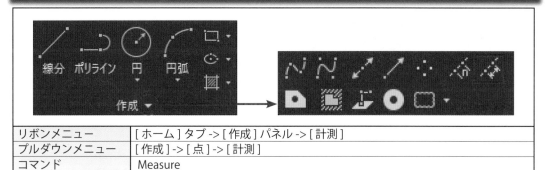

リボンメニュー	[ホーム] タブ -> [作成] パネル -> [計測]
プルダウンメニュー	[作成] -> [点] -> [計測]
コマンド	Measure

1 指示した図形に等間隔の点を描く

(線分を計測)

① [作成] パネル -> [計測] を選択します。

②計測表示するオブジェクトを選択 :

　線分 S1 をクリックします。

③計測間隔を指定 または [ブロック (B)]:

　50 ⏎

＊選んだ線分の端から 50 ミリごとに
　点マークが表示されます。

☞ 選択した線分の端に近い方から点が作成されます。

(円弧を計測)

① [作成] パネル -> [計測] を選択します。

②計測表示するオブジェクトを選択 :

　円弧 S1 をクリックします。

③計測間隔を指定 または [ブロック (B)]:

　50 ⏎

＊選んだ円弧の端から 50 ミリごとに
　点マークが表示されます。

☞ 選択した円弧の端に近い方から点が作成されます。

(円を計測)

① [作成] パネル -> [計測] を選択します。

②計測表示するオブジェクトを選択 :

　円 S1 をクリックします。

③計測間隔を指定 または [ブロック (B)]:

　50 ⏎

＊円の場合は、3 時の位置から反時計回りに
　点マークが表示されます。

memo

オプションの [ブロック (B)] を使うと、点マークの代わりにブロックが配置されます。

作成機能

18 ドーナツ [Donut]

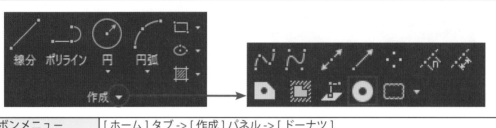

リボンメニュー	[ホーム] タブ -> [作成] パネル -> [ドーナツ]
プルダウンメニュー	[作成] -> [ドーナツ]
コマンド	Donut

1 ドーナツを描く

①[作成] パネル -> [ドーナツ] を選択します。

②<u>ドーナツの内側の直径を指定 <0.5> : 2</u> ⏎

③<u>ドーナツの外側の直径を指定 <1> : 4</u> ⏎

④<u>ドーナツの中心を指定 または < 終了 >:</u>

　ドーナツの中心 (P1) を指定します。

⑤右クリックして、確定します。

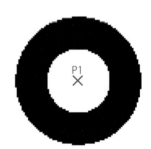

2 塗りつぶされたドーナツを描く

①[作成ツール] パネル -> [ドーナツ] を選択します。

②<u>ドーナツの内側の直径を指定 : 0</u> ⏎

③<u>ドーナツの外側の直径を指定 : 4</u> ⏎

④<u>ドーナツの中心を指定 または < 終了 >:</u>

　ドーナツの中心を指定します。

⑤右クリックして、確定します。

☞ ドーナツの内側の直径をゼロに指定すると完全に塗りつぶされた円になります。

📝 [ドーナツ] コマンドの使用例【ドーナツ .dwg】
memo

電気設備図で使用する蛍光灯・スイッチ類

天井白熱灯1	壁付白熱灯2	天井付き蛍光灯8
●	◉	⌖●
スイッチ1	**スイッチ2**	**スイッチ3**
◦●	●●	●◦●

コンクリート構造物の配筋図

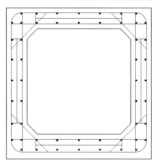

19 ブロック作成 [Block]

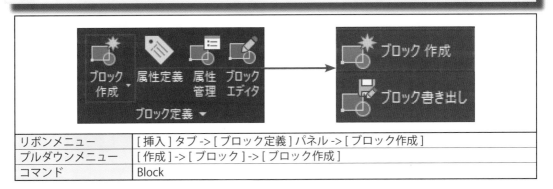

リボンメニュー	[挿入] タブ -> [ブロック定義] パネル -> [ブロック作成]
プルダウンメニュー	[作成] -> [ブロック] -> [ブロック作成]
コマンド	Block

線分と円弧でイスを作図したところです。

1 複数の図形に名前をつけて、1つの図形にする

① [ブロック定義] パネル -> [ブロック作成] コマンドを選択します。
　　[ブロック定義] ダイアログが表示されます。

（線分と円弧で作図したイス）

② [名前] の項目に <chair> と入力します。

③ [挿入基点を指定] のボタンを押して、
　　O スナップの中点で chair の前側の中点を指示します。

④ [オブジェクトを選択] のボタンを押して、
　　chair 全体を選択します。(S1 - S2)

　☞ ここで作成したブロックは、このファイルの中に
　　保存されます。

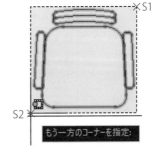

⑤	保持	図形をそのまま残します。
	ブロックに変換	選択した図形をブロックにして残します。
	削除	選択した図形は削除します。(ブロックは作成されています。)

20 属性定義 [AttDef]

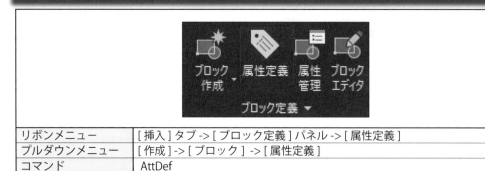

リボンメニュー	[挿入] タブ -> [ブロック定義] パネル -> [属性定義]
プルダウンメニュー	[作成] -> [ブロック] -> [属性定義]
コマンド	AttDef

1 [挿入] タブ -> [ブロック定義] パネル -> [属性定義] を選択

ブロック図形に文字情報 (属性) を付加します。

この属性情報は画面に表示したり非表示にすることができます。

また、外部のファイル (Excel 等) へ文字情報を出力することも可能です。

①	非表示	ブロックを挿入するときに、属性値が表示されないようにします。 テキストは非表示になります。	
	一定	挿入するブロックの属性値がすべて一定にされます。 値は変更できません。	
	確認	ブロック挿入するときにプロンプトに属性値が表示されるため、正しいかどうか 確認できます。	
	プリセット	プリセット属性を持つブロックを挿入すると、属性値の入力は要求されず、 規定値が自動的に設定されます。	
②	挿入点	属性文字の位置を指定します。座標を入力するか、[画面上で指定] を選択して 画面上からでも指定できます。	

作成機能

	名称	図面上の属性を識別するための名前を付けます。
③	プロンプト	この属性定義を含むブロックを挿入する時に表示されるプロンプトを指定します。
	既定値	属性の規定値 (初期値) を入力します。
④	文字スタイル	定義付けする文字のスタイルを指定できます。
	文字の高さ	文字の大きさを指定します。画面からマウスで指示することもできます。
	回転角度	文字の回転角度を指定します。画面からマウスで指示することもできます。
⑤	OK	属性定義を保存してダイアログを終了します。
	キャンセル	保存せずに終了します。

2 [属性定義] のあと、図形といっしょにブロック登録

①図形を作図します。

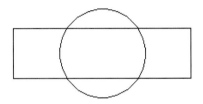

②[属性定義] コマンドで属性値を入力します。(属性名称 <LIGHT>)

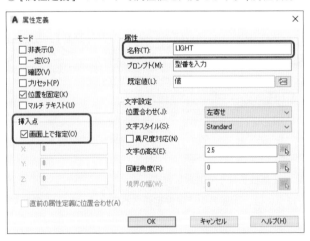

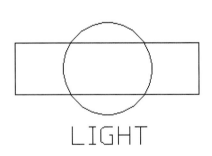

③ [OK] ボタンを押して、図形といっしょに文字も含めてブロック登録します。

Point!

ここでは、ブロックの挿入基点を < 円の中心 > に
しています。

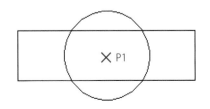

21 属性管理 [BAttMan]

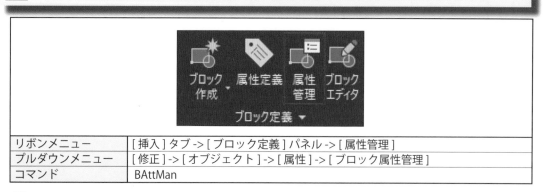

リボンメニュー	[挿入] タブ -> [ブロック定義] パネル -> [属性管理]
プルダウンメニュー	[修正] -> [オブジェクト] -> [属性] -> [ブロック属性管理]
コマンド	BAttMan

① 定義した属性を管理する【Room6.dwg】

①下図には属性定義済みの [柱 A] と [柱 B] が配置してあります。

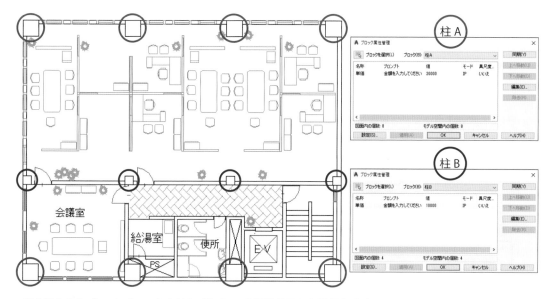

②[挿入] タブ -> [ブロック定義] パネル -> [属性管理] を選択します。

　表示される [ブロック属性管理] ダイアログには、図面の中で属性定義されているブロック名がすべて表示されます。

　[柱 A] と [柱 B] があります。

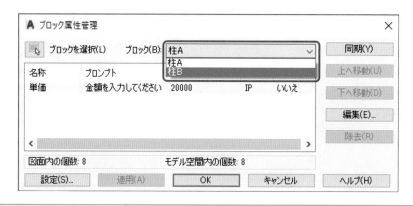

2 定義した属性を編集する

①前ページの図には属性定義済みの [柱 A] と [柱 B] が配置してあります。
　[柱 A] の属性には [名前] の他に [単価] が定義されています。
　[編集] ボタンを押して、編集のページに移ります。

②[属性] のページでは、[ブロック定義] で定義
　した属性を修正できます。
　項目は [ブロック定義] の項目と同じです。
　ここでの変更は、これ以降に挿入されるブロック
　の属性に反映されます。

③[文字オプション] のページでは、[文字] の属性
　を修正できます。
　[文字スタイル][位置合わせ][文字高さ][幅係数]
　[回転角度][傾斜角度] が変更できます。
　ここでの変更は、これ以降に挿入されるブロック
　の属性に反映されます。

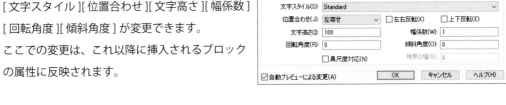

④[プロパティ] のページでは、[文字] の色や線種
　などのプロパティを修正できます。
　[画層][線種][色][線の太さ][印刷スタイル] が
　変更できます。
　ここでの変更は、これ以降に挿入されるブロック
　の 属性に反映されます。

memo

[属性管理] は図面内に存在する属性付きブロックの文字属性を一覧表から編集する機能です。
① [属性] の [値] の変更は、これ以降に挿入されるブロックの属性値に影響を与えます。
　 既存のブロックの属性値に影響はありません。
② 　**同期(Y)**　 は選択したブロックのすべてのブロック属性を、定義済みの設定で更新
　 しますが、すでに図面にあるブロックのブロック属性に割り当てられた値に影響を及ぼす
　 ことはありません。

22 境界作成 [Boundary]

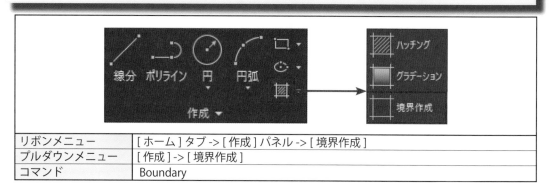

リボンメニュー	[ホーム] タブ -> [作成] パネル -> [境界作成]
プルダウンメニュー	[作成] -> [境界作成]
コマンド	Boundary

1 重なり合った共通の部分に閉じたポリラインまたはリージョンを作成する

① [作成] パネル -> [境界作成] を選択します。

② [境界作成] ダイアログが表示されます。
　[オブジェクトタイプ] に < ポリライン > を選択します。

③ [点をクリック] のボタンを押して内側の点をクリック
します。(P1)

④四角形と円の共通部分に閉じたポリラインが作成されま
す。(赤色)

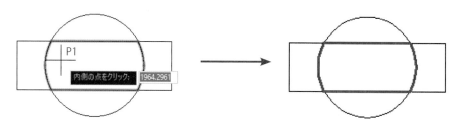

⑤ [プロパティ] で確認すると、オブジェクトタイプは < ポリライン > であることが判ります。(左)
また、面積と長さも確認できます。(右はリージョンで指示したとき。)

ポリライン

面積＋長さ

リージョン

面積＋周長

② 外側の閉図形から内側にある閉図形を削除する (面積を知るため)

① [作成] パネル -> [境界作成] を選択します。

② [境界作成] ダイアログが表示されます。
　 [オブジェクトタイプ] に < リージョン > を選択します。

③ [点をクリック] のボタンを押して内側の点をクリック
　します。(P1)

④ 四角形と円の共通部分と円に 2 つのリージョンが作成
　されます。(赤色)

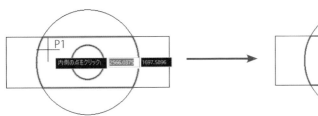

⑤ 外側のリージョンから内側のリージョンを差し引いた面積を
　求めます。(右図の斜線部分)

⑥ プルダウンメニューの [修正] -> [リージョン] -> [差] を
　選択します。

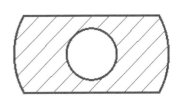

⑦ 外側のリージョン (図 1) から内側のリージョン (図 2) を取り
　除きます。

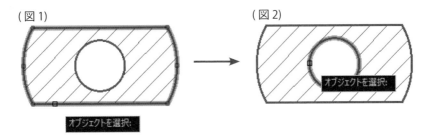

⑧ 左は取り除く前の外側のリージョン、右は内側のリージョンを取り除いた後のリージョンです。
　 [プロパティ] で内側の円の面積を差し引いた面積を知ることができます。

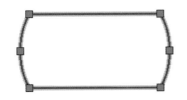
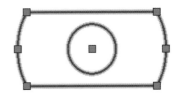

作成機能

23 ハッチング [Hatch]

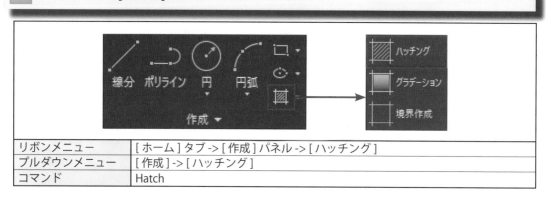

リボンメニュー	[ホーム] タブ -> [作成] パネル -> [ハッチング]
プルダウンメニュー	[作成] -> [ハッチング]
コマンド	Hatch

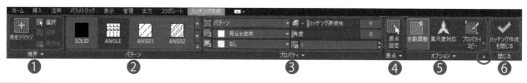

[ハッチング作成] リボンタブ	
① 境界	ハッチングは定義した境界に基づいて作成されます。
② パターン	ユーザーが定義したハッチング パターンを指定することができます。
③ プロパティ	ハッチングの間隔には単位がありません。尺度で間隔を調整します。
④ 原点	ハッチングが始まる起点を変更できます。初期値は図面の原点です。
⑤ オプション	[自動調整] や [異尺度対応] を適用するかどうかを選択します。
⑥ 閉じる	ハッチング リボンタブを閉じます。

オプション⑤のダイアログ ボックスランチャー (赤丸) を指示すると、従来のハッチング ダイアログが表示されます。

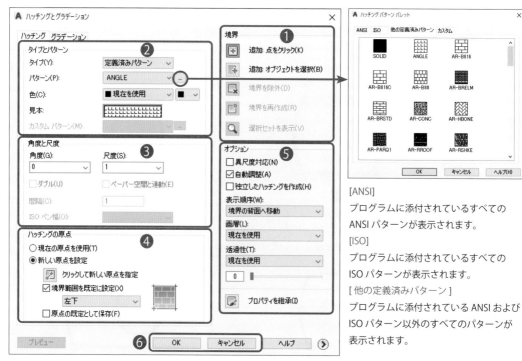

[ANSI]
プログラムに添付されているすべての
ANSI パターンが表示されます。
[ISO]
プログラムに添付されているすべての
ISO パターンが表示されます。
[他の定義済みパターン]
プログラムに添付されている ANSI および
ISO パターン以外のすべてのパターンが
表示されます。

① ハッチング パターンの選択

ハッチング パターンの一覧表示には 2 通りあります。

① [パターン] パネルのランチャーを表示する。(図 1)

② [プロパティ] や [クイック プロパティ] の [ハッチング パターン パレット] を表示する。(図 2)

(図 1)

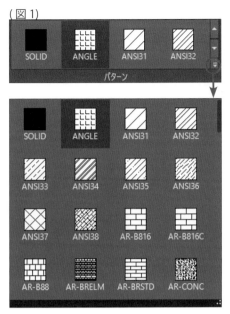

(図 2)

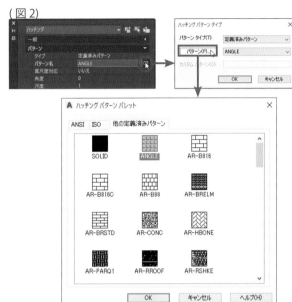

② ハッチング パターンの作成

① [作成] パネル -> [ハッチング] を選択します。

② [ハッチング作成] リボンタブが表示されます。

③ [パターン] からハッチング パターンを選びます。(例 : ANSI31)

④ [プロパティ] から [角度]、[尺度]、その他の指定をします。

⑤マウスでハッチングの領域内でクリックします。(図 1 の P1)

⑥右ボタンで確定すると、ハッチングが作成されます。(図 2)

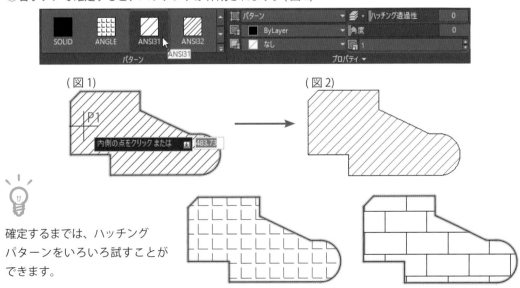

(図 1) (図 2)

確定するまでは、ハッチング
パターンをいろいろ試すことが
できます。

作成機能

❸ ハッチング パターンの原点を変更する【建築図 4.dwg】

ハッチング パターンが作成される起点は初期値では図面の原点 (0,0) です。

そのため、ハッチングの開始位置が領域内でうまく収まらないこともあります。(図 1 の赤丸)

(図 1)

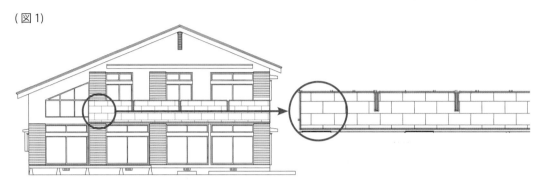

① [作成] パネル -> [ハッチング] を選択します。

② [ハッチング作成] リボンタブが表示されます。

③ [パターン] からハッチング パターンを選びます。(例 : AR-B816)

④ [プロパティ] から [角度]、[尺度]、その他の指定をします。

⑤ [原点] の中からハッチングの起点を選び、(右図の原点設定)

　(図 2) のハッチング領域の左下 (P1) を指示します。

⑥マウスでハッチングの領域内でクリックします。

⑦右ボタンで確定すると、ハッチングが作成されます。(図 2)

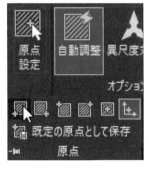

(図 2)

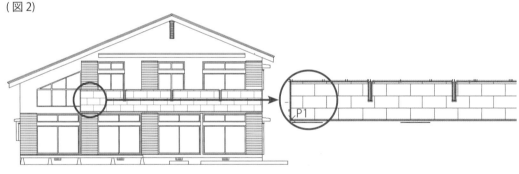

 ハッチング パターンの原点と UCS の原点とは異なります。

[原点] パネル	
① [原点設定]	新しいハッチングの原点をマウスで指定します。
② [左下][右下][左上][右上][中心]	新しいハッチングの原点を絵を選んで指定します。
③ [現在の原点を使用]	現在の原点をハッチングの原点として使用します。
④ [既定の原点として保存]	新しいハッチングの原点をシステム変数 [HPORIGIN] に保存。

④ 別の図形のハッチング パターンを他の図形の領域内にコピーする【建築断面図 .dwg】

他の図形に配置してあるハッチング パターンを他の図形にコピーします。

① [作成] パネル -> [ハッチング] を選択します。

② [ハッチング作成] リボンタブが表示されます。

③ [オプション] パネルから [プロパティ コピー] を選びます。

④ [現在の原点を使用] か [元のハッチング原点を使用] のどちらかを選びます。

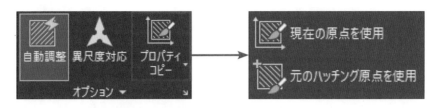

⑤ハッチング オブジェクトを選択 : (図 1) の左の家の屋根のハッチングを選択します。

⑥内側の点をクリック : (図 2) の右の家の屋根の内側を指示します。

⑦右の家の屋根にも、左と同じハッチングが作成できました。

(図 1)

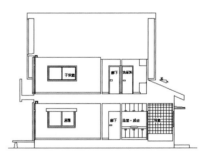

(図 2)

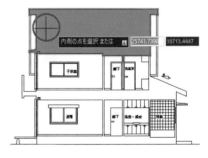

 [ツールパレット] からでもハッチングやグラデーションが作成できます。

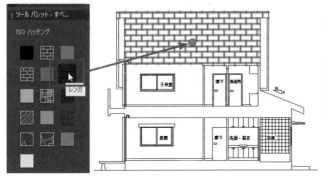

[ツールパレット] から
ハッチングを選択して、
屋根の領域までドラッグ
& ドロップ します。

作成機能

24 グラデーション [Gradient]

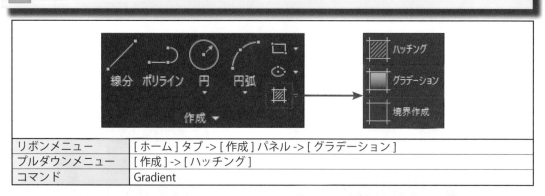

リボンメニュー	[ホーム] タブ -> [作成] パネル -> [グラデーション]
プルダウンメニュー	[作成] -> [ハッチング]
コマンド	Gradient

[ハッチング作成] リボンタブ		
①	境界	グラデーションは定義した境界に基づいて作成されます。
②	パターン	ハッチング パターンとグラデーション パターンを選択できます。
③	プロパティ	グラデーションや塗り潰しの色を指定できます。
④	原点	グラデーションの中心を指定して左右対称のグラデーションを作成します。
⑤	オプション	[自動調整] や [異尺度対応] を適用するかどうかを選択します。
⑥	閉じる	グラデーション リボンタブを閉じます。

オプション⑤のダイアログ ボックスランチャー (赤丸) を指示すると、従来のグラデーション
ダイアログが表示されます。

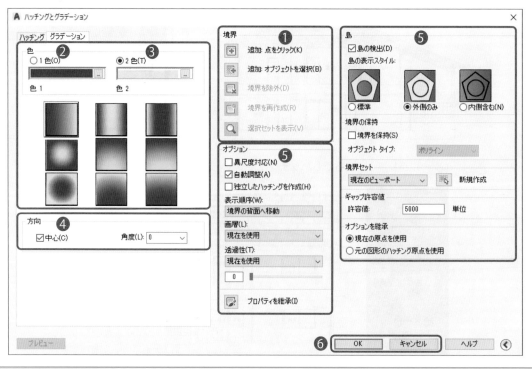

作成機能

1 グラデーションの選択

グラデーションの色の組み合わせの表示には 2 通りあります。

① [パターン] パネルのランチャーを表示する。(図 1)

② [プロパティ] や [クイックプロパティ] の [色 1][色 2] を表示する。(図 2)

(図 1)

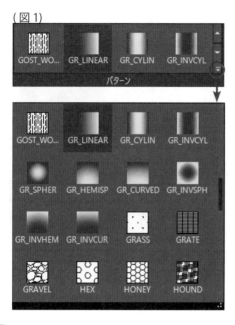

(図 2)

2 グラデーションの作成

① [作成] パネル -> [グラデーション] を選択します。

② [グラデーション] リボンタブが表示されます。

③ [パターン] からグラデーションパターンを選びます。(例 : GR_LINEAR)

④ [プロパティ] から 2 色の [色]、その他の指定をします。

⑤マウスでパターンの領域内でクリックします。(図 1 の P1)

⑥右ボタンで確定すると、パターンが作成されます。(図 2)

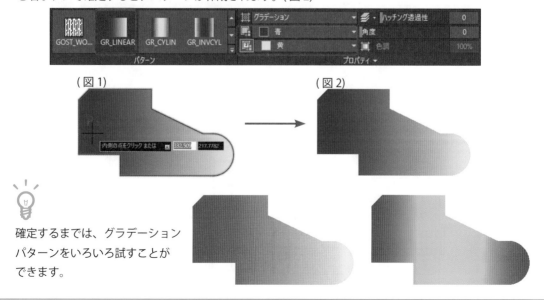

(図 1)　(図 2)

確定するまでは、グラデーション
パターンをいろいろ試すことが
できます。

作成機能

③ 一色で塗り潰しをおこなう【建築断面図 .dwg】

単一のグラデーションは [塗り潰し] を選びます。(パターンの SOLID を選択)

① [プロパティ] から [塗り潰し] を選びます。
②その下の [色] 選択から色を選択します。
③塗り潰す領域内 (P1) を指示します。

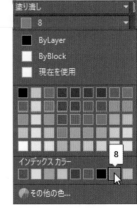

④ 色の濃淡を変更する

[透過性] を変更して、色の濃さ・薄さを変更できます。

①塗り潰しを選択した状態で、[ハッチング透過性] のバーをスライドさせます。
②下図の [透過性] は <60> です。[透過性] は <90> が最大です。

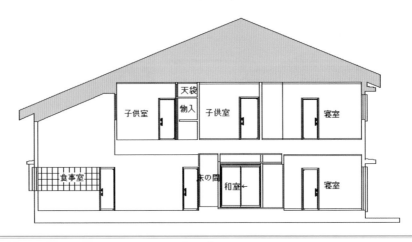

③下図はコンクリート駆体などの主要な基礎部分に表現される塗り潰しの例です。【Room1.dwg】

　左の [透過性] は <0>、右の [透過性] は <70> です。

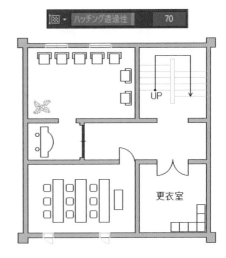

⑤ ハッチングとグラデーションを組み合わせる【Room5.dwg】

[ハッチング] と [グラデーション] を組み合わせることができます。

①(図 1) のハッチングは緑色のダブル線で作成されています。

②このハッチングを選択します。(図 2)

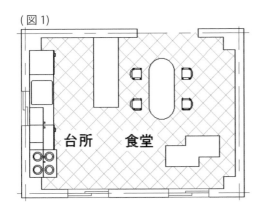
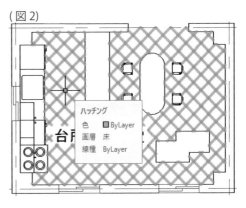

③[プロパティ] の [背景色] を開き、背景色にする色を選びます。(例 :<221,179,212>)(図 3)

④ハッチングの後ろに背景色が配置されました。(図 4)

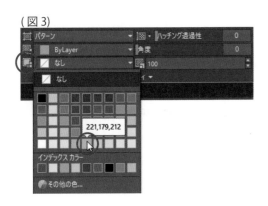
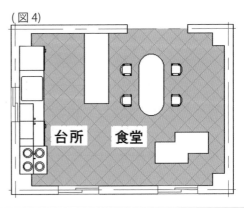

作成機能

25 文字記入 [Text]

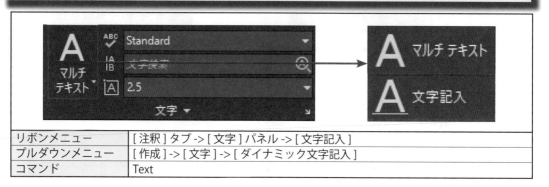

リボンメニュー	[注釈] タブ -> [文字] パネル -> [文字記入]
プルダウンメニュー	[作成] -> [文字] -> [ダイナミック文字記入]
コマンド	Text

1 文字を記入する

① [文字] パネル -> [文字記入] を選択します。

②文字列の始点を指定 または [位置合わせオプション (J)/ 文字スタイル変更 (S)]:

　P1 を指示します。

③高さを指定 <2.5>： 3 ↵

④文字列の回転角度を指定 <0>： ↵

⑤キーボードから文字を入力します。123 ↵

⑥エンターを 2 回押して終了します。

1 回目のエンターは [改行] です。

2 回目のエンターで [終了] になります。

 図面上文字をすでに作成している場合、新しい文字の作成時に前の文字と同じ高さと回転角度を引き継ぎます。

memo

②のタイミングでキーボードから < J > と入力するか、右ボタンのショートカットから [位置合わせオプション] が選択できます。

オプションを入力
左寄せ(L)
中心(C)
右寄せ(R)
両端揃え(A)
中央(M)
フィット(F)
左上(TL)
上中心(TC)
右上(TR)
左中央(ML)
中央(MC)
右中央(MR)
左下(BL)
下中心(BC)
右下(BR)

J =位置合わせオプション

TL= 左上 /　TC= 上中心 /　TR= 右上 /　ML= 左中央 /　MC= 中心中央 /　MR= 右中央
BL= 左下 /　BC= 下中心 /　BR= 右下

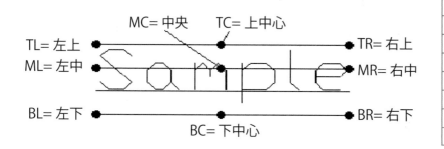

② フィールド文字を挿入する

① [文字] パネル -> [文字記入] を選択します。

②<u>文字列の始点を指定 または [位置合わせオプション (J)/ 文字スタイル変更 (S)]</u>: P1 を指示します。

③<u>高さを指定 <2.5></u>: 3 ↵

④<u>文字列の回転角度を指定 <0></u>: ↵

⑤文字の入力状態①のとき、マウスの右ボタンを押してショートカットの中の [フィールドを挿入] を選択します。

⑥ [フィールド] の中の [フィールド名] から < 日付 >、[サンプル] から赤枠のタイプを選び、[OK] ボタンを押します。

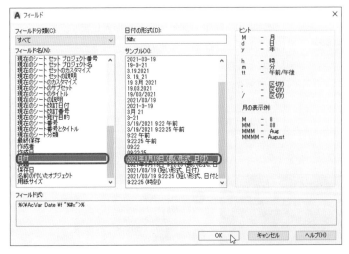

⑦日付が挿入されました。

　文字をダブルクリックすると、修正画面が表示されます。

2021年3月19日

作成機能

26 マルチテキスト [Mtext]

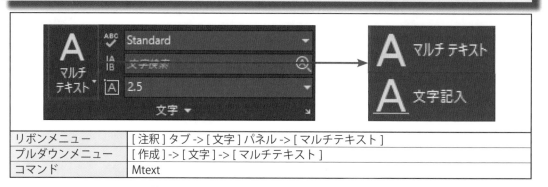

リボンメニュー	[注釈] タブ -> [文字] パネル -> [マルチテキスト]
プルダウンメニュー	[作成] -> [文字] -> [マルチテキスト]
コマンド	Mtext

① [テキスト エディタ] リボン タブの内容

[テキストエディタ] リボン タブ		
①	文字スタイル	文字スタイルと文字の高さを指定します。
②	書式設定	文字に太字、斜体、下線、上線、下付き、上付きなどの書式を設定します。また、フォントや色を変更できます。
③	段落	選択した文字の位置合わせ、行間隔、番号付け、箇条書きを設定できます。
④	挿入	シンボル、段組、フィールドを挿入します。
⑤	スペルチェック	スペルチェックをします。
⑥	ツール	検索と置換、テキスト読み込み、大文字・小文字の変換などが可能です。
⑦	オプション	エディタのルーラーの表示をコントロールします。文字セット (言語の選択) やエディタの設定を行います。
⑧	閉じる	マルチテキストエディタを閉じます。

② [テキストエディタ] の段組設定

段組設定		
①	ダイナミック段組み	文字列の長さに応じて設定されます。自動または手動で高さを調整できます。
②	段数指定	全体の幅と高さ、列数を指定します。全ての列は同じ高さになります。
③	段組なし	現在のマルチテキストに段組なしを指定します。

③ マルチテキストの作成

① [文字] パネル -> [マルチテキスト] を選択します。

②現在の文字スタイル : "Standard" 文字の高さ : 2.5 最初のコーナー点を指定 :
　 文字領域の最初のコーナーを指示します。(P1)

③もう一方のコーナーを指定 または [高さ (H)/ 位置合わせ (J)/ 行間隔 (L)/ 回転角度 (R)/ 文字スタイル (S)/
　 幅 (W)/ 段組み (C)] : 文字領域の対角のコーナーを指示します。(P2)
　 マルチテキストのボックスが表示されます。

④文字列を入力していきます。文字の大きさや文字スタイルは書式の設定に従って表示されます。

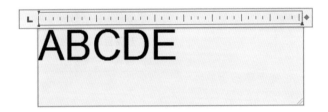

⑤マルチテキストのボックスの大きさはマウスで変更できます。
　 マウスを左右に移動させると、ボックスの横幅が変更できます。(赤丸)

⑥マウスを上下に移動させると、ボックスの縦幅が変更できます。(赤丸)

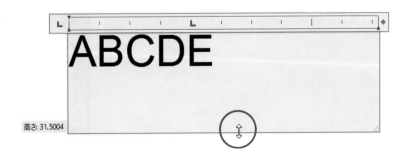

作成機能

④ 他のファイル (Word) からテキストを貼り付ける

事前に Word の文章を選択して、クリップコピーしておきます。(図 1)

① [文字] パネル -> [マルチテキスト] を選択します。

②現在の文字スタイル：" Standard" 文字の高さ：2.5 最初のコーナー点を指定：

　文字領域の最初のコーナーを指示します。(P1)

③もう一方のコーナーを指定：

　文字領域の対角のコーナーを指示します。(P2)

　マルチテキストのボックスが表示されます。

④マウスの右ボタンを押して [貼り付け] を選ぶと、マルチテキストエディタにコピーされます (図 2)

(図 1)

(図 2

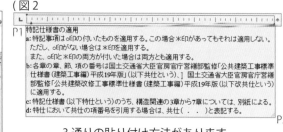

3 通りの貼り付け方法があります。

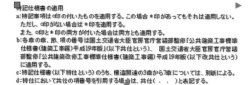

文字書式なしで貼り付け

段落書式なしで貼り付け(W)

書式なしで貼り付け

⑤ 読み込んだ文章の書式を変更する

①挿入した文章の書式をあとから変更できます。

　テキストを選択して、[プロパティ] パネルを表示させます。

② [プロパティ] から [文字スタイル] や [文字の高さ][行間隔] などを

　変更できます。

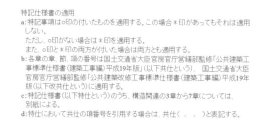

③ [テキストエディタ] タブから文章の書式を変更できます。

　エディタ内のテキストをマウスですべて選択して、[文字スタイル] や

　[文字の大きさ][色] などを変更できます。

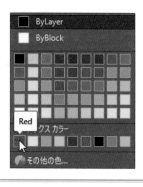

作成機能

6 シンボル文字の挿入

① [テキストエディタ] タブ -> [挿入] パネル -> [シンボル] から特殊文字を挿入できます。(図 1)

②マウスの右ボタンを押して、ショートカットから [シンボル] を挿入できます。(図 2)

(図 1)

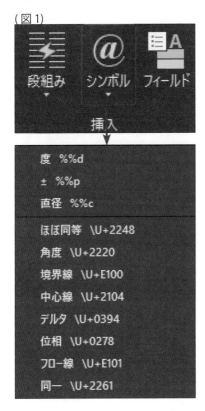

(図 2

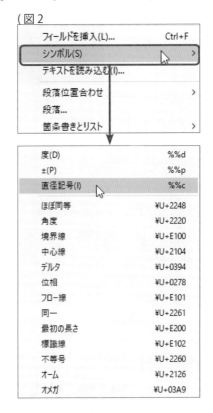

7 メニュー以外の特殊文字の挿入

① [テキストエディタ] タブ -> [挿入] パネル -> [シンボル] から [その他 ...] を選びます。

② Windows の [文字コード表] で、使用したい特殊文字をクリックして [選択] ボタンを押します。

③ AutoCAD LT のテキストエディタに戻り、挿入位置で右クリックして [貼り付け] を選びます。

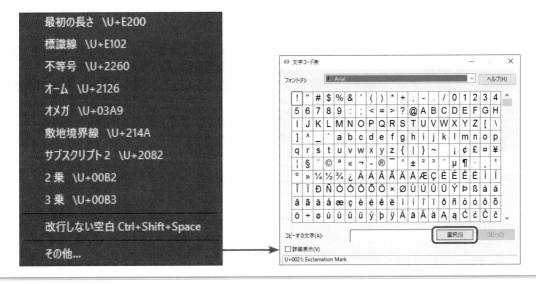

27 表 [Table]

リボンメニュー	[注釈] タブ -> [表] パネル -> [表]
プルダウンメニュー	[作成] -> [表]
コマンド	Table

1 空の表から作成する

① [表] パネル -> [表] を選択します。

[表を挿入] ダイアログが表示されます。

[列数] に <5>、[データ行] に <3> を入力して、[OK] ボタンを押します。

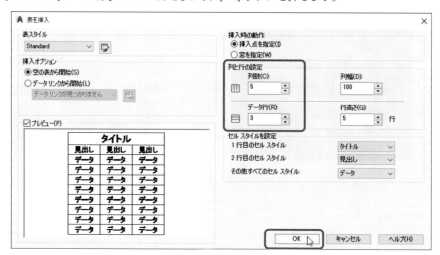

②表が図面内に表示されます。

[文字の書式] から、文字スタイルや文字の大きさ等を変更します。

③表の中に文字や図を挿入していきます。行や列の数は後から自由に変更できます。

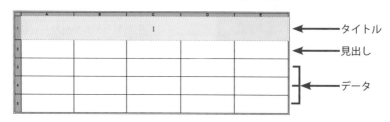

2 表スタイルを設定する

① [表を挿入] ダイアログからテーブルスタイルを設定します。

　[表スタイル] の初期値は <Standard> です。

②表スタイルの右のボタン (赤丸) を押し、表示されるダイアログの中の項目を修正するか、

　| 新規作成(N)... | ボタンを押して、新しく表スタイルを作成します。

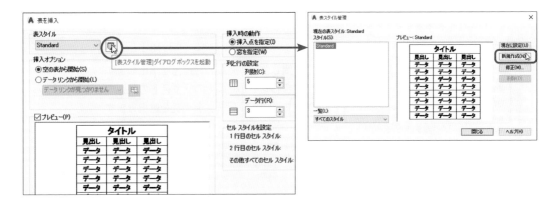

③ | 新規作成(N)... | を選び、新しいスタイル名を < 建具表 > と入力し、| 続ける | を押します。

④ [新しい表スタイル] ダイアログでスタイルを設定します。

	[新しい表スタイル] ダイアログ	
①	新しい表スタイルとして使用します。既定の表スタイルを選択できます。	
②	表の方向を上方向か下方向かを指定します。(初期値は < 下へ >)	
③	表の外観をプレビューで確認します。	
④	タイトル、見出し、データから編集する項目を選択します。	
⑤	タイトル、見出し、データの各セルのプロパティを編集します。	
⑥	タイトル、見出し、データの各セルの余白を指定します。個々に指定できます。	

表　　　217

⑤ [セル スタイル] から [データ] を選択します。他の [タイトル] と [見出し] も同じ設定です。

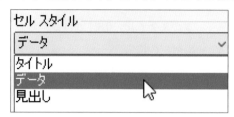

⑥ [一般] タブを設定します。

[一般]	
塗り潰し色	セルの背景色を指定します。
位置合わせ	セル内のテキストの整列を設定します。
書式	データタイプを選択します。

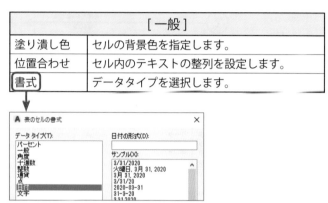

⑦ [文字] タブを設定します。

[文字]	
文字スタイル	文字スタイルを設定します。
文字の高さ	文字の高さを設定します。
文字の色	文字の色を指定します。
文字の角度	文字の角度を設定します。

⑧ [罫線] タブを設定します。

[罫線]	
線の太さ	境界の線の太さを設定します。
線種	境界の線種を設定します。
色	線の色を指定します。
2重線	チェックすると2重線になります。

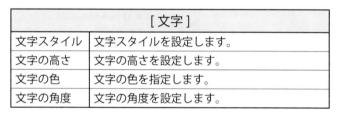

Point!

・複数の表スタイルを作成できますが、現在の表スタイルとして設定できるのは1つだけです。

・新しい図面には、[Standard] という名前の表スタイルがすでにあります。

・表スタイルを変更すると、そのスタイルを使用している表のスタイルが更新されます。

・表スタイルは文字スタイルや寸法スタイルと同様に図面ファイルに保存されます。

・図面テンプレートには、あらかじめ使用する表スタイルを設定しておきます。

・デザインセンターやツールパレットから表スタイルをコピーすることができます。

作成機能

3 表の縦幅と横幅を編集する

①表を選択すると、下図のように青いマークが表示されます。

　マウスでマークを選択すると、行と列の大きさを変更したり、各セルの幅を個別的に伸縮できます。

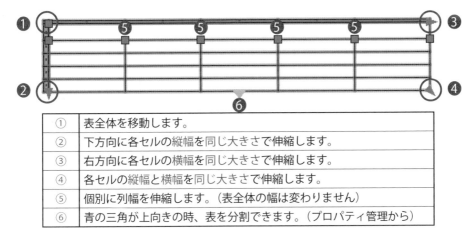

①	表全体を移動します。
②	下方向に各セルの縦幅を同じ大きさで伸縮します。
③	右方向に各セルの横幅を同じ大きさで伸縮します。
④	各セルの縦幅と横幅を同じ大きさで伸縮します。
⑤	個別に列幅を伸縮します。（表全体の幅は変わりません）
⑥	青の三角が上向きの時、表を分割できます。（プロパティ管理から）

②下図は表の右下コーナー④をマウスでクリックして、伸縮させようとしています。

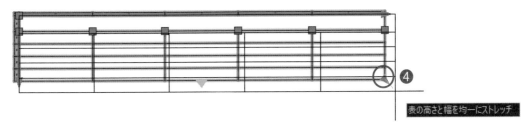

表の高さと幅を均一にストレッチ

③表の各セルの青い四角マークを選択すると、各セルの横幅を個々に伸縮できます。

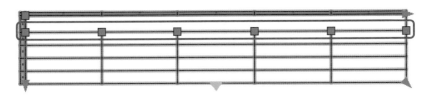

④下図は一番右のセルの青いマークをマウスでクリックして、伸縮させようとしています。

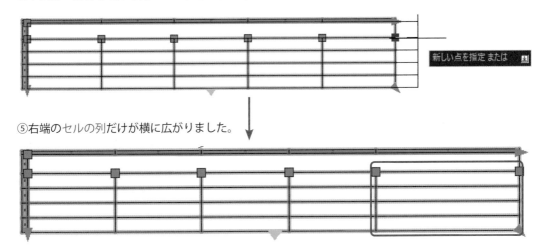

新しい点を指定 または

⑤右端のセルの列だけが横に広がりました。

表　　　219

④ 表の各セルを個別に編集する

①表の中でマウスをクリックすると、[表セル] リボン タブが表示されます。

（ダブルクリックすると、[テキストエディタ] のリボン タブが表示されます。）

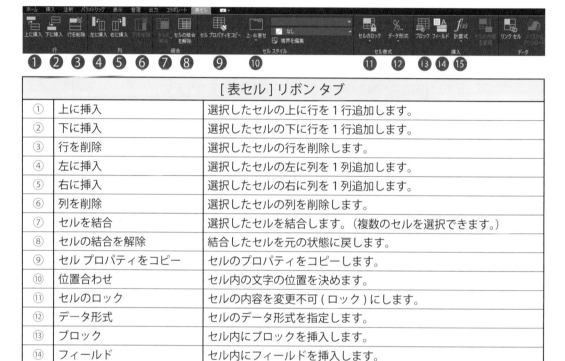

[表セル] リボン タブ		
①	上に挿入	選択したセルの上に行を 1 行追加します。
②	下に挿入	選択したセルの下に行を 1 行追加します。
③	行を削除	選択したセルの行を削除します。
④	左に挿入	選択したセルの左に列を 1 列追加します。
⑤	右に挿入	選択したセルの右に列を 1 列追加します。
⑥	列を削除	選択したセルの列を削除します。
⑦	セルを結合	選択したセルを結合します。（複数のセルを選択できます。）
⑧	セルの結合を解除	結合したセルを元の状態に戻します。
⑨	セル プロパティをコピー	セルのプロパティをコピーします。
⑩	位置合わせ	セル内の文字の位置を決めます。
⑪	セルのロック	セルの内容を変更不可 (ロック) にします。
⑫	データ形式	セルのデータ形式を指定します。
⑬	ブロック	セル内にブロックを挿入します。
⑭	フィールド	セル内にフィールドを挿入します。
⑮	計算式	セル内に計算式を挿入します。

②表のタイトルの背景色を変更します。

タイトルのセルをクリックして、マウスの右ボタンから [背景塗り潰し] を選び、[色選択] ダイアログ
から⑨の色を指示します。

[色選択] のダイアログから希望する色 (9 番) を選ぶと、タイトルのセルの背景色が変更されます。

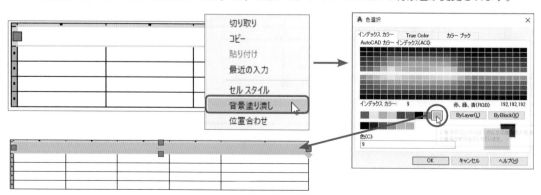

③複数のセルを結合します。

　結合したいセルをクロスして選択します。(P1 - P2)

④マウスの右ボタンから [結合] -> [すべて] を選ぶと、選択したセルが 1 つのセルになります。

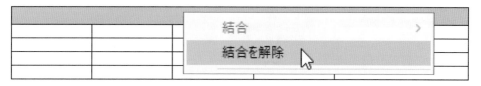

⑤右ボタンを押して [結合を解除] ボタンを押すと、結合が解除されて元のセルに戻ります。

5 表の各セルに文字を入力する

①表の中でマウスをダブルクリックすると、[テキストエディタ] リボン タブが表示されます。

②マルチテキストの入力と同じように文字や数値を入力していきます。

建具集計表				
型番	形状	幅	高さ	単価
TS 3101	片開き	900	2000	30000
TS 4101	両開き	1800	2000	55000
FL 5101	フレンチドア	1200	2200	40000

表　　　221

28 フィールド [Field]

リボンメニュー	[挿入] タブ -> [データ] パネル -> [フィールド]
プルダウンメニュー	[挿入] -> [フィールド]
コマンド	Field

❶ [フィールド] ダイアログ

FIELD コマンドは、フィールドの値の変更に応じて自動的に更新できるフィールドを含むテキストや

マルチテキスト オブジェクトを作成します。

フィールドは、幾何公差以外のすべての種類の注釈オブジェクトに挿入できます。

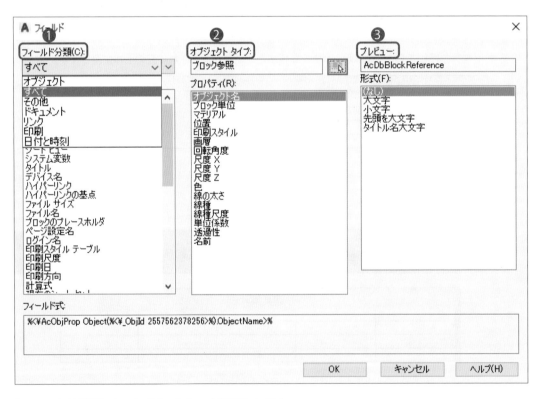

[フィールド分類] で＜オブジェクト＞を選択した場合

[フィールド] ダイアログ		
①	フィールド分類	フィールドを含めることのできるフィールド名の一覧が表示されます。
②	オブジェクトタイプ	開いている図面に使用できるオブジェクトの一覧が表示されます。 図面に該当するオブジェクトが無い場合は、表示されません。
③	プレビュー	テキストやマルチテキストで表示する形式が表示されます。

② フィールドが更新するタイミング

① 図面を開くときに更新します。

② 図面を保存するときに更新します。

③ 印刷時に更新します。

④ e - トランスミット作成時に更新します。

⑤ 再作図のときに更新します。

[オプション] -> [基本設定] -> [フィールド]
-> [フィールド更新設定] から設定できます。

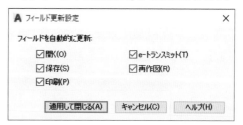

③ 表題欄の [作成年月日] に日付を記入する

① [データ] パネル -> [フィールド] を選択します。

  [フィールド] ダイアログが表示されます。

  [フィールド名] の中から < 保存日 > を選びます。

  [サンプル] の中から、一番上の形式を選びます。

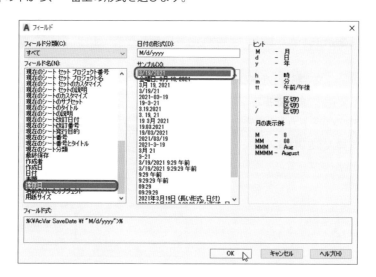

②始点を指定または [高さ (H)/ 位置合わせ (J)]:

  [作成年月日] 欄の内側に位置と文字高さを決めます。

  保存日の日付が挿入されます。

③フィールド文字 [保存日] は、図面を変更して保存した時に、その日の日付に自動的に変更されます。

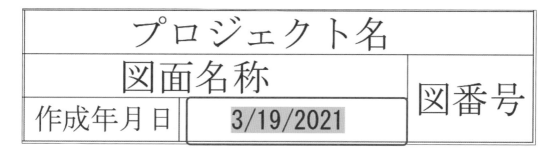

④ レイアウトの尺度にフィールド文字を挿入する

レイアウト空間に配置したレイアウトの尺度を変更したときに、尺度の文字も自動的に変更するように
フィールド文字を挿入します。

①下図のレイアウト図の尺度は <1:100> ①ですが、このレイアウトの下側に [フィールド文字] を挿入
　します。(赤枠の位置②)

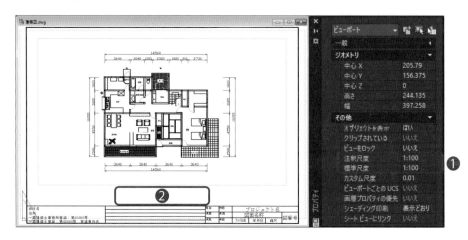

②[文字] パネル -> [文字記入] を選びます。
　< 高さ > と < 文字列の角度を指定 > した後、
　文字記入の時にショートカットを表示して、
　[フィールドを挿入] を選択します。

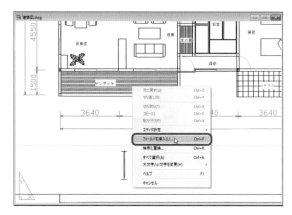

③[フィールド名] の中から < オブジェクト > を選びます。

④[オブジェクト タイプ] の横の [オブジェクトを選択] ボタン <(図 1) の赤丸 > を押して、
　レイアウト枠を選択します。<(図 2) の赤丸 >

(図 1)

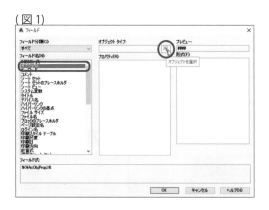

(図 2)

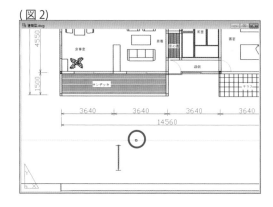

⑤ (図 3)[オブジェクト タイプ] に < カスタム尺度 >、[形式] に < 尺度の名前を使用 > を選びます。

[プレビュー] に <1:100> が表示されています。[OK] ボタンを押します。

⑥ (図 4) レイアウトの下側に <1:100> のフィールド文字が作成されました。

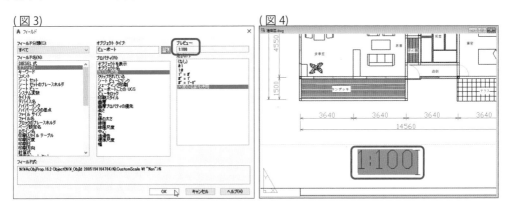

(図 3) (図 4)

⑦レイアウト枠を選択して、プロパティを表示させます。<(図 5) の赤丸 >

⑧プロパティの [注釈尺度] を <1:50> に変更します。(図 6)

(図 5) (図 6)

⑨変更した直後は、まだフィールド文字 <1:100> は変更されていません。(図 7)

⑩ [上書き保存] または [再作図] すると、フィールド文字が <1:50> に変更されます。(図 8)

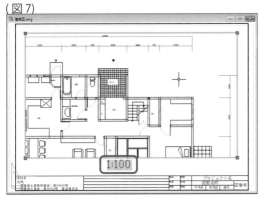

(図 7)

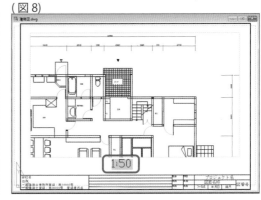

(図 8)

⑤ 表題欄の [プロジェクト名] に図面のタイトルを挿入する

図面のプロパティの [タイトル] を表題欄と連動させます。

① [アプリケーション メニュー] -> [図面ユーティリティ] ->
　[図面のプロパティ] を選択します。

② [ファイルの概要] タブの [タイトル] に <Autodesk> と入力し、
　[OK] ボタンを押します。

③ レイアウト空間の表題欄に [タイトル] の文字をフィールド文字として挿入します。

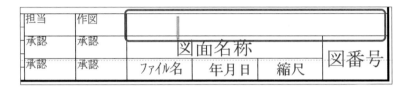

④ 文字記入の時にショートカットを表示して、[フィールドを挿入] を選択します。

⑤ [フィールド名] の中から < タイトル >、[形式] の中から < 小文字 > を選びます。(図 1)

⑥ 表題欄に <autodesk> のフィールド文字が挿入されました。(図 2)

(図 1)

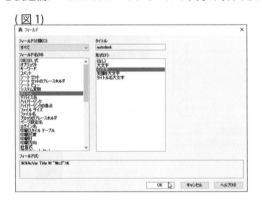

(図 2)

⑦ [図面のプロパティ] の [ファイルの概要] タブの [タイトル] を <AutoCAD> に変更します。(図 3)

⑧ [保存] または [再作図] すると、フィールド文字が <autodesk> から <autocad> に変わります。(図 4)

(図 3)

(図 4)

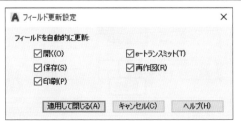

第6章　修正機能

図形を修正する際に必要なコマンドです。
修正機能はどのように活用できるのでしょう。

この章では、
図形を修正する方法を学びます。

■　■　■　第 1 節　平面図形

修正機能

第 1 節　　　　　　　　平面図形

1 削除 [Erase]

リボンメニュー	[ホーム] タブ -> [修正] パネル -> [削除]
プルダウンメニュー	[修正] -> [削除]
コマンド	Erase

1 オブジェクトを削除する

①[修正] パネル -> [削除] を選択します。

②オブジェクトを選択 :
　線分 S1 を選択します。(図 1)
　(オブジェクトが薄く表示されます。)

③オブジェクトを選択 :
　円 S2 を選択します。(図 2)
　(オブジェクトが薄く表示されます。)

④オブジェクトを選択 :

⑤ 2 つの図形が削除されます。

(元の図形)

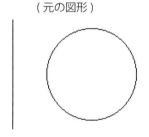

(図 1)　　　　　　　　　(図 2)

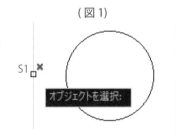

Point! 削除コマンドなどの修正コマンドを使用して図形を選択する場合に、
下の表のオプションが使用できます。
右ボタンを押したときのショートカット メニューに無くても
キーボードから入力できます。

編集コマンドのオプション機能		
U	取り消し	オブジェクトの選択を取り消します。
P	直前選択	直前に選択したオブジェクトを再選択します。
L	最後選択	最後に作成したオブジェクトを選択します。
R	除外	すでに選択したオブジェクトを選択セットから除去します。
A	追加	除外モードを使用したあと、再度オブジェクトを追加選択します。

② ［点］選択

[点] 選択は、マウスで図形を 1 つずつ選択する方法です。
選択した図形は、薄く表示され×印が付きますから
選択されていることが確認できます。

③ ［窓］選択

[窓] 選択は、マウスで複数の図形を囲って選択する方法です。
マウスを左から右へ囲むと窓選択になります。
この窓の中に完全に含まれた図形だけが選択されます。
下図では、2 つの図形とも完全に含まれていないので、どちらも選択されません。

④ ［交差］選択

[交差] 選択は、マウスで複数の図形を囲って選択する方法です。
マウスを右から左へ囲むと交差選択になります。
この窓の中に一部分でも含まれた図形は全て選択されます。
下図では、2 つの図形とも一部が含まれているので、両方とも選択されます。（いきなり削除されます。）

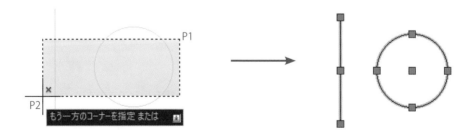

 [グリップ] 機能を使っても削除できます。

修正機能

2 移動 [Move]

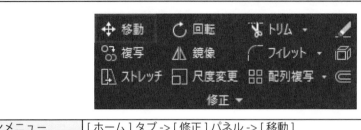

リボンメニュー	[ホーム] タブ -> [修正] パネル -> [移動]
プルダウンメニュー	[修正] -> [移動]
コマンド	Move

1 オブジェクトを移動する

① [修正] パネル -> [移動] を選択します。

②オブジェクトを選択：
　S1 を選択します。

③オブジェクトを選択：
　右クリック　または ↵

④基点を指定 または [移動距離 (D)] <移動距離 >：
　P1 を指示します。

⑤目的点を指定 または <基点を移動距離として使用 >：
　P2 を指示します。

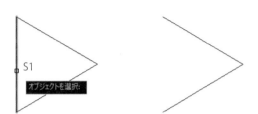

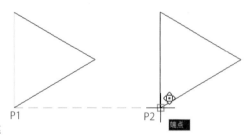

線分 S1 が点 P1 を基点として点 P2 に移動します。
元の線分は残りません。

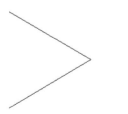
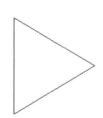

☞ ⑤において、直接距離を入力することでも P2 点を指定できます。

💡 [グリップ] 機能を使っても移動できます。

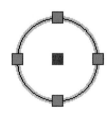

3 複写 [Copy]

リボンメニュー	[ホーム] タブ -> [修正] パネル -> [複写]
プルダウンメニュー	[修正] -> [複写]
コマンド	Copy

1 オブジェクトを複写する

① [修正] パネル -> [複写] を選択します。

②オブジェクトを選択：
　S1 を選択します。

③オブジェクトを選択：
　右クリック　または ↵

④基点を指定 または [移動距離 (D)/ モード (O)]
　< 移動距離 >:
　P1 を指示します。

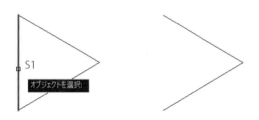

⑤ 2 点目を指定 または [配列 (A)]
　<1 点目を基点に使用 >:
　P2 を指示します。

⑥ 2 点目を指定 または [配列 (A)/ 終了 (E)/ 元に戻す (U)]
　< 終了 > ↵

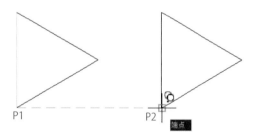

線分 S1 が点 P1 を基点として P2 に複写されます。

元の線分も残ります。

 ⑤において、直接距離を入力することでも P2 点を指定できます。

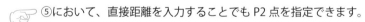 [グリップ] 機能を使っても複写できます。

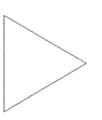 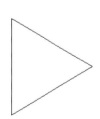

修正機能

4 ストレッチ [Stretch]

リボンメニュー	[ホーム] タブ -> [修正] パネル -> [ストレッチ]
プルダウンメニュー	[修正] -> [ストレッチ]
コマンド	Stretch

1 オブジェクトをストレッチする

[修正] パネル -> [ストレッチ] を選択します。

①オブジェクトを選択 :

　交差窓選択で扉を囲むように選択します。

　(S1-S2)

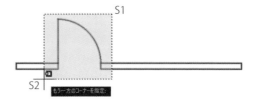

②オブジェクトを選択 :

　右クリック　または [↵]

③基点を指定 または [移動距離 (D)] < 移動距離 >:

　点 P1 を指示します。

④目的点を指定 または < 基点を移動距離として使用 >:

　点 P2 を指示します。

左右の壁の長さが変更されて、扉もそれにともなって
移動します。

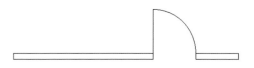

☞ ④において、直接距離を入力することでも 2 点目 (P2) を指定できます。

 [グリップ] 機能を使ってもストレッチできます。

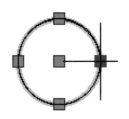

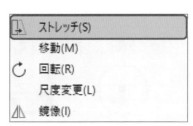

5 長さ変更 [Lengthen]

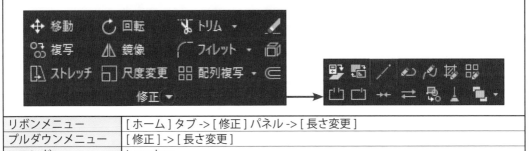

リボンメニュー	[ホーム] タブ -> [修正] パネル -> [長さ変更]
プルダウンメニュー	[修正] -> [長さ変更]
コマンド	Lengthen

① オブジェクトの長さを変更する

[修正] パネル -> [長さ変更] を選択します。

①<u>計測するオブジェクトを選択 または [増減 (DE)/ 比率 (P)/ 全体 (T)/</u>
　<u>ダイナミック (DY)] < 全体 (T)>:</u> DY ⏎

②<u>変更するオブジェクトを選択 または [元に戻す (U)]:</u>
　線分 S1 を選択します。

③<u>新しい終点を指定 :</u>
　適当な点 P2 を指示します。

線分 S1 の長さが伸縮されます。
(マウスが指示した点に近い線分の端点 (P1) が移動します。)

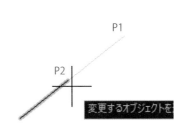

Point!

増減 (DE)	長さの増減分をミリ単位で指定できます。
比率 (P)	元の長さを 1 として長さの増分の割合を % で指定できます。
全体 (T)	編集後の全体の長さを指定できます。
ダイナミック (DY)	マウスで自由に伸縮できます。

Enter(E)
キャンセル(C)

増減(DE)
比率(P)
全体(T)
ダイナミック(DY)

🖐 画面移動(P)
±_Q ズーム(Z)
◎ SteeringWheels

🔲 クイック計算

修正機能

6 フィレット [Fillet]

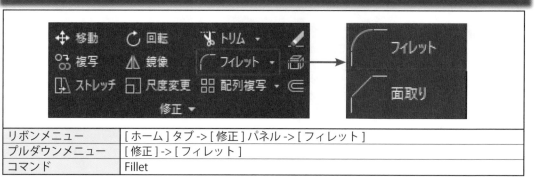

リボンメニュー	[ホーム] タブ -> [修正] パネル -> [フィレット]
プルダウンメニュー	[修正] -> [フィレット]
コマンド	Fillet

1 2 つのオブジェクトをフィレットする

① [修正] パネル -> [フィレット] を選択します。

②現在の設定 : モード＝トリム , フィレット半径＝ 0.0000
　最初のオブジェクトを選択 または [元に戻す (U)/
　ポリライン (P)/ 半径 (R)/ トリム (T)/ 複数 (M)]:
　キーボードから R ⏎

③フィレット半径を指定 <0.0000>: 10 ⏎

④最初のオブジェクトを選択 または [元に戻す (U)/
　ポリライン (P)/ 半径 (R)/ トリム (T)/ 複数 (M)]:
　線分 S1 を選択します。

⑤ 2 つ目のオブジェクトを選択、または [Shift] を押し
　ながらコーナーを適用、または [半径 (R)]:
　線分 S2 を選択します。

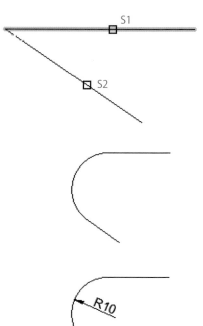

☞ ②のときに、キーボードから <T> と入力するか、
　ショートカットから < トリム > を選び、
　< 非トリム > を選ぶと下図のようにトリムせずに残ります。

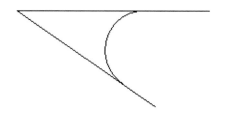

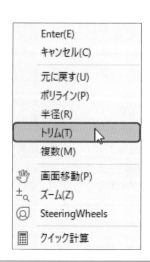

7 面取り [Chamfer]

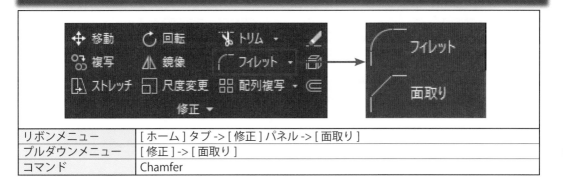

リボンメニュー	[ホーム] タブ -> [修正] パネル -> [面取り]
プルダウンメニュー	[修正] -> [面取り]
コマンド	Chamfer

1 2 つのオブジェクトを面取りする

① [修正] パネル -> [面取り] を選択します。

② <u>現在の面取りの距離 1 = 0.0000, 距離 2 = 0.0000</u>
<u>1 本目の線を選択 または [元に戻す (U)/ ポリライン (P)/</u>
<u>距離 (D)/ 角度 (A)/ トリム (T)/ 方式 (E)/ 複数 (M)]:</u> D ⏎

③ <u>1 本目の面取り距離を指定 <0.0000>:</u> 10 ⏎

④ <u>2 本目の面取り距離を指定 <10.0000>:</u> ⏎

⑤ <u>1 本目の線を選択 または [元に戻す (U)/ ポリライン (P)/</u>
<u>距離 (D)/ 角度 (A)/ トリム (T)/ 方式 (E)/ 複数 (M)]:</u>
線分 S1 を選択します。

⑥ <u>2 本目の線を選択、または [Shift] を押しながらコーナー</u>
<u>を適用、または [距離 (D)/ 角度 (A)/ 方法 (M)]:</u>
線分 S2 を選択します。

☞ ②のときに、キーボードから <T> と入力するか、
ショートカットから < トリム > を選び、
< 非トリム > を選ぶと下図のようにトリムせずに残ります。

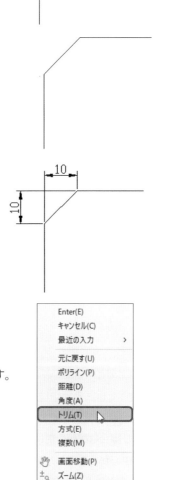

修正機能

8 回転 [Rotate]

リボンメニュー	[ホーム] タブ -> [修正] パネル -> [回転]
プルダウンメニュー	[修正] -> [回転]
コマンド	Rotate

1 [マウス] で回転する (図 1)

① [修正] パネル -> [回転] を選択します。

②オブジェクトを選択：五角形 S1 を選択します。

③オブジェクトを選択：右クリック　または ⏎

④基点を指定 :
　点 P1 を指示します。(五角形の中心)

⑤回転角度を指定 または [コピー (C)/ 参照 (R)] <0>: R ⏎

⑥参照する角度 <0>: マウスで点 P1 を指示します。
　2 点目を指定 :
　マウスで点 P2 を指示します。

⑦新しい角度を指定 または [点を指定 (P)]<0>:
　マウスで点 P3 を指示します。

2 [数値] で回転する (図 2)

④までは上記と同様です。

⑤回転角度を指定 あるいは [コピー (C)/ 参照 (R)]:
　< -90 > ⏎ と入力します。
　時計回り場合は数値の前に "－" を付けます。
　回転の中心から入力した数値で回転します。
　(12 時の方向にある点 P2 が 3 時の方向へ回転)

(図 1)

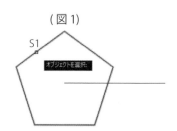

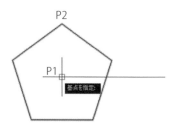

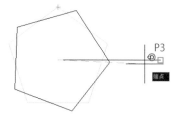

(図 2)

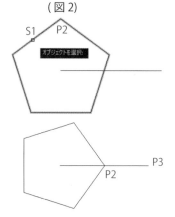

9 鏡像 [Mirror]

リボンメニュー	[ホーム] タブ -> [修正] パネル -> [鏡像]
プルダウンメニュー	[修正] -> [鏡像]
コマンド	Mirror

1 オブジェクトを鏡像する

① [修正] パネル -> [鏡像] を選択します。

②オブジェクトを選択：
　イス S1、S2、S3 を選択します。

③オブジェクトを選択：
　右クリック　または ↵

④対称軸の 1 点目を指定：
　点 P1(中点) を指示します。(図1)

⑤対称軸の 2 点目を指定：
　点 P2(中点) を指示します。(図2)

⑥元のオブジェクトを削除しますか ?[はい (Y)/ いいえ (N)]
　<いいえ >: N ↵

⑦イス (S1,S2,S3) が P1- P2 を対称軸として
　鏡像複写されます。(図3)

 元の図形を削除したいときは、
　⑥で <Y> ↵ と入力します。

(図1)

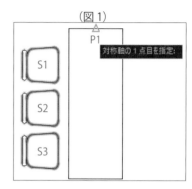

(図2)

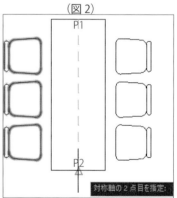

(図3)

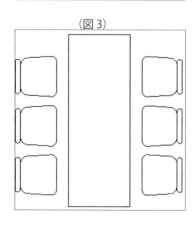

修正機能

10 尺度変更 [Scale]

リボンメニュー	[ホーム] タブ -> [修正] パネル -> [尺度変更]
プルダウンメニュー	[修正] -> [尺度変更]
コマンド	Scale

1 [マウス] で尺度変更する (図 1)

① [修正] パネル -> [尺度変更] を選択します。

② オブジェクトを選択：

五角形 S1 を選択します。

③ オブジェクトを選択：

右クリック　または ↵

④ 基点を指定：

点 P1 を指示します。(円の中心)

⑤ 尺度を指定 または [コピー (C)/ 参照 (R)]：

キーボードから <R> を入力します。

⑥ 参照する長さを指定 <1.0000>：

円の中心 (P1) と五角形の頂点 (P2) を指示します。

⑦ 新しい長さを指定 または [点を指定 (P)] <1.0000>：

点 P3 を指示します。

(円の四半円点 <12 時の位置 >)

五角形 S1 が点 P1 を基点に円に内接するように
縮小されます。

2 [数値] で尺度変更する (図 2)

④ までは上記と同様です。

⑤ 尺度を指定 または [コピー (C)/ 参照 (R)]：

変更したい尺度を数値で入力します。

基点から入力した数値で尺度変更されます。

右の図は、内接する 5 角形を <1.5> 倍に尺度変更しました。

(図 1)

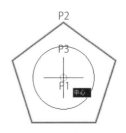

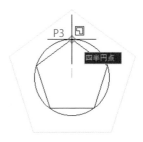

(図 2)

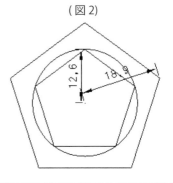

11 オフセット [Offset]

リボンメニュー	[ホーム] タブ -> [修正] パネル -> [オフセット]
プルダウンメニュー	[修正] -> [オフセット]
コマンド	Offset

1 [通過点] を指定する

① [修正] パネル -> [オフセット] を選択します。

②<u>オフセット距離を指定 または [通過点 (T)/ 消去 (E)/
画層 (L)] < 通過点 >:</u>
　　右クリック　または ↵

③<u>オフセットするオブジェクトを選択 または [終了 (E)/
元に戻す (U)] < 終了 >:</u>
　　線分 S1 を選択します。

④<u>通過点を指定 または [終了 (E)/ 一括 (M)/ 元に戻す (U)]
< 終了 >:</u>
　　点 P1 を指示します。

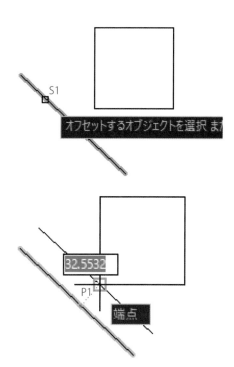

点 P1 を通り、S1 に平行かつ同長の線分が作図されます。

2 [距離] を指定する

　2 つの点を指示して距離を指定する方法と
直接数値を入力する方法があります。

①<u>オフセット距離を指定 または [通過点 (T)/ 消去 (E)/ 画層 (L)]
　< 通過点 >:</u> マウスで 2 点を指示するか、数値を入力します。
　<10> ↵

②<u>オフセットするオブジェクトを選択:</u>
　　オフセットする図形を選択します。(線分 S1)

③<u>オフセットする側の点を指定:</u>
　　オフセットする側を指示します。(点 P1)
　　指定した距離でオフセットされます。

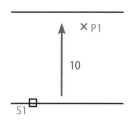

修正機能

12 トリム [Trim]

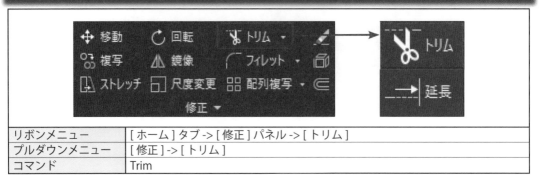

リボンメニュー	[ホーム] タブ -> [修正] パネル -> [トリム]
プルダウンメニュー	[修正] -> [トリム]
コマンド	Trim

1 トリムするオブジェクトを選択する

①[修正] パネル -> [トリム] を選択します。

②トリムするオブジェクトを選択 :

　右図のように、トリムする箇所を P1-P2 と交差します。

　P1-P2 に交差した箇所がトリムされます。

③トリムするオブジェクトを選択 :

　右図の S1 のように、トリムする箇所を指示すると

　その箇所だけがトリムされます。

2 先にトリムする境界線を指示する

①[修正] パネル -> [トリム] を選択します。

②トリムするオブジェクトを選択 :

　キーボードから <T> を入力します。

③切り取りエッジを選択 ... オブジェクトを選択 または

　< すべて選択 >: 線分 S2 を選択します。

④オブジェクトを選択 : 右クリック　または ⏎

⑤トリムするオブジェクトを選択 または [Shift] を押して延長する

　オブジェクトを選択 または [切り取りエッジ (T)/ 交差 (C)/

　モード (O)/ 投影モード (P)/ 削除 (R)]:

　右図のように、線分 S2 の右側を P3-P4 と交差選択します。

⑥トリムするオブジェクトを選択 または [Shift] を押して延長する

　オブジェクトを選択 または [切り取りエッジ (T)/ 交差 (C)/

　モード (O)/ 投影モード (P)/ 削除 (R)/ 元に戻す (U)]:

　右クリック　または ⏎

線分 S2 の右側で、P3-P4 に交差した箇所がトリムされます。

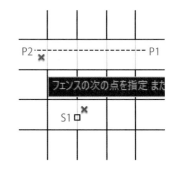

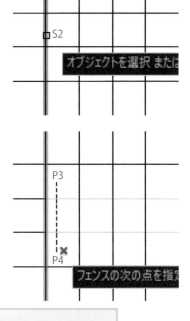

Point!

③の時に [切り取りエッジ] を選択しないで、マウスの右ボタンを押すと
表示されている全てのオブジェクトが [切り取りエッジ] と認識されます。

13 延長 [Extend]

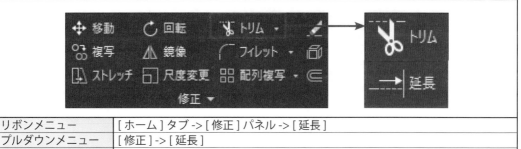

リボンメニュー	[ホーム] タブ -> [修正] パネル -> [延長]
プルダウンメニュー	[修正] -> [延長]
コマンド	Extend

1 延長するオブジェクトを選択する

①[修正] パネル -> [延長] を選択します。

②延長するオブジェクトを選択：

　右図のように、延長する箇所を P1-P2 と交差します。

　P1-P2 に交差した線分が、上の境界線まで延長されます。

③延長するオブジェクトを選択：

　右図の S1 のように、延長する箇所を指示すると

　指示した線分だけが、左の境界線まで延長されます。

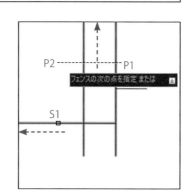

2 先に延長する境界線を指示する

①[修正] パネル -> [延長] を選択します。

②延長するオブジェクトを選択：

　キーボードから <B> を入力します。

③境界エッジを選択 ... オブジェクトを選択 または

　＜すべて選択＞: 線分 S2 を選択します。

④オブジェクトを選択 : 右クリック　または

⑤延長するオブジェクトを選択 または [Shift] を押してトリムする

　オブジェクトを選択 または [境界エッジ (B)/ 交差 (C)/ モード (O)/

　投影モード (P)]:

　線分 S3 を指示します。

⑥延長するオブジェクトを選択 または [Shift] を押してトリムする

　オブジェクトを選択 または [境界エッジ (B)/ 交差 (C)/ モード (O)/

　投影モード (P)/ 元に戻す (U)]:

　右クリック　または

線分 S3 が左端の線分まで延長されます。

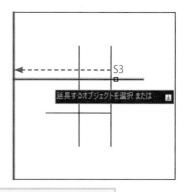

Point!

③の時に [境界エッジ] を選択しないで、マウスの右ボタンを押すと
表示されている全てのオブジェクトが [境界エッジ] と認識されます。

修正機能

14 部分削除 [Break][BreakAtPoint]

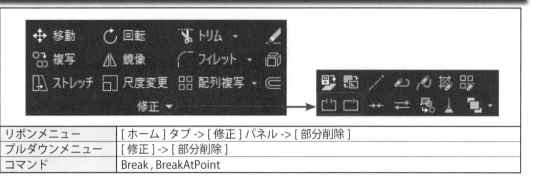

リボンメニュー	[ホーム] タブ -> [修正] パネル -> [部分削除]
プルダウンメニュー	[修正] -> [部分削除]
コマンド	Break , BreakAtPoint

1 オブジェクトを部分削除する (Break)

① [修正] パネル -> [部分削除] を選択します。

② オブジェクトを選択：

　円 S1 を選択します。

③ 部分削除する 2 点目を指定 または [1 点目 (F)]：

　マウスの右ボタンを押して、[1 点目 (F)] を選びます。

④ 部分削除する 1 点目を指定：

　点 P1 を指示します。

⑤ 部分削除する 2 点目を指定：

　点 P2 を指示します。

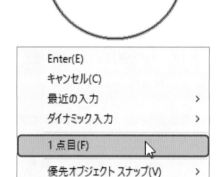

 円が P1 - P2 間で切断されます。

　　1 点目から 2 点目に反時計回りに切断されます。

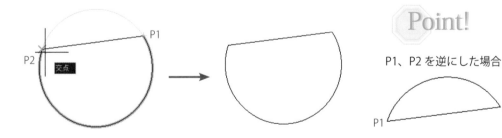

Point!

P1、P2 を逆にした場合

2 オブジェクトを点で部分削除する (BreakAtPoint)

① [修正] パネル -> [点で部分削除] を選択します。

② オブジェクトを選択：

　線分 S2 を選択します。

③ ブレーク ポイントを指定：

　線分の中点 (P3) を指示します。

選択した線分が中点 P3 で分割されました。

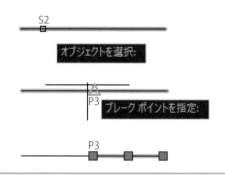

15 結合 [Join]

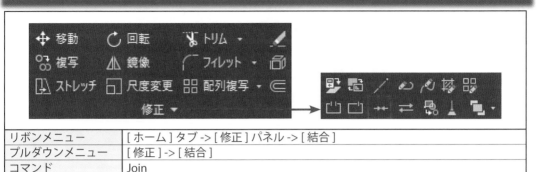

リボンメニュー	[ホーム] タブ -> [修正] パネル -> [結合]
プルダウンメニュー	[修正] -> [結合]
コマンド	Join

① 2 つの円弧を結合する

① [修正] パネル -> [結合] を選択します。

② <u>ソース オブジェクトを選択</u> または一度に結合する複数の
<u>オブジェクトを選択</u>：
　円弧 S1 を選択します。

③ <u>ソースに結合する円弧を選択</u> または [閉じる (L)]：
　円弧 S2 を選択します。

④ ソースの円弧から始まって反時計回り方向に結合されます。

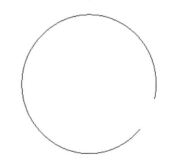

Point!

　　　 [閉じる (L)] オプションを選択すると、
　　　 2 つの円弧は円に変換されます。

② 2 本の線分を結合する

線分を結合する場合は、

① <u>ソース オブジェクトを選択</u>：
　線分 S3 を選択します。

② <u>ソースに結合する線分を選択</u>：
　線分 S4 を選択します。

③ <u>ソースに結合する線分を選択</u>：
　右クリック　または ↵

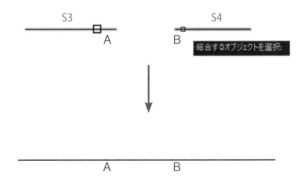

線分 S3 の端点 A と線分 S4 の端点 B が結合されます。

16 分解 [Explode]

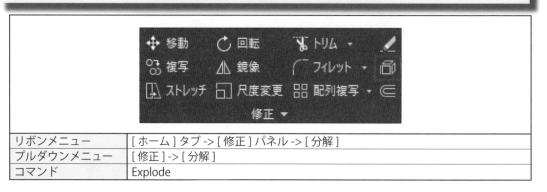

リボンメニュー	[ホーム] タブ -> [修正] パネル -> [分解]
プルダウンメニュー	[修正] -> [分解]
コマンド	Explode

1 複合オブジェクトを分解する

下図は [長方形] コマンドで作成した閉じたポリライン (複合オブジェクト) です。

マウスで一部を選択すると四角形全体が選択されます。プロパティで確認すると [ポリライン] です。

ポリラインやブロック図形を個別のオブジェクト (線分や円弧) にするには、[分解] コマンドを使います。

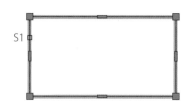

① [修正] パネル -> [分解] を選択します。

②オブジェクトを選択：

　長方形 S1 を選択します。

③オブジェクトを選択：

　右クリック　または ↵

④長方形が 4 本の線分に分解されました。(下図)

memo

[分解] コマンドは [複合オブジェクト] を [構成要素オブジェクト] に分解します。
[複合オブジェクト] には、< ポリライン >< リージョン >< ブロック > があります。

17 変更 [Change]

リボンメニュー	ありません
プルダウンメニュー	ありません
コマンド	Change

修正機能

1 オブジェクトの属性を変更する

①キーボードから <Change> と入力します。

②<u>オブジェクトを選択：</u>
　円 S1 を選択します。

③<u>オブジェクトを選択：</u> 右クリック　または ⏎

④<u>変更位置を指定 または [プロパティ (P)]:</u>
　ショートカットから [プロパティ (P)] を選択します。
　または P ⏎

⑤<u>変更するプロパティを入力</u>
　変更するプロパティを入力 [色 (C)/ 高度 (E)/ 画層 (LA)/ 線種 (LT)/
　線種尺度 (S)/ 線の太さ (LW)/ 厚さ (T)/ 透過性 (TR)/ マテリアル (M)/
　印刷スタイル (PL)/ 異尺度対応 (A)]:
　C ⏎

⑥<u>新しい色 [TrueColor(T)/ カラー ブック (CO)] <BYLAYER>：</u> red ⏎

⑦<u>変更するプロパティを入力</u>
　変更するプロパティを入力 [色 (C)/ 高度 (E)/ 画層 (LA)/ 線種 (LT)/
　線種尺度 (S)/ 線の太さ (LW)/ 厚さ (T)/ 透過性 (TR)/ マテリアル (M)/
　印刷スタイル (PL)/ 異尺度対応 (A)]:
　右クリック　または ⏎

円の色が黒色から赤色に変更されます。

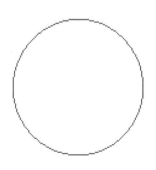

💡 [ダイナミック入力] モードが ON のとき、
　　ショートカットが表示されます。

修正機能

18 オブジェクトプロパティ管理 [Properties]

リボンメニュー	[ホーム] タブ -> [プロパティ] パネル -> [オブジェクトプロパティ管理]
プルダウンメニュー	[ツール] -> [パレット] -> [オブジェクトプロパティ管理]
コマンド	Properties

1 オブジェクトの属性を変更する

① [プロパティ] パネル -> [オブジェクトプロパティ管理] を
　選びます。

② 右の [プロパティ] パネルが表示されます。

　選択した図形特質 (画層、色、線種等) が変更できます。

③ 円 S1 を選択します。

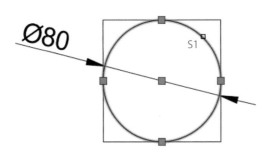

④ この円の色を < 赤 > に、半径を半分に変更します。

⑤ 変更を終了すると、パネルの左上の×印を押してパネルを
　閉じます。

⑥ 円の色と半径 (直径) が変更されました。

　同時に、円の寸法も自動的に変更されています。

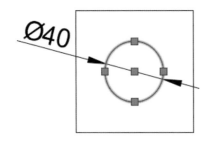

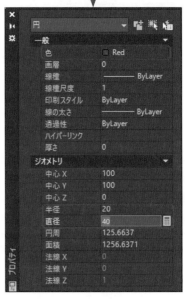

☞ オブジェクトをクリックすると [グリップ] を表示します。
　ダブルクリックすると [クイック プロパティ] になります。

19 プロパティコピー [MatchProp]

リボンメニュー	[ホーム] タブ -> [プロパティ] パネル -> [プロパティコピー]
プルダウンメニュー	[修正] -> [プロパティコピー]
コマンド	MatchProp

1 オブジェクトの属性を他のオブジェクトに
コピーする

① [プロパティ] パネル -> [プロパティコピー] を
選択します。

②コピー元オブジェクトを選択：
左側の赤色の円 (S1) を選択します。

③現在アクティブな設定：色 画層 線種 線種尺度 線の
太さ 透過性 厚さ 印刷スタイル 寸法 文字 ハッチン
グ ポリライン ビューポート 表 マテリアル マルチ
引出線 中心オブジェクト
コピー先オブジェクトを選択 または [設定 (S)]:
ショートカットから <S> を選択します。

④右図のように [プロパティの設定] パネルが
表示されます。

⑤選択した S1 の図形情報が表示されますので、
[OK] ボタンを押して右側の円 (S2) を指示すると、
S1 の円と同じ図形情報に変更されます。

⑥ [プロパティの設定] パネルで、色の変更を選択しない場合は下図のように色だけは変更されません。

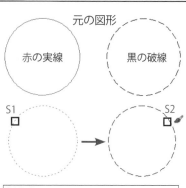

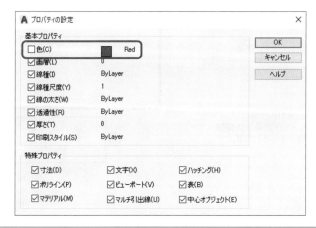

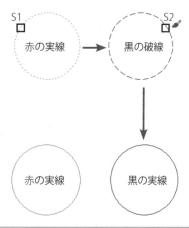

20 配列複写 (矩形)[ArrayRect]

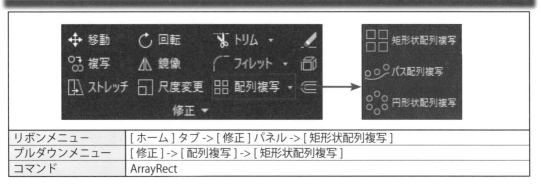

リボンメニュー	[ホーム] タブ -> [修正] パネル -> [矩形状配列複写]
プルダウンメニュー	[修正] -> [配列複写] -> [矩形状配列複写]
コマンド	ArrayRect

		[配列複写作成 (矩形状)] リボンタブ	
①	タイプ	配列複写のタイプを選択します。[矩形状][円形状][パス]
②	列	列数と間隔、合計距離を指定します。
③	行	行数と間隔、合計距離を指定します。
④	レベル	3D 配列複写の、レベルの数と間隔を指定します。
⑤	プロパティ	[自動調整]: 配列複写されるオブジェクトが自動調整オブジェクトまたは独立したオブジェクトかどうかを指定します。
⑥	閉じる	[配列複写作成] リボンタブを閉じます。

キーボードから [ARRAYCLASSIC] と入力すると、古いタイプの [配列複写] ダイアログが表示されます。
このコマンドで作成された配列複写のオブジェクトは、それぞれが独立したオブジェクトになります。

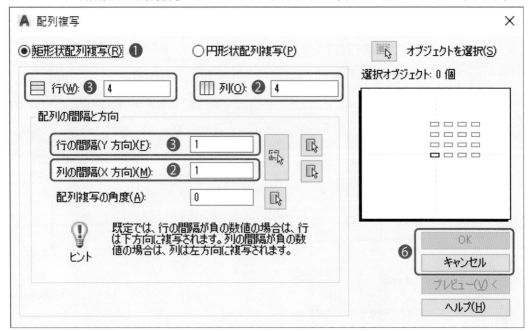

① 矩形状配列複写【配列複写 .dwg】

[修正] パネル -> [矩形状配列複写] を選択します。

①<u>オブジェクトを選択</u>: イス (S1) を選択します。

②<u>編集する配列のグリップを選択</u> または [自動調整 (AS)/ 基点 (B)/ 項目数
(COU)/ 間隔 (S)/ 列数 (COL)/ 行数 (R)/ レベル数 (L)/ 終了 (X)] < 終了 >:
リボンタブの [列] を <3>、[間隔] を <600>、[行] を <3>、[間隔] を
<600> として、⏎。

③下図のように 1 度に配置されます。

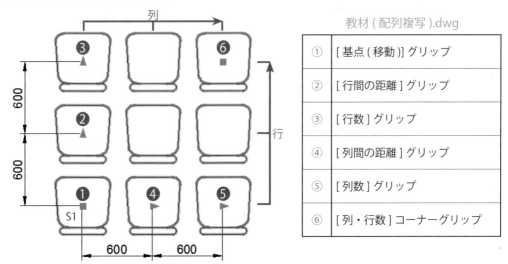

教材 (配列複写).dwg

①	[基点 (移動)] グリップ
②	[行間の距離] グリップ
③	[行数] グリップ
④	[列間の距離] グリップ
⑤	[列数] グリップ
⑥	[列・行数] コーナーグリップ

④確定するまでは、リボンタブの数値を変更したり、マウスでグリップを操作して変更できます。

(図 1) は⑥の [コーナーグリップ] を右上に動かして、[列] と [行] を同時に変更しています。

(図 2) は④の [列間の距離] グリップを右に動かして、横の間隔 (列) を変化させています。

(図 1)　　　　　　　　　　　　　　　　(図 2)

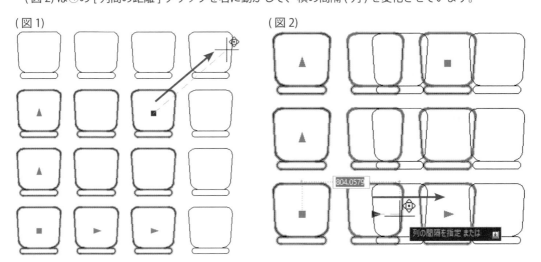

修正機能

21 配列複写 (円形)[ArrayPolar]

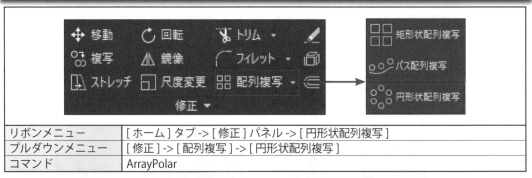

リボンメニュー	[ホーム] タブ -> [修正] パネル -> [円形状配列複写]
プルダウンメニュー	[修正] -> [配列複写] -> [円形状配列複写]
コマンド	ArrayPolar

[配列複写作成 (円形状)] リボンタブ	
①	タイプ	配列複写のタイプを選択します。[矩形状][円形状][パス]
②	項目	複写の数や間隔 (角度)、全体の複写角度を指定します。
③	行	行数と間隔、合計距離を指定します。
④	レベル	3D 配列複写の、レベルの数と間隔を指定します。
⑤	オブジェクトプロパティ管理	[自動調整]:配列複写されるオブジェクトが自動調整オブジェクトまたは独立したオブジェクトかどうかを指定します。
⑥	閉じる	[配列複写作成] リボンタブを閉じます。

キーボードから [ARRAYCLASSIC] と入力すると、古いタイプの [配列複写] ダイアログが表示されます。
このコマンドで作成された配列複写のオブジェクトは、それぞれが独立したオブジェクトになります。

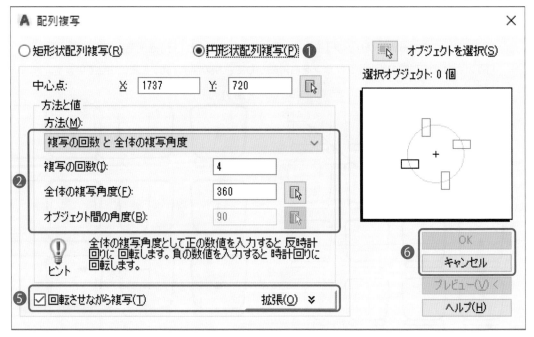

❶ 円形状配列複写【配列複写 .dwg】

[修正] パネル -> [円形状配列複写] を選択します。

①<u>オブジェクトを選択</u>: イス (S1) を選択します。(図 1)

②<u>配列複写の中心を指定 または [基点 (B)/ 回転軸 (A)]</u>: 回転の中心 (テーブルの中心 P1) を指示します。

　リボンタブの [項目] を <6>、[間隔] を <60> として、⏎。(図 2)

　([埋める] は自動的に <360> になります。)　※ [埋める] は回転複写する全体の角度です。

③ (図 3) のように、テーブルの中心点を中心として選択したイスが 6 個回転複写されました。

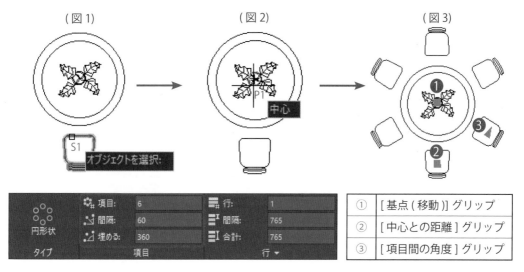

(図 1)　　　　(図 2)　　　　(図 3)

	項目:	6		行:	1		①	[基点 (移動)] グリップ
円形状	間隔:	60		間隔:	765		②	[中心との距離] グリップ
	埋める:	360		合計:	765		③	[項目間の角度] グリップ
タイプ	項目			行 ▼				

④ [オブジェクト プロパティ管理] の [項目を回転] を <ON> にすると、オブジェクトは回転しながら
　複写されます。(図 4)

　[項目を回転] を <OFF> にすると、オブジェクトは回転せずに複写されます。(図 5)

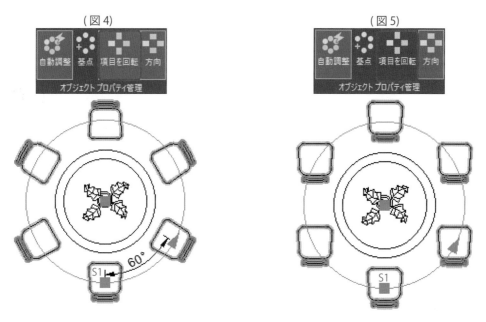

(図 4)　　　　　　　　　　　　　　　(図 5)

☞ [配列複写作成] リボンタブで作成したオブジェクトは全体が 1 つのまとまったオブジェクトです。
　 [分解] コマンドを使うと、それぞれが元の個別のオブジェクトになります。

修正機能

22 配列複写 (パス)[ArrayPath]

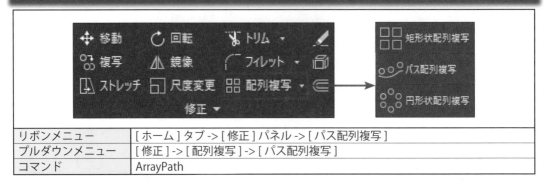

リボンメニュー	[ホーム] タブ -> [修正] パネル -> [パス配列複写]
プルダウンメニュー	[修正] -> [配列複写] -> [パス配列複写]
コマンド	ArrayPath

[配列複写作成 (パス)] リボンタブ		
①	タイプ	配列複写のタイプを選択します。[矩形状][円形状][パス]
②	項目	複写の数や間隔、全体の距離を指定します。
③	行	行数と間隔、合計距離を指定します。
④	レベル	3D 配列複写の、レベルの数と間隔を指定します。
⑤	オブジェクトプロパティ管理	[自動調整]:配列複写されるオブジェクトが自動調整オブジェクトまたは独立したオブジェクトかどうかを指定します。
⑥	閉じる	[配列複写作成] リボンタブを閉じます。

1 パス配列複写の下準備

[パス配列複写] は選択したオブジェクトを指定したパスに従って、ディバイダや
メジャーで配列複写させます。
前準備として、パス配列複写するオブジェクトとパス曲線を用意します。

①右のオブジェクトは属性付きのブロック図形です。
②パス曲線は下図 (図 1) のようにポリラインを作成して、ポリライン編集で
　[スプライン] に変換したものです。(図 2)

(図 1)　　　　　　　　　　　　　　　(図 2)

③属性付きブロックをスプラインの先頭に直角になるように配置します。

② パス配列複写【配列複写 .dwg】

[修正] パネル -> [パス配列複写] を選択します。

①オブジェクトを選択: ブロック図形 (S1) を選択します。(図 3)

②パス曲線を選択: スプライン曲線 (S2) を選択します。(図 4)

　リボンタブの [間隔] を <1000> として、⏎ 。(図 5)

　([合計] は自動的に <6000> になります。) 　※ [合計] は間隔の合計です。

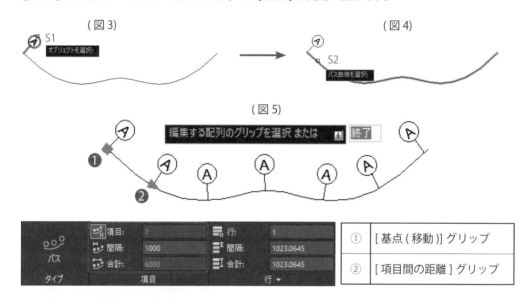

(図 3)　　　　　　　　　　　　　　　　　　　　　　　　(図 4)

(図 5)

| | | ① | [基点 (移動)] グリップ |
| | | ② | [項目間の距離] グリップ |

パス曲線に項目 (複写オブジェクト) を [ディバイダ] 形式か [メジャー] 形式で配置できます。

③ [ディバイダ] 形式で配置するには、[オブジェクト プロパティ管理] から [ディバイダ] を選びます。

　下図 (図 6) は、[ディバイダ] の [項目] を <5> に指定しました。[間隔] は自動計算されます。

(図 6) ディバイダ

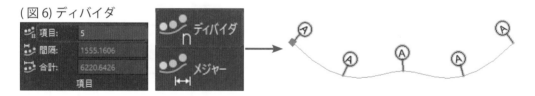

④ [メジャー] 形式で配置するには、[オブジェクト プロパティ管理] から [メジャー] を選びます。

　下図 (図 7) は、[メジャー] の [間隔] を <1000> に指定しました。[項目] は自動計算されます。

(図 7) メジャー

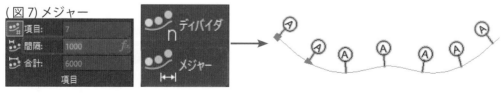

 [属性付きブロック] の属性値を
変更した例です。

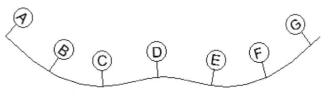

修正機能

23 配列複写編集 [ArrayEdit]

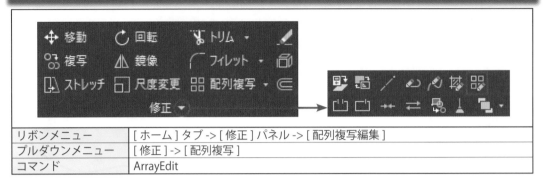

リボンメニュー	[ホーム]タブ -> [修正]パネル -> [配列複写編集]
プルダウンメニュー	[修正] -> [配列複写]
コマンド	ArrayEdit

1 [全体のプロパティ]を変更する【配列複写.dwg】

配列複写オブジェクトは、全体の個数や間隔をプロパティとして保持しています。
このプロパティは[配列複写]リボンタブやグリップを使って編集できます。

[リボンタブで編集する]

①編集する配列複写オブジェクト(図1)を選択します。

②[配列複写]リボンタブの[列]を<4>、[間隔]を<700>、[行]の[間隔]を<700>に変更します。

③(図2)のように、配列複写オブジェクトが変更されました。

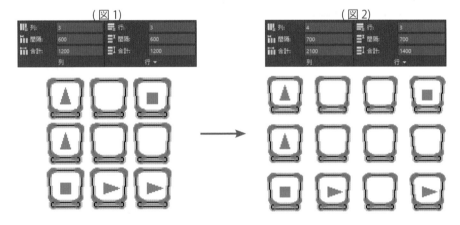

(図1)　　　　　　　　　　　　　　　　　(図2)

[グリップで編集する]

①グリップを上方向、右方向へ動かしてリアルタイムに変更できます。(図3)

②右ボタンのショートカットからも変更できます。(図4)

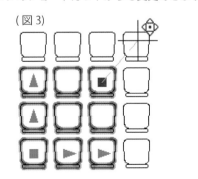

(図3)

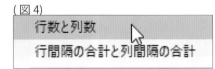

(図4)

行数と列数
行間隔の合計と列間隔の合計

② [個別のオブジェクト] を変更する

配列複写オブジェクトを個別に編集することができます。

① Ctrl キーを押しながら編集したいオブジェクトを選択します。(図 1)
②右ボタンを押して、ショートカットを表示します。(図 2)

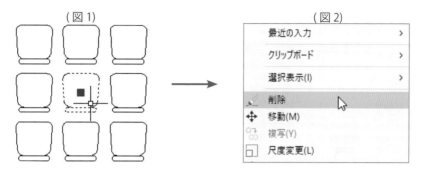

(図 1)　　　　　　　　　　　　　　　(図 2)

③ (図 3) はショートカットから [削除] を選択した図です。
　 (図 4) は [回転] を選択した図です。

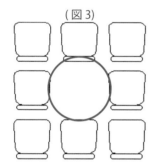
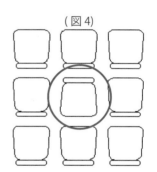

(図 3)　　　　　　　　　　　　　　　(図 4)

④変更した後でも、元の状態に戻すことができます。
　 [オプション] から [配列複写をリセット] を選びます。
⑤削除された図形が元の状態に戻ります。

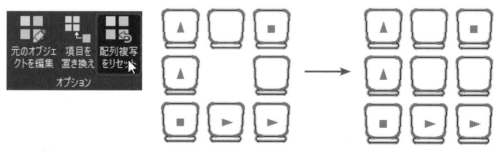

☞ [配列複写] タブで作成したオブジェクトは
　全体が１つのまとまったオブジェクトです。
　[分解] コマンドを使うと、それぞれが元の
　個別のオブジェクトになります。

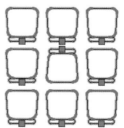

③ [ソースオブジェクト] を編集する

配列複写オブジェクトは、全体の個数や間隔をプロパティとして保持しています。基本にしたオブジェクトを編集すると、すべてのオブジェクトが変更されます。

①配列複写オブジェクト (図 1) を選択します。
② [配列複写] リボンタブの [オプション] の
　 [元のオブジェクトを編集] を選択します。

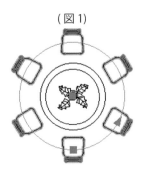

(図 1)

③配列複写内の項目を選択: 配列複写したオブジェクトの 1 つを選択します。(図 2)
④ [配列複写編集モード] のダイアログが表示されますので、[OK] ボタンを押します。

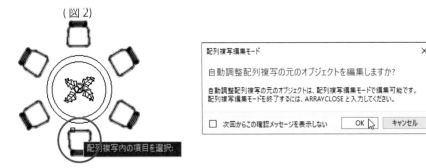

(図 2)

⑤編集状態になります。(選択したオブジェクトだけが通常の色に変わります。)(図 3)
⑥ (図 4) のようにオブジェクトを編集します。

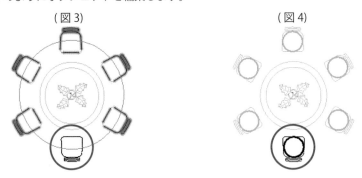

(図 3)　　(図 4)

⑦修正後、右ボタンのショートカットから [配列複写の編集を保持] を選びます。
⑧他のオブジェクトもすべて修正されました。(図 5)

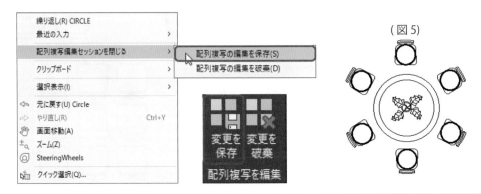

(図 5)

④ [ソースオブジェクト] を置換する

配列複写オブジェクトは、全体の個数や間隔をプロパティとして保持して
います。基本にしたオブジェクトを別のオブジェクトに置き換えると、
選択したオブジェクトだけが置換されます。

①配列複写オブジェクト (図 1) を選択します。
②[配列複写] リボンタブの [オプション] の
　[項目を置き換え] を選択します。

(図 1)

③<u>置き換えるオブジェクトを選択</u>: (図 2) の丸イスを選択します。
④<u>置き換えるオブジェクトの基点を指定</u>: 丸イスの中心を指示します。(図 3)

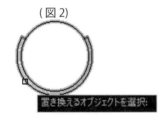
(図 2)

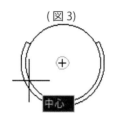
(図 3)

⑤<u>置き換えるオブジェクトを選択</u>: (図 4) の四角いイス (S1) を選択します。(図 4)
⑥置き換えるオブジェクトを続けて選択していきます。(S2 〜 S4) (図 5)

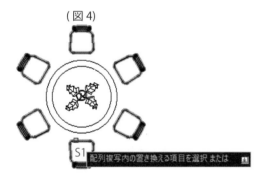
(図 4)

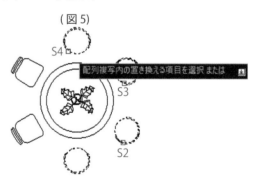
(図 5)

⑦最後に右ボタンのショートカットから [終了] を選びます。(図 6)
⑧マウスの右ボタンか [エンター] キーを押して確定します。(図 7)

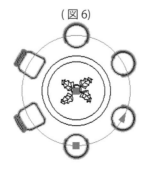
(図 6)

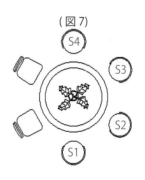
(図 7)

24 ポリライン編集 [Pedit]

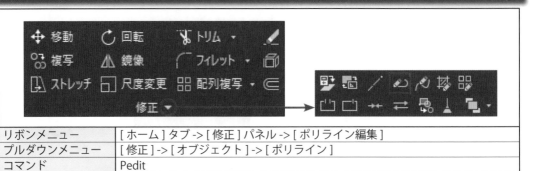

リボンメニュー	[ホーム] タブ -> [修正] パネル -> [ポリライン編集]
プルダウンメニュー	[修正] -> [オブジェクト] -> [ポリライン]
コマンド	Pedit

1 ポリラインをフィットカーブに変換する

① [修正] パネル -> [ポリライン編集] を選択します。

② <u>ポリラインを選択</u> または [一括 (M)]:
　ポリライン S1 を選択します。

③ <u>オプションを入力 [閉じる (C)/ 結合 (J)/ 幅 (W)/ 頂点
　編集 (E)/ フィットカーブ (F)/ スプライン (S)/ カーブ
　解除 (D)/ 線種生成モード (L)/ 反転 (R)/ 元に戻す (U)]:</u>
　F ⏎

2 ポリラインをスプラインに変換する

① [修正] パネル -> [ポリライン編集] を選択します。

② <u>ポリラインを選択</u> または [一括 (M)]:
　ポリライン S1 を選択します。

③ <u>オプションを入力 [閉じる (C)/ 結合 (J)/ 幅 (W)/ 頂点
　編集 (E)/ フィットカーブ (F)/ スプライン (S)/ カーブ
　解除 (D)/ 線種生成モード (L)/ 反転 (R)/ 元に戻す (U)]:</u>
　S ⏎

3 カーブを解除する

③ <u>オプションを入力 [閉じる (C)/ 結合 (J)/ 幅 (W)/ 頂点
　編集 (E)/ フィットカーブ (F)/ スプライン (S)/ カーブ
　解除 (D)/ 線種生成モード (L)/ 反転 (R)/ 元に戻す (U)]:</u>
　D ⏎

元のポリラインに戻ります。

④ 線分と円弧をポリラインに変換する

① [修正] パネル -> [ポリライン編集] を選択します。

②<u>ポリラインを選択 または [一括 (M)]:</u>

　線分 S1 を選択します。

③<u>選択されたオブジェクトはポリラインではありません。</u>

　<u>ポリラインに変換しますか？ ＜はい＞</u>

④<u>オプションを入力 [閉じる (C)/ 結合 (J)/ 幅 (W)/ 頂点編集 (E)/ フィットカーブ (F)/ スプライン (S)/</u>

　<u>カーブ解除 (D)/ 線種生成モード (L)/ 反転 (R)/ 元に戻す (U)]: J</u>

⑤<u>オブジェクトを選択 : 他の線分と円弧 2 つをマウスで囲みます。(P1 - P2)</u>

⑥ <u>3 セグメントがポリラインに追加されました。</u>

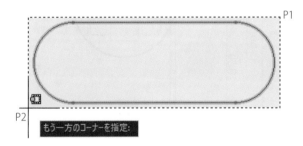

⑦ [プロパティ] で選択すると、ポリラインに変換されています。(面積と長さが確認できます。)

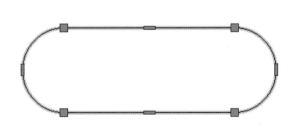

　　　☞ [修正] パネル -> [分解] コマンドで
　　　　元の線分と円弧に戻ります。

修正機能

25 ブロック編集 [BEdit]

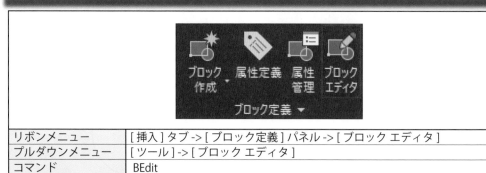

リボンメニュー	[挿入] タブ -> [ブロック定義] パネル -> [ブロック エディタ]
プルダウンメニュー	[ツール] -> [ブロック エディタ]
コマンド	BEdit

1 ブロック図形を編集する【建築図 .dwg】

①下図の赤丸のイス (CHAIR_1) を編集します。

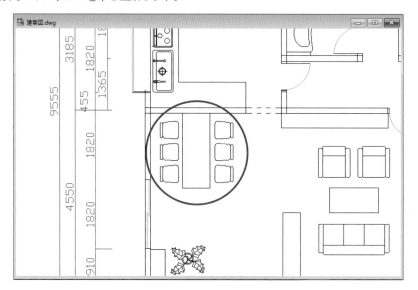

②[ブロック定義] パネル -> [エディタ] を選択します。

③表示される [ブロック定義を編集] ダイアログから、<CHAIR_1> を選択します。

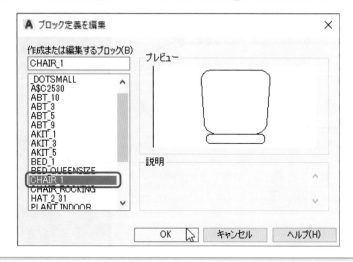

④左のブロック [CHAIR_1] を右図のように変更します。

⑤右ボタンを押して、ショートカットから [ブロック エディタを閉じる] を選択します。

　または、[ブロック エディタ] リボン タブから [エディタを閉じる] を選びます。

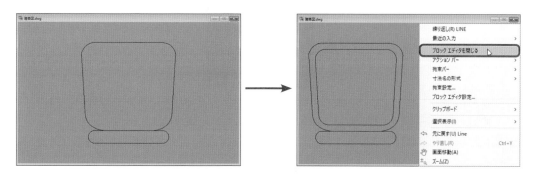

⑥ [どのようにしますか？] のメッセージに [変更を CHAIR_1 に保存] を選択します。

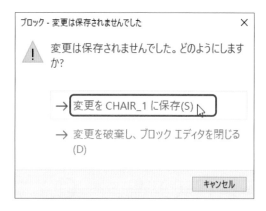

⑦下図のように、同じブロック <CHAIR_1> がすべて新しいブロックに変更されました。

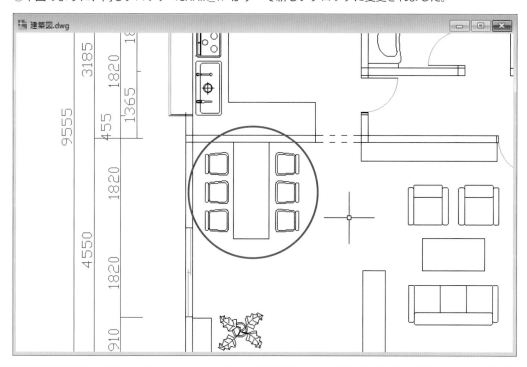

修正機能

26 属性編集 [EAttEdit]

リボンメニュー	[挿入] タブ -> [ブロック] パネル -> [属性編集]
プルダウンメニュー	[修正] -> [オブジェクト] -> [属性] -> [属性編集]
コマンド	EAttEdit

❶ 入力済みの属性値を [拡張属性編集] ダイアログで編集する【Room6-1.dwg】

①下図には属性定義済みの [柱 A] と [柱 B] が配置してあります。

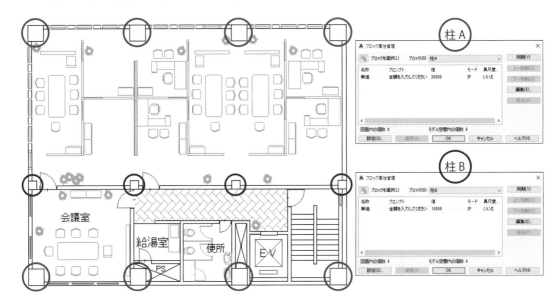

② [挿入] タブ -> [ブロック] パネル -> [属性編集] を選択します。

　ブロックを選択：左下の [柱 A] を選択します。

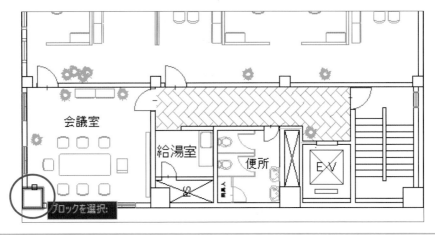

③ [拡張属性編集] ダイアログが表示されます。

[属性] タブの [値] の <20000> を <30000> に変更し、[適用] ボタンを押します。

選択した [柱 A] の単価が [30000] に変更されます。

☞ 選択した [柱 A] の単価だけが変更されます。他の [柱 A] の単価は変更されません。

② 入力済みの属性値を [プロパティ] パレットで編集する

① [ホーム] タブ -> [プロパティ] パネル -> [オブジェクトプロパティ管理] を選択します。

左下の [柱 A] を選択します。

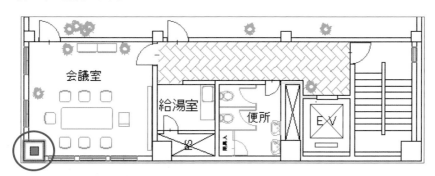

② [プロパティ] の [属性] 項目の [単価] を <30000> に変更
します。

また、他の項目も変更できますが、変更できるのは白い文字
の項目だけです。色の薄い項目は変更できません。

例えば、[その他] の項目の [回転角度] 以外は変更不可です。

☞ 同じブロック属性の属性定義を一度に変更するには、
[ブロック定義] -> [属性同期] を使います。
(ただし、個々の属性の < 値 > は変更されません。)

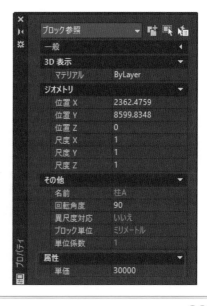

修正機能

27 文字編集 [Ddedit][TextEdit]

リボンメニュー	ありません
プルダウンメニュー	[修正] -> [オブジェクト] -> [文字] -> [編集]
コマンド	Ddedit、TextEdit

1 1 行文字を編集する

①キーボードから [Ddedit] と入力します。

②注釈オブジェクトを選択 または [元に戻す (U)/ モード (M)] :
文字 <1:100> を選択します。

縮尺

1:100

③選択した文字が 1 行文字である場合は、下図のように直接編集できます。

縮尺

1:100

変更したい文字をダブルクリックしても同じ操作になります。

文字の内容以外の項目 (大きさ、画層、色) を変更する場合は、
[オブジェクトプロパティ管理] コマンドを使用します。

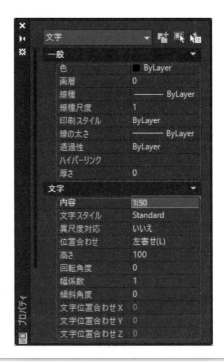

変更できる項目は 4 種類あります。

② フィールド文字を編集する

フィールド文字と通常の文字のショートカットの内容は異なります。

左は [フィールド文字] のショートカット、右は [通常の文字] のショートカットです。

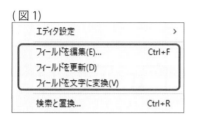

左のフィールド文字を編集し、[AutoCADLT] の文字をすべて小文字に変換します。

① フィールド文字 [AutoCADLT] を選択し、右ボタンを押してショートカットを表示します。(図 1)

②ショートカットの中の [フィールドを編集] を選びます。

　[フィールド] ダイアログが表示されます。

③ [形式] の中の [小文字] を選択して、[OK] ボタンを押します。

④ [AutoCADLT] が [autocadlt] に変換されました。

> [フィールドを文字に変換] を選ぶと、通常の文字に変換されます。

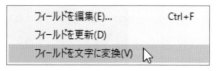

修正機能

28 マルチテキスト編集 [Ddedit][TextEdit]

リボンメニュー	[テキスト エディタ] リボン タブ
プルダウンメニュー	[修正] -> [オブジェクト] -> [文字] -> [編集]
コマンド	Ddedit、TextEdit

① マルチテキストを編集する

①キーボードから [Ddedit] と入力します。

②注釈オブジェクトを選択：

　文字 <1F・2F 平面図 > を選択します。

③選択した文字がマルチテキストの場合は、[テキスト エディタ] コンテキストタブが表示されます。

　変更文字を入力して、[テキストエディタを閉じる] を押します。

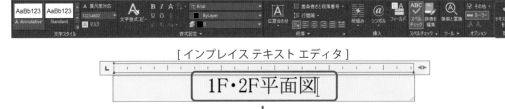

[インプレイス テキスト エディタ]

 変更したい文字をダブルクリックしても
同じ操作になります。

 memo [オブジェクトプロパティ管理] を使用しても、上記と同じように
文字の内容以外の項目 (大きさ、画層、色) を変更することができます。

② マルチテキストの横幅、縦幅 (高さ) を変更する

マルチテキストの幅や高さはグリップを使用して変更できます。

> a:特記事項は○印の付いたものを適用する。この場合＊印があってもそれは適用しない。
> 　ただし、○印がない場合は＊印を適用する。また、○印と＊印の両方が付いた場合は両方とも適用する。
> 　ただし1章2章はすべて適用する。
>
> b:各章の章、節、項の番号は国土交通省大臣官房官庁営繕部監修「公共建築工事標準仕様書 (建築工事編)
> 　平成19年版」(以下共仕という)、
> 　国土交通省大臣官房官庁営繕部監修「公共建築改修工事標準仕様書 (建築工事編)平成19年版
> 　(以下改共仕という)に適用する。
> c:特記仕様書(以下特仕という)のうち、構造関連の3章から7章については、別紙による。
> d:特仕において共仕の項番号を引用する場合は、共仕(　．．　)と表記する。[

マルチテキストを選択すると、下図のように①から③の青いボックスと矢印が表示されます。

(2 列以上のあるときは、列の箇所にも青い矢印が表示されます。)

①	位置グリップ	マルチテキスト全体を移動できます。
②	マルチテキストの幅	マルチテキストの幅 (横幅) を変更できます。
③	マルチテキストの高さ	マルチテキストの高さ (縦幅) を変更できます。

①下図のように赤丸で囲んだ矢印を選択して、右へ動かすとマルチテキストの幅が広がります。

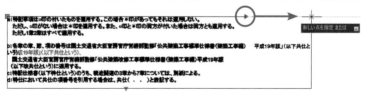

②赤丸の矢印を選択して左へ動かしたとき (図 1)、縦幅に収まり切れないときは、2 列になります。(図 2)

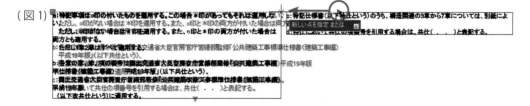

(図 1)

(図 2)

29 ハッチング編集 [HatchEdit]

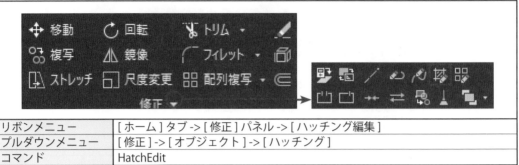

リボンメニュー	[ホーム] タブ -> [修正] パネル -> [ハッチング編集]
プルダウンメニュー	[修正] -> [オブジェクト] -> [ハッチング]
コマンド	HatchEdit

1 ハッチングを編集する

① [修正] パネル -> [ハッチング編集] を選択します。

② ハッチング オブジェクトを選択 :

　ハッチング (S1) を選択します。

③ [ハッチング編集] ダイアログが表示されます。

④ [角度と尺度] の下の [ダブル] にチェックし、

　[OK] ボタンを押します。

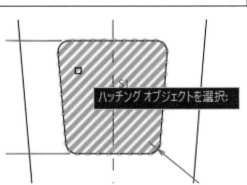

⑤ ハッチングが修正されます。

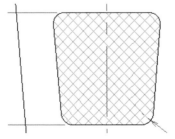

直接ハッチングを選択すると、
[ハッチング エディタ] リボン タブが
表示されます。

❷ ハッチング 領域内の島の認識【Room1.dwg】

ハッチング領域内に他の領域が存在している場合に、すべてハッチングするのか、内側の領域を除外するのかを決めます。

① [作成] パネル -> [ハッチング] を選択します。

② [ハッチング作成] リボン タブが表示されます。

③ [パターン] からハッチング パターンを選びます。(例 : USER)

④ [プロパティ] から [角度]、[尺度]、その他の指定をします。

⑤ (図 1)[オプション] の中から [島検出 : 標準] または [外側のみ] を選びます。

　(図 2)[オプション] の中から [島検出 : 内側含む] を選びます。

⑥マウスでハッチングの領域内でクリックします。

⑦右ボタンで確定すると、ハッチングが作成されます。

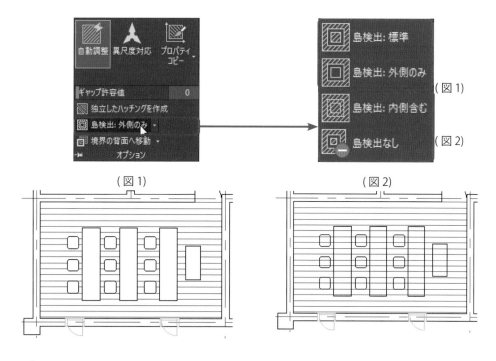

(図 1) 　　　　　　　　　　　　　(図 2)

 ハッチング 領域内に文字がある場合は、[島検出 : 標準] または [外側のみ] を選びます。

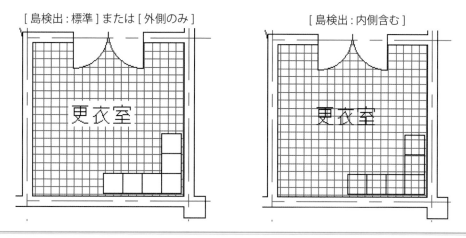

[島検出 : 標準] または [外側のみ] 　　　　　　　[島検出 : 内側含む]

❸ ハッチング の許容誤差を設定する

ハッチングは領域が完全に閉じていないと、基本的にハッチングは失敗します。
しかし、許容誤差の設定を行えば少しばかり離れていても誤差の範囲内であればハッチングできます。

①左図 (図 1) にハッチングをかけると、右図 (図 2) のようにエラーメッセージが表示されました。

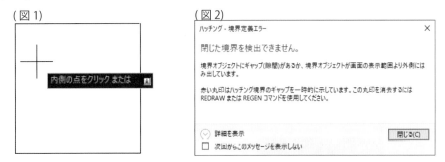

② (図 1) を拡大してみると、(図 3) のように右上が少し開いています。 (図 3)
　このため [境界定義エラー] が表示されました。

③ [ハッチング作成] リボンタブ -> [オプション] から、[ギャップ許容値] を選びます。
　許容値の初期値は <0> ですので、<2> に変更します。

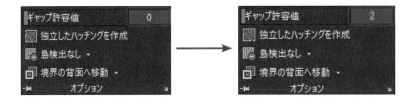

④再度、ハッチングをかけるとメッセージ [開いた境界の警告](図 4) が表示されます。
⑤ [→この領域にハッチングを作成する] を選択すると、右図 (図 5) のようにハッチングが作成されます。

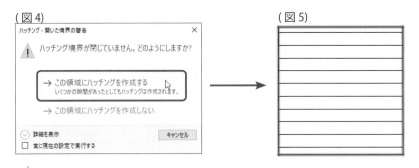

[ギャップ許容値] は <1 ～ 5000> の範囲 (作図単位) で指定できます。

第7章　寸法機能

作図した図形に寸法を与えることは大切なことです。
AutoCAD LT の寸法記入にはどのような種類があるのでしょう。

この章では、
寸法コマンドの紹介をします。
いろいろな図形に寸法を
記入してみましょう。

第1節　　　　　寸法記入

1 寸法の種類

寸法には、[垂直寸法][水平寸法][平行寸法][角度寸法][半径寸法][直径寸法][折り曲げ半径寸法] [弧長寸法][直列寸法][並列寸法][引出線]があります。

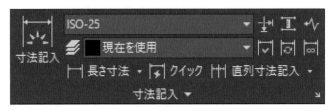

【寸法ー種類.dwg】

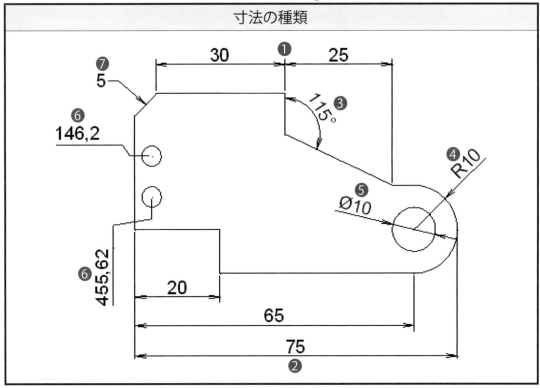

	寸法の種類	
①	直列寸法	直前の寸法または選択した寸法の寸法補助線から始まる寸法
②	並列寸法	最後に記入した寸法または選択した寸法の基準線から始まる寸法
③	角度寸法	選択したジオメトリ オブジェクト間または3点間の角度を計測
④	半径寸法	選択した円または円弧の半径を計測
⑤	直径寸法	選択した円または円弧の直径を計測
⑥	座標寸法	データムと呼ばれる起点からフィーチャまでの水平または垂直距離を計測
⑦	引出線	矢印、水平参照線、直線の引出線とテキストやブロックで構成

2　寸法記入 [Dim]

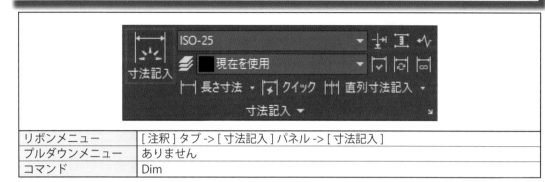

リボンメニュー	[注釈] タブ -> [寸法記入] パネル -> [寸法記入]
プルダウンメニュー	ありません
コマンド	Dim

[寸法記入] コマンドは、複数の寸法コマンドを選択できます。

1 [寸法記入] -> [角度寸法]

[寸法記入] パネル -> [寸法記入] -> [角度寸法] を選択します。

①円弧、円、線分を選択 :
　線分 S1 を選択します。

②角度の 2 番目の側を指定する線分を選択 :
　線分 S2 を選択します。

③角度寸法の位置を指定 :
　適当な位置で左クリックして確定します。

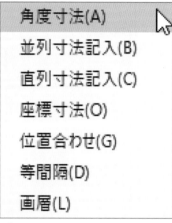

3 点間の角度または 2 つの線分間の
角度を示す角度寸法を記入します。

2 [寸法記入] -> [座標寸法]

[寸法記入] パネル -> [寸法記入] -> [座標寸法] を選択します。

①フィーチャの位置を指定 :
　円の中心 (P1) を指示します。

②引出線の終点を指定 :
　配置する位置 (P2) を指示します。

③寸法値 : 146.2 ⏎

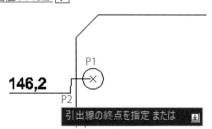

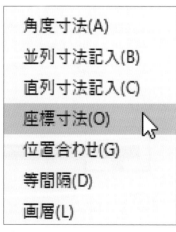

座標寸法を記入します。

❸ [寸法記入] -> [直列寸法記入]

[寸法記入] パネル -> [寸法記入] -> [直列寸法記入] を選択します。

①直列記入する 1 本目の寸法補助線の起点を指定：

　補助線 S1 を選択します。

② 2 本目の寸法補助線の起点を指定：

　端点 (P1) を指示します。

③寸法値：25 ↵

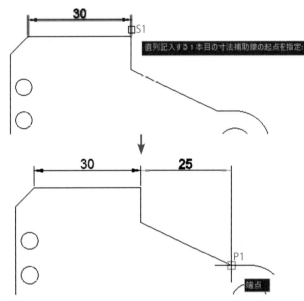

```
角度寸法(A)
並列寸法記入(B)
直列寸法記入(C)
座標寸法(O)
位置合わせ(G)
等間隔(D)
画層(L)
```

選択した寸法の 2 本目の寸法補助線
から、長さ寸法、角度寸法、座標寸
法を記入します。

❹ [寸法記入] -> [並列寸法記入]

[寸法記入] パネル -> [寸法記入] -> [並列寸法記入] を選択します。

①並列寸法の 1 本目の寸法補助線の起点を指定：

　補助線 S1 を選択します。

② 2 本目の寸法補助線の起点を指定：

　端点 (P1) を指示します。

③寸法値：65 ↵

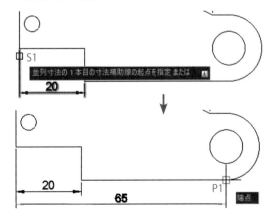

```
角度寸法(A)
並列寸法記入(B)
直列寸法記入(C)
座標寸法(O)
位置合わせ(G)
等間隔(D)
画層(L)
```

直前の寸法または選択した寸法の
1 本目の寸法補助線から、長さ寸法、
角度寸法、座標寸法を記入します。

⑤ [寸法記入] -> [位置合わせ]

[寸法記入] パネル -> [寸法記入] -> [位置合わせ] を選択します。

①基準寸法を選択 :

　寸法線 S1 を選択します。

②位置合わせする寸法を選択 :

　寸法線 S2 を選択します。

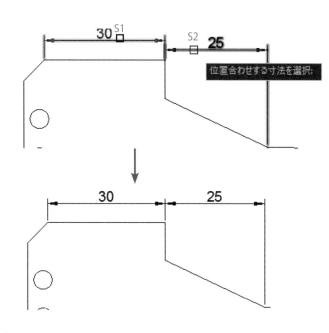

複数の平行な寸法、同心の寸法、
または同じデータムの寸法が選択
した基準寸法に位置合わせします。

⑥ [寸法記入] -> [等間隔]

[寸法記入] パネル -> [寸法記入] -> [等間隔] を選択します。

①寸法の間隔設定方法を指定 [等間隔 (E)/オフセット (O)] <等間隔 >:

　寸法線 S1 を選択します。

②等間隔にする寸法を選択 :

　寸法線 S2 と S3 を選択します。

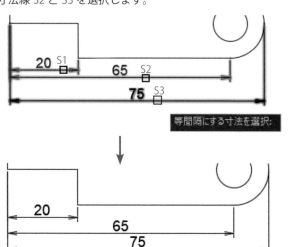

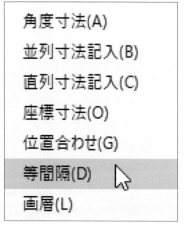

[等間隔] は 3 つ以上の寸法線を
等間隔に再配置します。

3 クイック [Qdim]

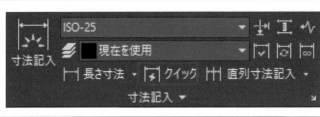

リボンメニュー	[注釈] タブ -> [寸法記入] パネル -> [クイック]
プルダウンメニュー	[寸法] -> [クイック寸法記入]
コマンド	Qdim

1 [直列寸法 (一本ずつ選択する)]

[寸法記入] パネル -> [クイック] を選択します。

①寸法を記入するジオメトリを選択 :

　線分 S1 を選択します。

②寸法を記入するジオメトリを選択 :

　線分 S2 を選択します。

③寸法を記入するジオメトリを選択 : ↵

④寸法線の位置を指定 :

　マウスで寸法を配置する位置 (P1) を指定
　します。

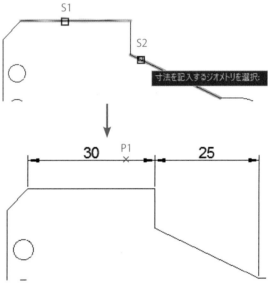

2 [直列寸法 (まとめて選択する)]

[寸法記入] パネル -> [クイック] を選択します。

①寸法を記入するジオメトリを選択 :

　右図のようにマウスで P1 - P2 と図形を
　クロス選択します。

②寸法を記入するジオメトリを選択 : ↵

③寸法線の位置を指定 :

　マウスで寸法を配置する位置 (P3) を指定
　します。

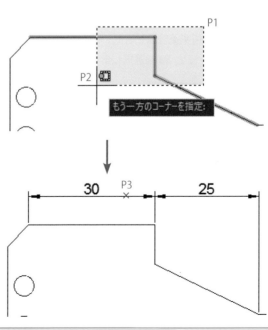

③ [並列寸法 (一本ずつ選択する)]

[寸法記入] パネル -> [クイック] を選択します。

①<u>寸法を記入するジオメトリを選択：</u>
　線分 S1 を選択します。

②<u>寸法を記入するジオメトリを選択：</u>
　線分 S2 を選択します。

③<u>寸法を記入するジオメトリを選択：</u> ⏎

④<u>右ボタンを押して、ショートカットから</u>
　[並列記入 (B)] を選びます。

⑤<u>寸法線の位置を指定：</u>
　マウスで寸法を配置する位置 (P1) を指定
　します。

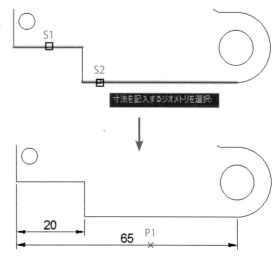

④ [並列寸法 (まとめて選択する)]

[寸法記入] パネル -> [クイック] を選択します。

①<u>寸法を記入するジオメトリを選択：</u>
　右図のようにマウスで P1 - P2 と図形を
　クロス選択します。

②<u>寸法を記入するジオメトリを選択：</u> ⏎

③<u>右ボタンを押して、ショートカットから</u>
　[並列記入 (B)] を選びます。

④<u>寸法線の位置を指定：</u>
　マウスで寸法を配置する位置 (P3) を指定
　します。

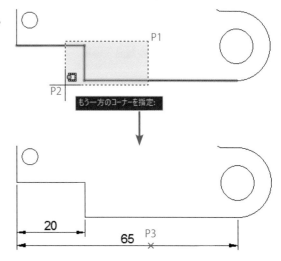

⑤ [半径 / 直径]

[寸法記入] パネル -> [クイック] を選択します。

①<u>寸法を記入するジオメトリを選択：</u>
　右図のようにマウスで P1 - P2 と図形を
　クロス選択します。

②<u>寸法を記入するジオメトリを選択：</u> ⏎

③<u>右ボタンを押して、ショートカットから</u>
　[半径 (R)] または [直径 (D)] を選びます。

④<u>寸法線の位置を指定：</u>
　マウスで寸法を配置する位置を指定します。

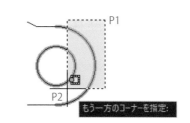

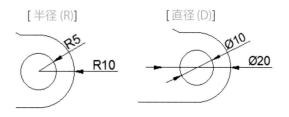

4 長さ寸法 [DimLinear]

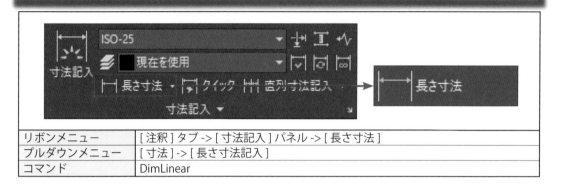

リボンメニュー	[注釈]タブ -> [寸法記入]パネル -> [長さ寸法]
プルダウンメニュー	[寸法] -> [長さ寸法記入]
コマンド	DimLinear

1 2点を指示して長さ寸法を記入

[寸法記入]パネル -> [長さ寸法]を選択します。

① 1本目の寸法補助線の起点を指定 または
　＜オブジェクトを選択＞:
　点 P1 を指示します。

② 2本目の寸法補助線の起点を指定:
　点 P2 を指示します。

③ 寸法線の位置を指定 または [マルチ テキスト (M)/
　寸法値 (T)/ 寸法値角度 (A)/ 水平 (H)/ 垂直 (V)/ 回転 (R)]:
　寸法を記入する位置へマウスを動かし、左クリックで確定します。

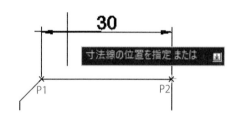

2 図形を選択して長さ寸法を記入

① 1本目の寸法補助線の起点を指定 または＜オブジェクトを選択＞: ⏎

② 寸法記入するオブジェクトを選択:
　線分 S1 を選択します。

③ 寸法線の位置を指定 または [マルチ テキスト (M)/ 寸法値 (T)/ 寸法値角度 (A)/ 水平 (H)/ 垂直 (V)/
　回転 (R)]:
　寸法を記入する位置へマウスを動かし、左クリックで確定します。

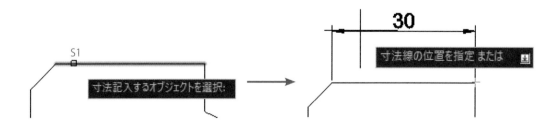

5 平行寸法 [DimAligned]

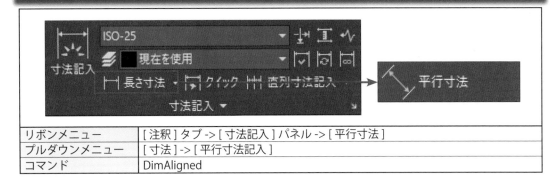

リボンメニュー	[注釈] タブ -> [寸法記入] パネル -> [平行寸法]
プルダウンメニュー	[寸法] -> [平行寸法記入]
コマンド	DimAligned

❶ 2 点を指示して平行寸法を記入

[寸法記入] パネル -> [平行寸法] を選択します。

① <u>1 本目の寸法補助線の起点を指定 または</u>

　<u>＜オブジェクトを選択＞:</u>

　　点 P1 を選択します。

② <u>2 本目の寸法補助線の起点を指定 :</u>

　　点 P2 を選択します。

③ <u>寸法線の位置を指定 または [マルチ テキスト (M)/</u>

　<u>寸法値 (T)/ 寸法値角度 (A)]:</u>

　　寸法値: 30

　　寸法を記入する位置へマウスを動かし、

　　左クリックで確定します。

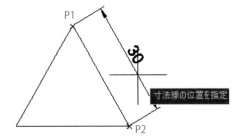

❷ 図形を選択して平行寸法を記入

① <u>1 本目の寸法補助線の起点を指定 または</u>

　<u>＜オブジェクトを選択＞:</u> ⏎

② <u>寸法記入するオブジェクトを選択 :</u>

　　線分 S1 を選択します。

③ <u>寸法線の位置を指定 または [マルチ テキスト (M)/</u>

　<u>寸法値 (T)/ 寸法値角度 (A)]:</u>

　　寸法値: 20

　　寸法を記入する位置へマウスを動かし、

　　左クリックで確定します。

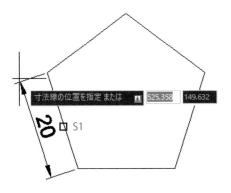

寸法機能

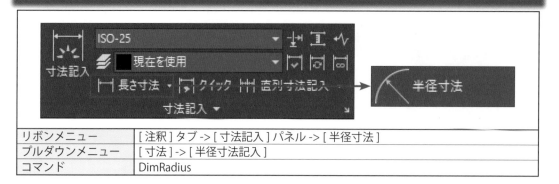

リボンメニュー	[注釈] タブ -> [寸法記入] パネル -> [半径寸法]
プルダウンメニュー	[寸法] -> [半径寸法記入]
コマンド	DimRadius

① 円の [半径寸法] を記入

[寸法記入] パネル -> [半径寸法] を選択します。

①円弧または円を選択：

　円 S1 を選択します。

②寸法値：20

　寸法線の位置を指定 または [マルチ テキスト (M)/

　寸法値 (T)/ 寸法値角度 (A)]:

　寸法表示させたい方向へマウスを移動して

　左ボタンを押して確定します。

☞ 寸法値の位置によって、寸法線の形も変わります。

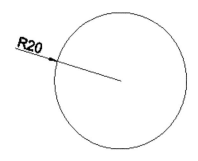

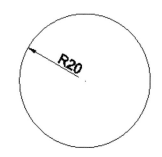

② 円弧の [半径寸法] を記入

①円弧または円を選択：

　円弧 S1 を選択します。

②寸法値：10

　寸法線の位置を指定 または [マルチ テキスト (M)/

　寸法値 (T)/ 寸法値角度 (A)]:

　寸法表示させたい方向へマウスを移動して

　左ボタンを押して確定します。

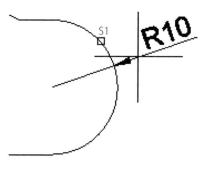

7 直径寸法 [DimDiameter]

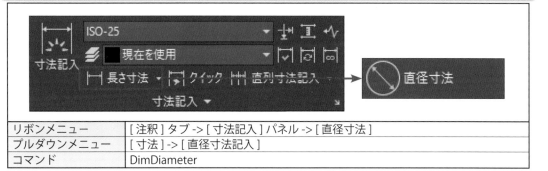

リボンメニュー	[注釈] タブ -> [寸法記入] パネル -> [直径寸法]
プルダウンメニュー	[寸法] -> [直径寸法記入]
コマンド	DimDiameter

① 円の [直径寸法] を記入

[寸法記入] パネル -> [直径寸法] を選択します。

①円弧または円を選択：

　円 S1 を選択します。

②寸法値：40

　寸法線の位置を指定 または [マルチ テキスト (M)/

　寸法値 (T)/ 寸法値角度 (A)]:

　寸法表示させたい方向へマウスを移動して

　左ボタンを押して確定します。

☞ 寸法値の位置によって、寸法線の形も変わります。

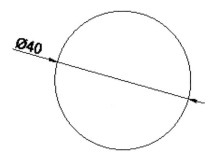
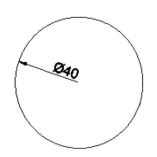

② 円弧の [直径寸法] を記入

①円弧または円を選択：

　円弧 S1 を選択します。

②寸法値：20

　寸法線の位置を指定 または [マルチ テキスト (M)/

　寸法値 (T)/ 寸法値角度 (A)]:

　寸法表示させたい方向へマウスを移動して

　左ボタンを押して確定します。

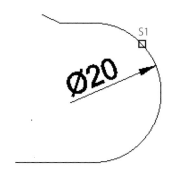

8 角度寸法 [DimAngular]

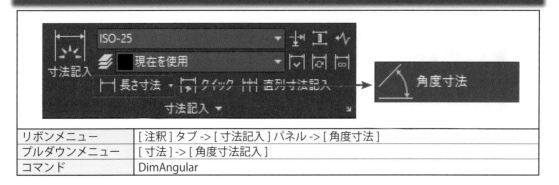

リボンメニュー	[注釈] タブ -> [寸法記入] パネル -> [角度寸法]
プルダウンメニュー	[寸法] -> [角度寸法記入]
コマンド	DimAngular

1 2 本の線分を選択

[寸法記入] パネル -> [角度寸法] を選択します。

①円弧、円、線分を選択 または < 頂点を指定 (S)>:

　線分 S1 を選択します。

② 2 本目の線分を選択 :

　線分 S2 を選択します。

③円弧寸法線の位置を指定 または [マルチ テキスト (M)/
　寸法値 (T)/ 寸法値角度 (A)/ 四半円点 (Q)]:

　寸法値 : 30

　寸法表示させたい位置で左クリックします。

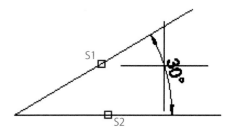

2 角の頂点を指定

①円弧、円、線分を選択 または < 頂点を指定 (S)>: ⏎
②角度の頂点を指定 : P0 を選択します。
③頂点からの角度の 1 点目 : 端点 P1 を指示します。
④頂点からの角度の 2 点目 : 端点 P2 を指示します。
⑤円弧寸法線の位置を指定 : 寸法表示させたい方向で
　左クリックします。

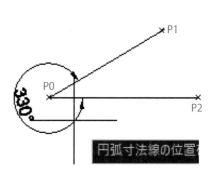

3 円弧を選択

①円弧、円、線分を選択 または < 頂点を指定 (S)>:
　円弧 S1 を選択します。
②円弧寸法線の位置を指定 または [マルチ テキスト (M)/
　寸法値 (T)/ 寸法値角度 (A)/ 四半円点 (Q)] :
　寸法値 : 60
　寸法表示させたい位置で左クリックします。

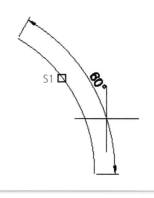

9 弧長寸法 [DimArc]

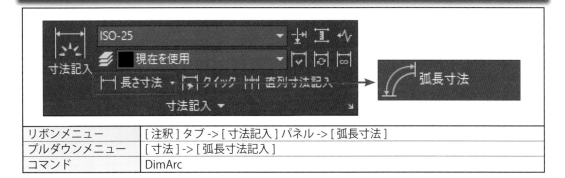

リボンメニュー	[注釈] タブ -> [寸法記入] パネル -> [弧長寸法]
プルダウンメニュー	[寸法] -> [弧長寸法記入]
コマンド	DimArc

① 円弧を選択

[寸法記入] パネル -> [弧長寸法] を選択します。

①円弧またはポリライン円弧のセグメントを選択：

　円弧 S1 を選択します。

②弧長寸法の位置を指定 または [マルチ テキスト (M)/ 寸法値 (T)/ 寸法値角度 (A)/ 部分 (P)/

　引出線 (L)] ：寸法値：61.63

　弧寸法を記入する位置へマウスを動かし、左クリックで確定します。

③下図のようになります。

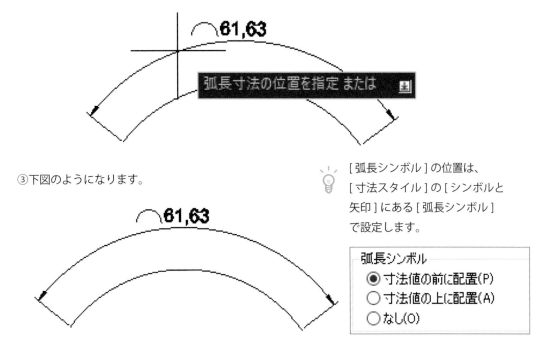

[弧長シンボル] の位置は、[寸法スタイル] の [シンボルと矢印] にある [弧長シンボル] で設定します。

弧長シンボル
- ◉ 寸法値の前に配置(P)
- ○ 寸法値の上に配置(A)
- ○ なし(O)

寸法機能

10 折り曲げ半径寸法 [DimJogged]

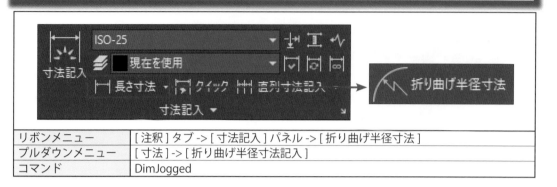

リボンメニュー	[注釈]タブ -> [寸法記入]パネル -> [折り曲げ半径寸法]
プルダウンメニュー	[寸法] -> [折り曲げ半径寸法記入]
コマンド	DimJogged

1 円弧に[折り曲げ半径寸法]を記入する

[寸法記入]パネル -> [折り曲げ半径寸法]を選択します。

①円弧または円を選択:

円弧 (S1) を選択します。

②優先する中心位置を指定:

寸法線を出す位置 (P1) を指示します。

③寸法値：50

寸法線の位置を指定 または [マルチ テキスト (M)/
寸法値 (T)/ 寸法値角度 (A)]:

寸法線を配置する位置 (P2) を指示します。

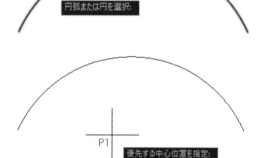

④折り曲げの位置を指定:

寸法線を折り曲げる位置 (P3) を指示します。

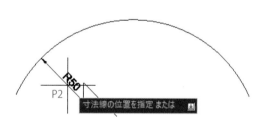

⑤下図のように、[折り曲げ半径寸法]が作成されます。

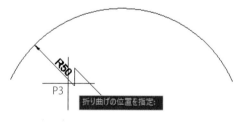

11 座標寸法 [DimOrdinate]

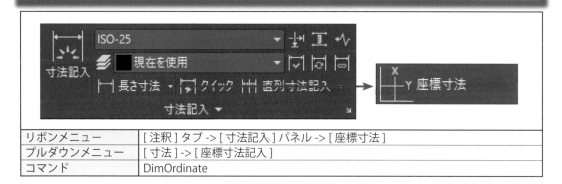

リボンメニュー	[注釈] タブ -> [寸法記入] パネル -> [座標寸法]
プルダウンメニュー	[寸法] -> [座標寸法記入]
コマンド	DimOrdinate

① [座標寸法] を記入する

[寸法記入] パネル -> [座標寸法] を選択します。

①起点の位置を指定：

　点 P1 を選択します。

②マウスを水平方向に動かすと Y 座標が記入され、垂直
　方向に動かすと X 座標が記入されます。

③引出線の終点を指定 または [X 座標 (X)/Y 座標 (Y)/
　マルチ テキスト (M)/ 寸法値 (T)/ 寸法値角度 (A)]：

　寸法値：100

　記入したい座標方向にマウスを動かし、
　左クリックで確定します。

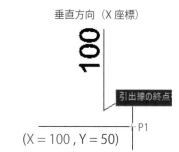

垂直方向（X 座標）

$(X = 100, Y = 50)$

水平方向（Y 座標）

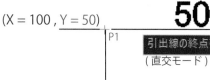

$(X = 100, Y = 50)$

（直交モード）

　引出線の終点を指定する時、マウスカーソルの
　位置によって、引出線に段差が付きます。
　直交モードにすると、引出線は一直線になります。

② オプションを使用して記入する

①起点の位置を指定：

　円の中心点 P1 を選択します。

②引出線の終点を指定 または [X 座標 (X)/Y 座標 (Y)/
　マルチ テキスト (M)/ 寸法値 (T)/ 寸法値角度 (A)]：

　Y ↵

③引出線の終点を指定 または [X 座標 (X)/Y 座標 (Y)/
　マルチ テキスト (M)/ 寸法値 (T)/ 寸法値角度 (A)]：

④寸法値：50

　記入する位置 (点 P2) ヘマウスを動かし、
　左クリックで確定します。

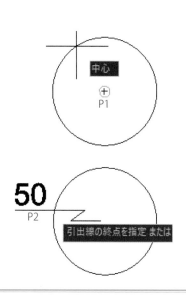

寸法機能

12 直列寸法記入 [DimContinue]

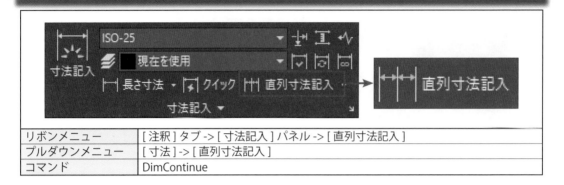

リボンメニュー	[注釈] タブ -> [寸法記入] パネル -> [直列寸法記入]
プルダウンメニュー	[寸法] -> [直列寸法記入]
コマンド	DimContinue

1 [直列寸法] を記入する

[直列寸法] の記入は、始めに [長さ寸法] で基本になる寸法を記入し、次に直列のコマンドを選択して、次の点を指定していきます。

[寸法記入] パネル -> [直列寸法記入] を選択します。
① 事前に寸法線が作成されています。

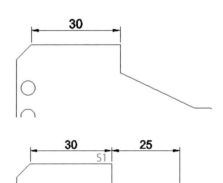

② 2本目の寸法補助線の起点を指定 または [選択 (S)/
　元に戻す (U)] < 選択 >：
　自動的に最後の寸法補助線 S1 が選択されます。
　P1 を指示します。
　寸法値が自動的に表示されます。

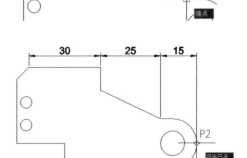

③ 続けて、P2 を指示します。
　寸法値が自動的に表示されます。

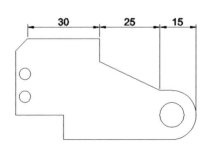

④ 2本目の寸法補助線の起点を指定 または [選択 (S)/
　元に戻す (U)] < 選択 >：
　Enter キーを押して終了します。

13 並列寸法記入 [DimBaseline]

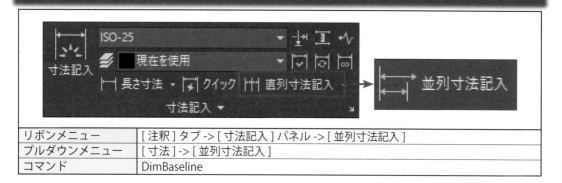

リボンメニュー	[注釈] タブ -> [寸法記入] パネル -> [並列寸法記入]
プルダウンメニュー	[寸法] -> [並列寸法記入]
コマンド	DimBaseline

① [並列寸法] を記入する

[並列寸法] の記入は、[直列寸法] と同様、始めに [長さ寸法] で基本になる寸法を記入し、並列の
コマンドを選択して、次の点を指定していきます。

[寸法記入] パネル -> [並列寸法記入] を選択します。
①事前に寸法線が作成されています。

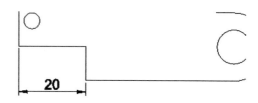

② 2本目の寸法補助線の起点を指定 または [選択 (S)/
元に戻す (U)] < 選択 >：
自動的に最後の寸法基準線 S1 が選択されます。
P1 を指示します。
寸法値が自動的に表示されます。

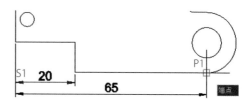

③続けて、P2 を指示します。
寸法値が自動的に表示されます。

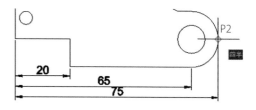

④ 2本目の寸法補助線の起点を指定 または
[選択 (S)/ 元に戻す (U)] < 選択 >：
Enter キーを押して終了します。

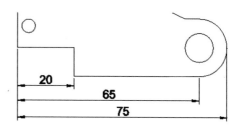

14 幾何公差 [Tolerance]

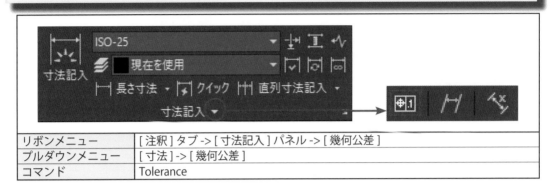

リボンメニュー	[注釈] タブ -> [寸法記入] パネル -> [幾何公差]
プルダウンメニュー	[寸法] -> [幾何公差]
コマンド	Tolerance

1 [幾何公差] を記入する

[寸法記入] パネル -> [幾何公差] を選択します。

①表示される [幾何公差] ダイアログに記号や数値を入力します。

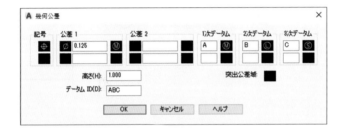

②[記号] 欄を指示し、[シンボル表] から記号を選択します。

③[公差] 欄には直径記号を挿入し、公差値を入力します。(例 :0.125)

④[1 次データム][2 次データム][3 次データム] 欄にデータムを指示する文字記号 (例 :ABC) を入力します。

⑤データム文字記号の次の黒いボックスに [実体公差方式 (MC)] から記号を挿入します。

⑥[高さ] 欄に数値と [データム ID] 欄に符号を入力します。

⑦ [OK] ボタンを押して、図面上で挿入位置を指定します。

Point!

② 引出線に幾何公差を付ける

①キーボードから [leader] と入力します。

②<u>引出線の始点を指定</u>：引出線の始点 P1 を指示します。

③<u>次の点を指定</u>：2 点目 (P2) を指示します。

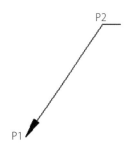

④<u>次の点を指定 または [注釈 (A)/ 形式 (F)/ 元に戻す (U)] < 注釈 ></u>: A ⏎

⑤<u>注釈の最初の行を入力 または < オプション ></u>: ⏎

⑥<u>注釈オプションを入力 [幾何公差 (T)/ コピー (C)/ ブロック (B)/ 指定なし (N)/ マルチ テキスト (M)] < マルチ テキスト ></u>: T ⏎

⑦ [幾何公差] ダイアログに記号や数値を入力します。(表 1)

(表 1)

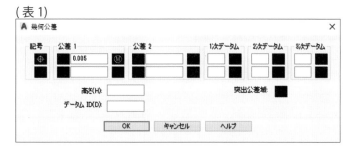

⑧ [OK] ボタンを押して、ダイアログを閉じます。

⑨引出線に幾何公差がつながります。

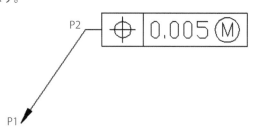

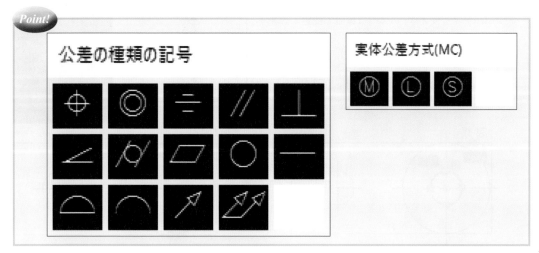

Point!

公差の種類の記号

実体公差方式(MC)

15 中心マーク [CenterMark]

リボンメニュー	[注釈] タブ -> [中心線] パネル -> [中心マーク]
プルダウンメニュー	ありません
コマンド	CenterMark

中心マークは自動調整オブジェクトです。

関連付けられているオブジェクトを移動または修正すると、中心マークも自動的に調整されます。

① 円に [中心マーク] を作図する

[中心線] パネル -> [中心マーク] を選択します。

①中心マークを記入する円または円弧を選択：

円 (S1) を選択します。

②(図 2) のように、自動的に中心線が作図されます。

X は円の直径

(図 1)

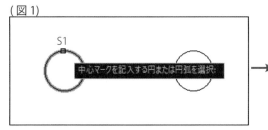

中心マークを記入する円または円弧を選択：

(図 2)

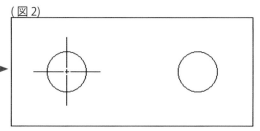

② グリップやプロパティで [中心マーク] の長さを伸縮する

①中心マークの矢印 (赤丸) をグリップして、
長さを変更できます。(図 1)

②プロパティを使えば、具体的な数値で変更できます。
(図 2)

③円の大きさを変えると (図 3)、中心マークの長さも
自動的に円に合わせて伸縮します。(図 4)

(図 1)

(図 2)

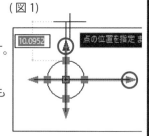

(図 3)

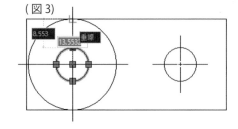

(図 4)

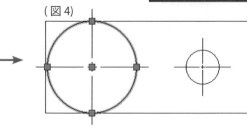

16 中心線 [CenterLine]

リボンメニュー	[注釈] タブ -> [中心線] パネル -> [中心線]
プルダウンメニュー	ありません
コマンド	CenterLine

中心線は自動調整オブジェクトです。

関連付けられているオブジェクトを移動または修正すると、中心線も自動的に調整されます。

1 長方形に [中心線] を作図する

[中心線] パネル -> [中心線] を選択します。(画層を中心線用の画層に変更しておきます。)

① 1 本目の線分を選択：縦線 (S1) を選択します。

② 2 本目の線分を選択：縦線 (S2) を選択します。(図 1)

③ (図 2) のように、S1 と S2 の間に自動的に中心線が作図されます。

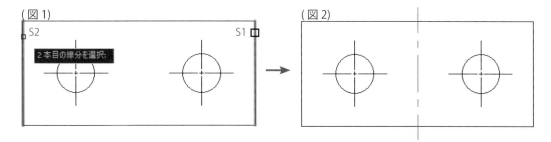

(図 1)　　　　　　　　　　　　　　(図 2)

2 グリップやプロパティで [中心線] の長さを伸縮する

①中心線の矢印 (赤丸) をグリップして、
　長さを変更できます。(図 1)

②プロパティを使えば、具体的な数値で変更できます。
　(図 2)

③右の辺を左に移動させると (図 3)、中心線の位置も
　自動的に左に移動します。(図 4)

(図 1)

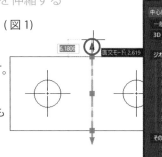

(図 2)

(図 3)

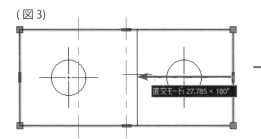

(図 4)

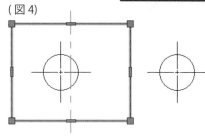

第2節　　マルチ引出線

1 マルチ引出線スタイル管理 [MleaderStyle]

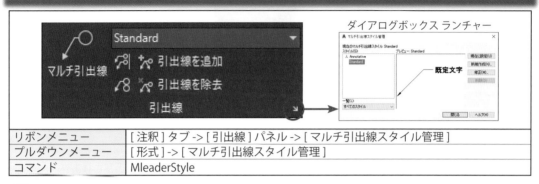

ダイアログボックス ランチャー

リボンメニュー	[注釈]タブ -> [引出線]パネル -> [マルチ引出線スタイル管理]
プルダウンメニュー	[形式] -> [マルチ引出線スタイル管理]
コマンド	MleaderStyle

1 マルチ引出線スタイルの設定

① [マルチ引出線スタイル管理]ダイアログが表示されます。

[修正]ボタンを押して、引出線スタイルを編集します。

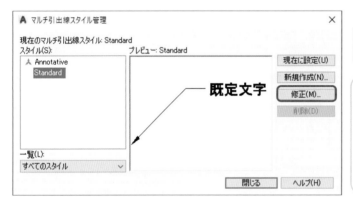

memo

スタイルが一覧表示されます。
現在のスタイルがハイライト
表示されます。

[Standard]と[Annotative]の
2種類が用意されています。

② [引出線の形式]タブ

❶引出線のタイプ(直線、ポリライン、なし)を選びます。

また、線の色や線種、線の太さも設定できます。

❷矢印のタイプと大きさを指定します。

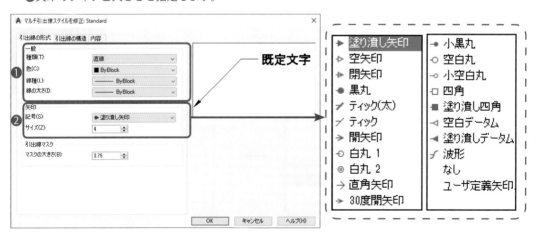

③ [引出線の構造] タブ

❶ [拘束] は線分の折り曲げの回数を指定します。

❷ [参照線の設定] では参照線 (水平線) の＜有り・無し＞と長さを指定します。

❸ [尺度] ではマルチ引出線が異尺度対応でないとき、マルチ引出線の尺度を指定します。
通常は印刷する尺度の逆数を指定します。

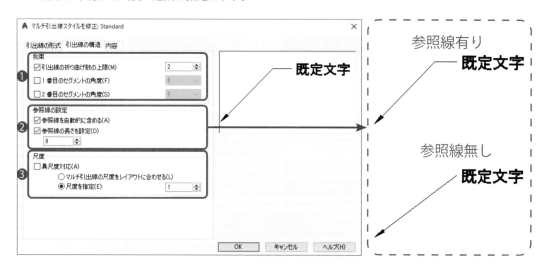

④ [内容] タブ

❶ [マルチ引出線の種類] は引出線につなげる文字のタイプを指定します。(テキスト、ブロック等)

❷ [文字オプション] では文字スタイルや、文字の色、大きさを指定します。

❸ [引出線の接続] では文字と参照線の接続方法や間隔を指定します。

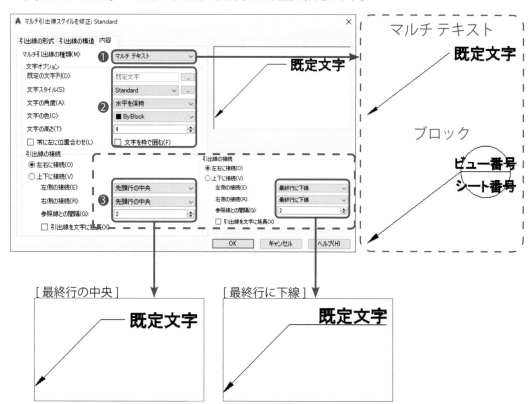

寸法機能

2 マルチ引出線 [Mleader]

リボンメニュー	[注釈] タブ -> [引出線] パネル -> [マルチ引出線]
プルダウンメニュー	[形式] -> [マルチ引出線]
コマンド	Mleader

1 [マルチ引出線] を記入する

[引出線] パネル -> [マルチ引出線] を選択します。

①引出線の矢印の位置を指定 または [引出参照線を指定 (L)/ 内容を指定 (C)/ オプション (O)]

 <オプション>:

 円弧 S1 を指示します。（ハッチングの右下の円弧）

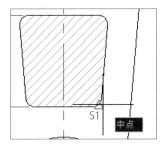

②引出参照線の位置を指定 :

 マウスを右上に移動して点 P1 あたりでクリックし、⏎

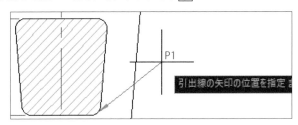

③引出線の文字を入力します。(R3)

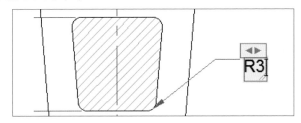

④ [テキスト エディタ] リボンタブの [テキスト エディタを閉じる] を押して終了します。

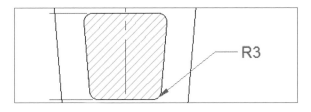

［マルチ引出線］コマンドの一覧【寸法 - バルーン .dwg】

[マルチ引出線] パネルでは以下の 5 つが可能です。

コマンド		説明
	マルチ引出線	マルチ引出線オブジェクトを作成します。
	引出線を追加	既存のマルチ引出線オブジェクトに引出線を追加します。
	引出線を除去	既存のマルチ引出線オブジェクトの引出線を除去します。
	両端揃え	図面内のマルチ引出線を水平または垂直に位置合わせします。
	グループ化	複数のマルチ引出線をグループ化し、それらを単一のマルチ引出線オブジェクトに結合します。

① [マルチ引出線] を使い、バルーン①②③④⑤の引出線を作成します。

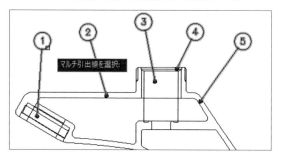

② [両端揃え] を使い、①②③④⑤のバルーンの位置を水平に揃えます。（左下図）

③ [グループ化] を使い、③④⑤のバルーンを 1 つのグループにします。（右下図）

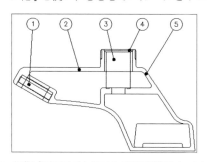
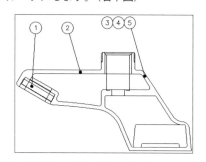

④バルーンを作成するには [マルチ引出線スタイル管理] を以下のように設定します。

[引出線の構造] 参照線を <OFF>

[内容] マルチ引出線の種類に < ブロック >
　　　　 使用するブロックに < 円 >

寸法機能

3 塗り潰しデータム記号 [MleaderStyle より設定]

リボンメニュー	[注釈] タブ -> [引出線] パネル -> [マルチ引出線スタイル管理]
プルダウンメニュー	[形式] -> [マルチ引出線スタイル管理]
コマンド	MleaderStyle

1 [マルチ引出線スタイル管理] で設定する

① [マルチ引出線スタイル管理] を選択します。

② [引出線の形式] タブの [記号] 欄から＜塗り潰しデータム＞を選びます。(表 1)

③ [引出線の構造] タブの [参照線を自動的に含める] のチェックを外します。(表 2)

(表 1)

(表 2)

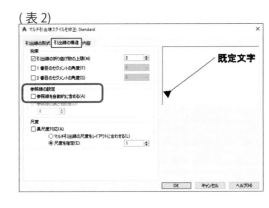

④ [引出線] パネル -> [マルチ引出線] を選択します。

⑤ <u>引出線の矢印の位置を指定 または [引出参照線を指定 (L)/ 内容を指定 (C)/ オプション (O)]</u>

　＜オプション＞: 矢印の始点 (P1) を指示します。

⑥ <u>引出参照線の位置を指定 : 矢印の終点 (P2) を指示します。</u>

⑦ ＜塗り潰しデータム＞が作図されます。

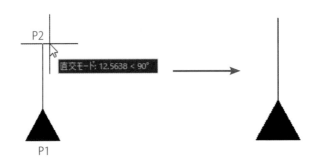

⑧ [寸法記入] パネル -> [幾何公差] を選択します。

⑨表示される [幾何公差] ダイアログの [データム ID] に記号 (例 :A) を入力し、[OK] ボタンを押します。

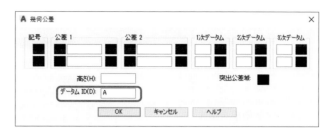

⑩作成した < 幾何公差 > を < 塗り潰しデータム > の近くに配置します。

⑪ [移動] コマンドで < 幾何公差 > と < 塗り潰しデータム > の位置を合わせます。

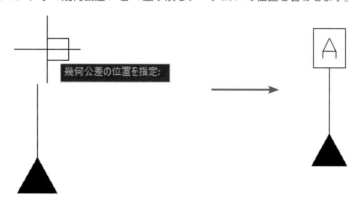

2 引出線をプロパティで変更する

(例 1) のように、すでに作成された引出線を < 塗り潰しデータム > に変更するには、

[プロパティ] コマンドを使います。

① [プロパティ] の [参照線の長さ] を <0>、[矢印] で < 塗り潰しデータム > を選択します。

② (例 2) のように変更されます。

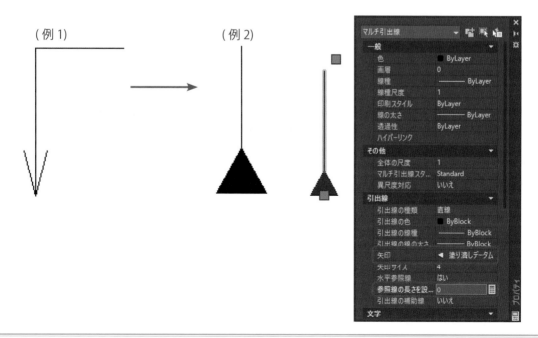

第3節　寸法編集

1　グリップ編集

① [円の半径寸法 (矢印を反転する)]

グリップ編集を行います。

①半径寸法 (R10) の矢印をマウスで指示します。

②マウスを右クリックして、ショートカットの中の
　[矢印を反転] を選択します。(図 2)

③ (図 3) のように矢印が反転します。

(図 1)

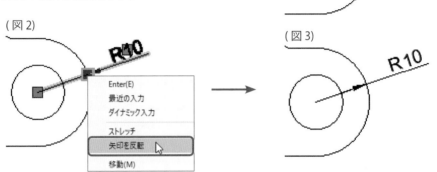

(図 2)　　　　　　　　　　　　　　　　(図 3)

② [円の半径寸法 (寸法文字を移動する)]

グリップ編集を行います。

①半径寸法の文字 (R10) をマウスで指示します。

②マウスを右クリックして、ショートカットの中の [文字のみを移動] を選択します。(図 1)

③ (図 2) のように文字を適当な位置に移動します。

(図 1)　　　　　　　　　　　　　　　　(図 2)

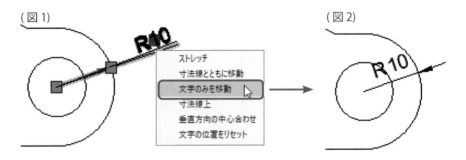

③ [円の半径寸法 (寸法文字を元の位置に戻す)]

グリップ編集を行います。

①半径寸法の文字 (R10) をマウスで指示します。

②マウスを右クリックして、ショートカットの中の
　[文字の位置をリセット] を選択します。

③文字は最初の位置 (上図の図 1) に戻ります。

ストレッチ
寸法線とともに移動
文字のみを移動
寸法線上
垂直方向の中心合わせ
文字の位置をリセット

④ [直列寸法を記入する]

グリップ編集を行います。

①直列寸法を作成したい方の補助線 (赤丸) をマウスで指示します。

②マウスを右クリックして、ショートカットの中の [直列寸法記入] を選択します。(図 1)

③直列寸法の 2 点目 (P1) の位置を指定します。(図 2)

④直列寸法が作成されました。

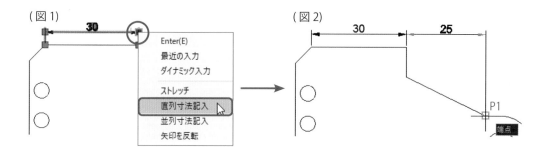

⑤ [並列寸法を記入する]

グリップ編集を行います。

①並列寸法を作成したい方の補助線 (赤丸) をマウスで指示します。

②マウスを右クリックして、ショートカットの中の [並列寸法記入] を選択します。(図 1)

③並列寸法の 2 点目 (P1) の位置を指定します。(図 2)

④並列寸法が作成されました。

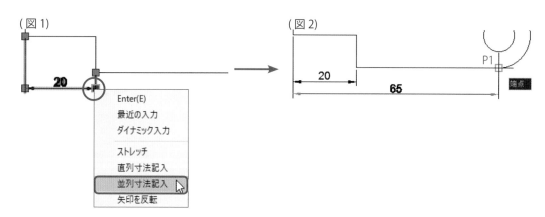

⑥ [矢印を反転する]

❶と同様にしてグリップ編集で矢印を反転できます。

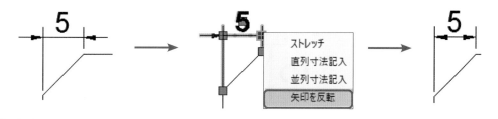

2 寸法マスク [DimBreak]

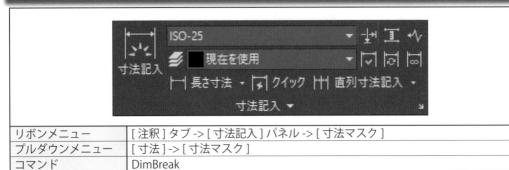

リボンメニュー	[注釈] タブ -> [寸法記入] パネル -> [寸法マスク]
プルダウンメニュー	[寸法] -> [寸法マスク]
コマンド	DimBreak

1 寸法補助線に [マスク] をかける

[寸法記入] パネル -> [寸法マスク] を選択します。

①2 つの寸法補助線が赤丸の位置で交差していますので、
　片方の補助線 (左側) をカットします。

②追加 / マスクを除去する寸法を選択:
　左の寸法の補助線 (S1) を選択します。(図 1)

③寸法をマスクするオブジェクトを選択:
　右の寸法の補助線 (S2) を選択します。(図 2)

④ (図 3) のように、S1 の補助線の一部がマスクされました。

(図 1)　　　　　　　　　　　　(図 2)　　　　　　　　　　　　(図 3)

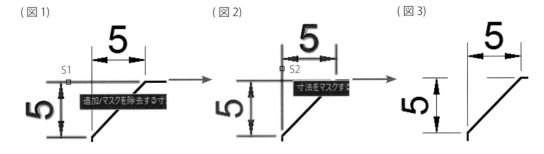

2 寸法補助線の [マスク] を解除する

[寸法記入] パネル -> [寸法マスク] を選択します。

①寸法補助線がマスクされている補助線 (S1) を選択します。(図 1)

②マウスの右ボタンを押して、[除去] を選択します。(図 2)

③ (図 3) のように、寸法補助線 (S1) のマスクが解除されました。

(図 1)　　　　　　　　　　　　(図 2)　　　　　　　　　　　　(図 3)

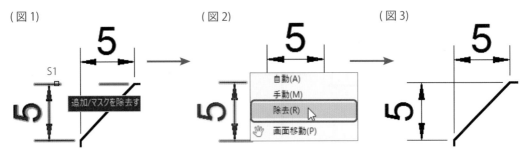

3 寸法線間隔 [DimSpace]

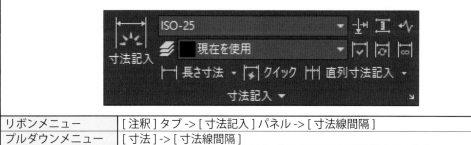

リボンメニュー	[注釈] タブ -> [寸法記入] パネル -> [寸法線間隔]
プルダウンメニュー	[寸法] -> [寸法線間隔]
コマンド	DimSpace

1 直列寸法線をそろえる

[寸法記入] パネル -> [寸法線間隔] を選択します。

①基準の寸法を選択：

　寸法線 S1(寸法値 <5>) を選択します。(図 1)

②間隔を調整する寸法を選択：

　寸法線 S2 と S3 を選択します。(図 2)

③値を入力 または [自動 (A)]< 自動 >: 0 ⏎

　寸法線が揃います。(図 3)

(図 1)

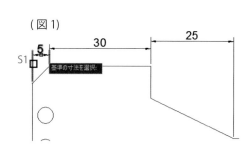

(図 2)

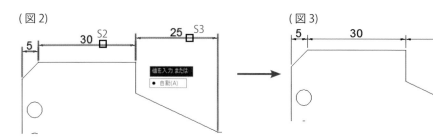

(図 3)

2 並列寸法線の間隔を自動にする

[寸法記入] パネル -> [寸法線間隔] を選択します。

①基準の寸法を選択：

　寸法線 S1(寸法値 <20>) を選択します。(図 1)

②間隔を調整する寸法を選択：

　寸法線 S2 を選択します。(図 2)

③値を入力 または [自動 (A)]< 自動 >: ⏎

　寸法スタイルで指定されている寸法値の文字高さに
　基づいて、間隔が自動計算されます。(図 3)

(図 1)

(図 2)

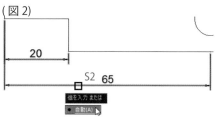

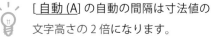

(図 3)

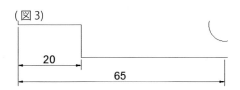

 [自動 (A)] の自動の間隔は寸法値の
文字高さの 2 倍になります。

寸法機能

4 寸法編集（スライド寸法）[DimEdit]

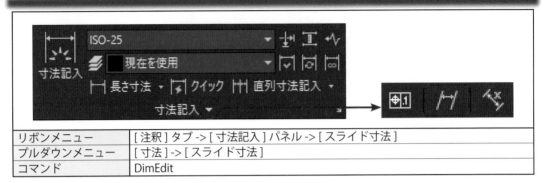

リボンメニュー	[注釈]タブ -> [寸法記入]パネル -> [スライド寸法]
プルダウンメニュー	[寸法] -> [スライド寸法]
コマンド	DimEdit

1 [スライド傾斜寸法(数値で入力)]

[寸法記入]パネル -> [スライド寸法]を選択します。
①すでに寸法線が作成されています。

②寸法編集のタイプを入力[元の寸法値位置(H)/寸法値
置き換え(N)/寸法値角度(R)/スライド(O)]<元の寸法
値位置>:_o

③オブジェクトを選択：
寸法線 S1 を選択します。

④スライド角度を入力：キーボードから、<60> ↵

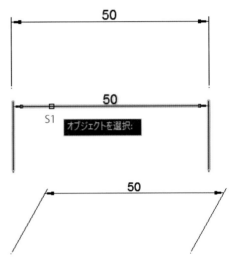

寸法補助線を 60 度傾斜しました。
（3時の方向から見て）

2 [スライド寸法(マウスで入力)]

①すでに寸法線が作成されています。

②寸法編集のタイプを入力[元の寸法値位置(H)/寸法値
置き換え(N)/寸法値角度(R)/スライド(O)]<元の寸法
値位置>:_o

③オブジェクトを選択：
寸法線 S1 を選択します。

④スライド角度を入力：
マウスで、点 P1 → 点 P2 と指示します。

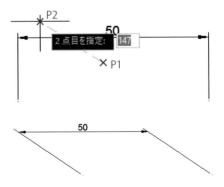

5 寸法編集（寸法値位置合わせ：右）[DimTedit]

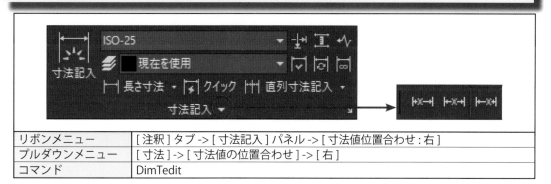

リボンメニュー	[注釈] タブ -> [寸法記入] パネル -> [寸法値位置合わせ : 右]
プルダウンメニュー	[寸法] -> [寸法値の位置合わせ] -> [右]
コマンド	DimTedit

1 [寸法値位置合わせ：右]

[寸法記入] パネル -> [寸法値位置合わせ : 右] を選択します。

①寸法を選択：

　寸法線 S1 を選択します。

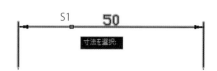

②寸法値の新しい位置を指定 または [左 (L)/ 右 (R)/

　中心 (C)/ 元の寸法位置 (H)/ 寸法値角度 (A)]: _r:

③右図のように、寸法値が右側に移動します。

＊図形はそのままで寸法値のみ
　移動します。

Point!

[プロパティ] パネル -> [オブジェクトプロパティ管理] から、寸法値や他の項目の変更も行えます。

6 寸法編集（寸法値位置合わせ：中心）[DimTedit]

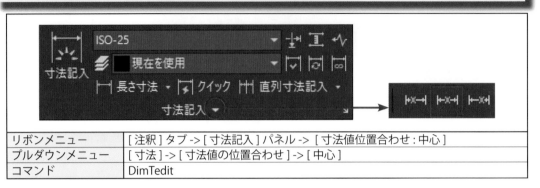

リボンメニュー	[注釈]タブ -> [寸法記入]パネル -> [寸法値位置合わせ：中心]
プルダウンメニュー	[寸法] -> [寸法値の位置合わせ] -> [中心]
コマンド	DimTedit

1 [寸法値位置合わせ：中心]

[寸法記入]パネル -> [寸法値位置合わせ：中心]を選択します。
寸法値の位置が右に寄っているので、中央に戻します。

①寸法を選択：

寸法線 S1 を選択します。

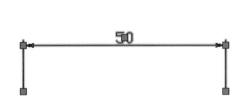

②寸法値の新しい位置を指定 または [左 (L)/ 右 (R)/ 中心 (C)/
元の寸法位置 (H)/ 寸法値角度 (A)]: _c

寸法値が中央の位置に移動しました。

＊寸法値はそのままで、位置を変更します。

Point!

[プロパティ]パネル -> [オブジェクトプロパティ管理]から、寸法値や他の項目の変更も行えます。

第8章　外部ファイル

外部ファイルにはどのような形式があるのでしょう。
それを利用するにはどうすればよいのでしょう。

この章では、
外部ファイルの利用方法や
画像ファイルの扱い方を学びます。

第1節　図形挿入

1 ブロック挿入 [Insert]

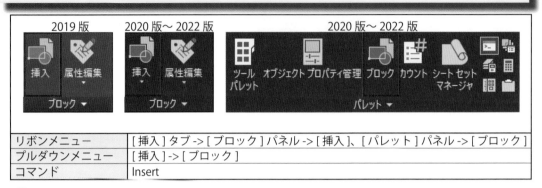

リボンメニュー	[挿入]タブ -> [ブロック]パネル -> [挿入]、[パレット]パネル -> [ブロック]
プルダウンメニュー	[挿入] -> [ブロック]
コマンド	Insert

① ブロック図形を挿入する（同じ図面内にあるブロック図形を挿入）

2019版 [建築図.dwg] ファイルには、ブロック図形(赤枠)が含まれています。

① [ブロック]パネル > [挿入] を選択します。①
　（又は [その他のオプション]）②

②[名前]の欄に <TABLE_3> を選びます。(図1)

③リボン ギャラリーからでも選択できます。(図2)

(図1)　　　　[その他のオプション]

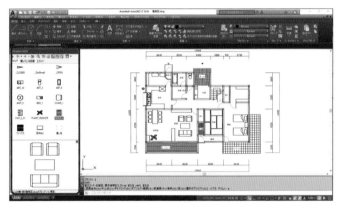

(図2) [リボンギャラリー]

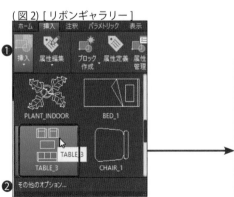

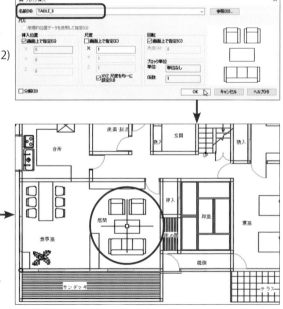

④ブロック <TABLE_3> が図面内に挿入されます。

　マウスで位置、尺度、回転角度を指示します。

2020 版～ 2022 版

① [ブロック] パネル > [挿入] を選択します。

②挿入するブロックをクリックして、図面内に配置します。

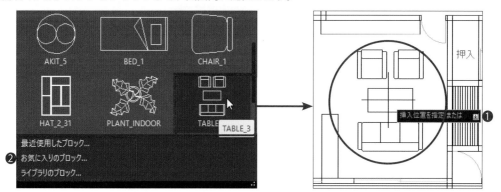

 memo　　[XY の尺度] や [回転角度] を指定するには。

①挿入時の [挿入位置を指定 または] が表示されているときに、マウスの右ボタンのショートカットから
　[基点][尺度][回転] のオプションを指定できます。

② [挿入] パネルの下側にある [最近使用したブロック ...] や
　[お気に入りのブロック][ライブラリのブロック] を選ぶと、
　[挿入オプション] のパネルが表示されます。

❷ 挿入オプション

❶ 右ボタンのショートカット

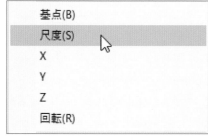

 memo　　外部の図面をブロックとして挿入するには。

2019 版

① [ブロック挿入] ダイアログの右上の [参照] ボタンを
　押して、図面を選択します。

②ダイアログの左端に挿入した図面のパスが表示されます。

2020 版～ 2022 版

① [ブロック] -> [挿入] で表示される
　パネルの一番下にある [ライブラリの
　ブロック ...] を使います。

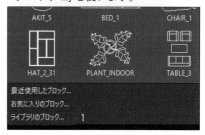

外部ファイル

2 属性付きブロック挿入 [Insert]

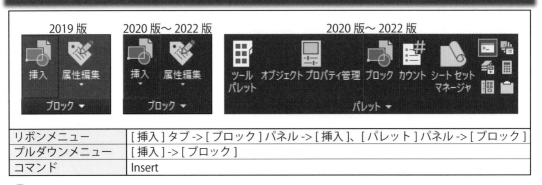

リボンメニュー	[挿入] タブ -> [ブロック] パネル -> [挿入]、[パレット] パネル -> [ブロック]
プルダウンメニュー	[挿入] -> [ブロック]
コマンド	Insert

1 属性の付いたブロック図形を挿入する

[建築図 .dwg] ファイル（左下図）には、属性付きブロック図形（右下図）が含まれています。

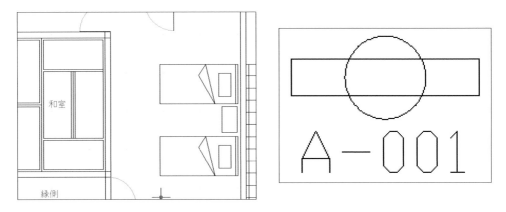

① [ブロック] パネル -> [挿入] を選択します。

② [ブロック挿入] パネルにある <LAMP> を選びます。(図 1)

③マウスでクリックして選択すると、画面が切り替わります。

④ [挿入位置を指定 または] が表示されているときに、マウスの右ボタンのショートカットから
[基点][尺度][回転] のオプションを指定できます。

(図 1)　　　　　[ブロック挿入] パネル

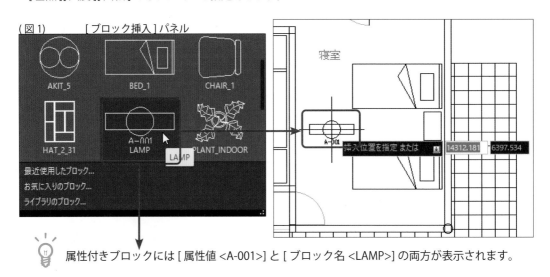

属性付きブロックには [属性値 <A-001>] と [ブロック名 <LAMP>] の両方が表示されます。

⑤ブロック図形の位置や大きさが確定すると、(P1)
　最後に属性値を聞いてきます。

⑥このブロック図形の属性値は 1 つあり、その値
　は <A-001> です。

　キーボードから <A-002> と入力して確定します。

⑦下図のように属性値が変更されます。

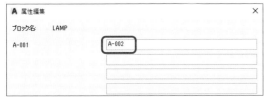

② 属性値を編集する

①ブロック図形 をダブルクリックします。(図 1)
　右図のように編集のダイアログが表示されます。

②この属性の値を <A-003> に変更して [適用]
　ボタンを押し、[OK] ボタンを押して確定します。

③下図のように属性値が変更されます。
　これ以降に挿入されるブロックに反映されます。

(図 1)

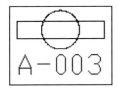

④ [属性編集] のダイアログでは [文字オプション]
　のタブから < 文字スタイル > や文字の < 位置 >、
　< 文字高さ > などの変更ができます。(図 2)

(図 2)

⑤ [プロパティ] のタブから < 画層 > や < 線種 >
　< 色 > などが変更できます。(図 3)

(図 3)

　　　【属性値の編集】
　　　　[プロパティパレット] [拡張属性編集]
　　　【属性定義の編集】
　　　　[ブロックエディタ] [ブロック属性管理]

編集した属性定義を図面内の同じブロックにも適用するには、
[ブロック定義] -> [属性同期] を使って更新します。

外部ファイル

3 デザインセンター [Adcenter]

リボンメニュー	[表示] タブ -> [パレット] パネル -> [DesignCenter]
プルダウンメニュー	[ツール] -> [パレット] -> [DesignCenter]
コマンド	Adcenter

1 デザインセンターからブロックを挿入する【建築図 .dwg】

①他の図面にあるブロック等のオブジェクトや画層等の非オブジェクトを現在の図面に挿入できます。

②下図では他の図面内の [ブロック] を選択して、現在の図面内へドラッグ & ドロップしています。

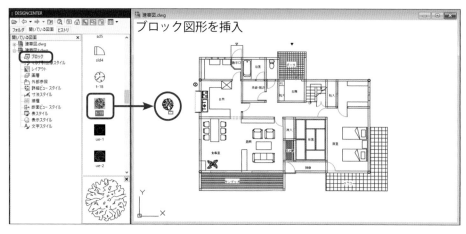

2 デザインセンターのブロックをダブルクリックする

①[デザインセンター] のブロックをダブルクリックすると、[ブロック挿入] のダイアログが表示されます。

② [ブロック挿入] ダイアログでは、尺度や回転などのオプションが使えます。

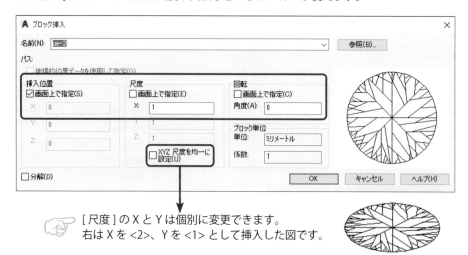

☞ [尺度] の X と Y は個別に変更できます。
右は X を <2>、Y を <1> として挿入した図です。

③ デザインセンターの [フォルダ] を指定する

① [デザインセンター] の [フォルダ] タブ を選択すると、そのフォルダにある図面一覧が表示されます。

次に利用したい図面を選択すると、利用可能なコンテンツの一覧が下側にツリー表示されます。

この中のブロックを選択すると、この図面にあるブロックの一覧が右のコンテンツ領域に表示されます。

（[開いている図面] タブを開くと、現在の図面にあるコンテンツの一覧が表示されます。）

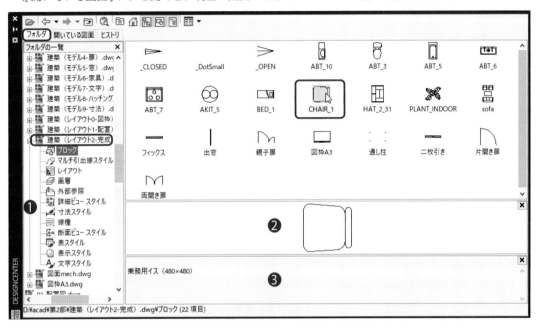

④ 表示方法を切り替える

① ❶ツリー表示 ❷プレビュー ❸説明は、アイコンのオン / オフで表示と非表示を切り替えられます。

② ❹表示のリストからは、大きいアイコン、小さいアイコン、一覧、詳細に表示方法を変更できます。

Point!

[デザインセンター] と [ツールパレット (P140)] の主な相違

[デザインセンター]

　他の図面にあるブロックなどのオブジェクトや画層などの非オブジェクトを現在の図面に挿入
　できます。（現在の図面内のブロックでも可能です。）

[ツールパレット]

　ツールパレットに登録してあるブロックなどのオブジェクトやコマンドなどの非オブジェクト
　だけが現在の図面に挿入できます。

外部ファイル

4 外部参照 [Xattach][Attach]

リボンメニュー	[挿入] -> [参照] -> [アタッチ]
プルダウンメニュー	[挿入] -> [DWG 参照]
コマンド	Xattach、Attach

① 外部図面を参照ファイルとして挿入する

[機械図 .dwg] ファイル（左下図）に、他の図面 <buhin.dwg>（右下図）を参照挿入します。

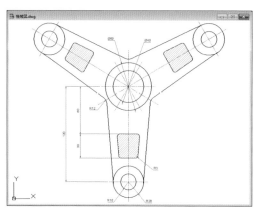
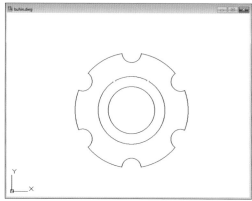

①キーボードから <Xattach> と入力します。

②[参照ファイルを選択] のダイアログが表示されます。

③挿入する図面を選択して、[開く] ボタンを押します。(図 1)

④[外部参照アタッチ] のダイアログが表示されます。(図 2)

⑤ブロック挿入と似ていますが、参照ファイルが存在する場所だけが保存されます。

　パスの種類として [相対パス] または [絶対パス] を選択します。

⑥[OK] ボタンを押して、図面内に挿入します。

図 1

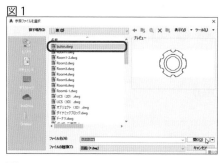

図 2

（外部参照として挿入した図形は、薄く表示されます。）

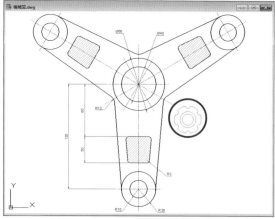

☞ ⑤ [パスなし] を選択すると、参照先の図面と
同じフォルダや [オプション] → [ファイル] →
[サポートファイルの検索場所] で指定した
フォルダ内を検索します。

5 外部参照パレット [ExternalReferences]

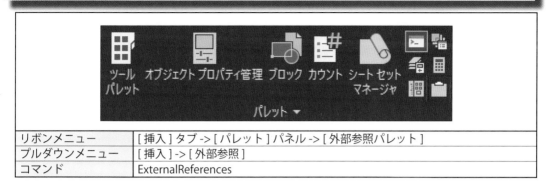

リボンメニュー	[挿入] タブ -> [パレット] パネル -> [外部参照パレット]
プルダウンメニュー	[挿入] -> [外部参照]
コマンド	ExternalReferences

[外部参照図形] は挿入した図面の一部にすることができます。（バインドすると言います。）

バインドとは、図形やブロック、図形などにリンクされた参照元の図面ファイルを現在の図面に取り込む機能です。

外部参照ファイルを現在の図面にバインドすると現在の図面の一部として組み込まれ、元ファイルとのリンクを無くするかどうかの選択ができます。

1 外部図面を現在の図面にバインドする

① [パレット] パネル -> [外部参照パレット] を選択します。

現在の図面に参照されている図面 (パーツ) が表示されます。

下図の円で囲った部品が参照されています。（色がグレーで表示されます。）

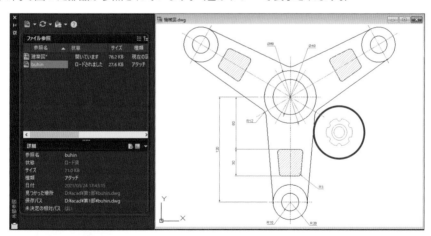

② [ファイル参照] にある参照図形から取り込みたい図形を選択し、右クリックします。

ショートカットの中にある [バインド] を選び、次に [挿入] を選びます。

選択した外部参照図形が現在の図面の一部として取り込まれます。

[buhin.dwg] が消えました。

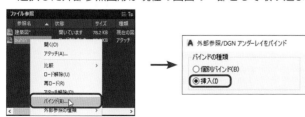

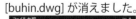

外部ファイル

6 インプレイス参照編集 [RefEdit]

リボンメニュー	[外部参照] リボン タブ -> [編集] パネル -> [インプレイス参照編集]
プルダウンメニュー	[ツール] -> [外部参照] -> [インプレイス参照編集]
コマンド	RefEdit

① 外部参照ファイルを開かずに、参照ファイルを編集する

[機械図 .dwg](下図) にある、参照図面 <buhin.dwg>(赤丸内) を編集します。

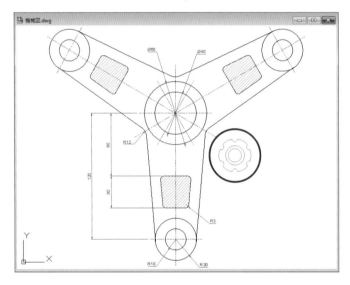

①参照図面 <buhin.dwg>(赤丸内) をマウスで選択します。

②右ボタンのショートカットから [インプレイス外部参照編集] を選びます。

　又は、[外部参照] リボン タブ -> [編集] パネル -> [インプレイス参照編集] を選びます。

③ [インプレイス参照編集] のダイアログが表示されますので、[OK] ボタンを押します。

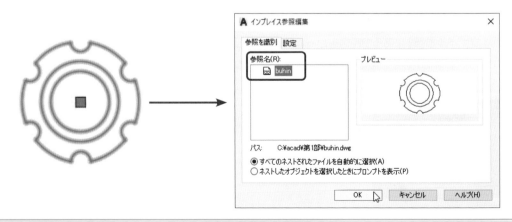

④参照図面 <buhin.dwg> 以外は薄い色で表示されていますので、参照図面だけが編集対象であることが
わかります。

⑤参照図面 <buhin.dwg> のプロパティを変更します。

　ここでは図形の色を < 赤 > に変更しています。

　< 色 > 以外にも < 位置 > や < 画層 > なども変更できます。

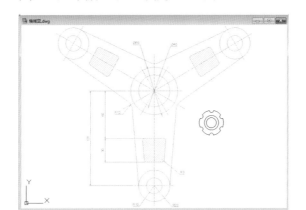

⑥右ボタンを押して、[参照編集を保存] を選択します。(又は、[参照編集] パネルの [変更を保存])

⑦参照図形が変更されたことが分かります。

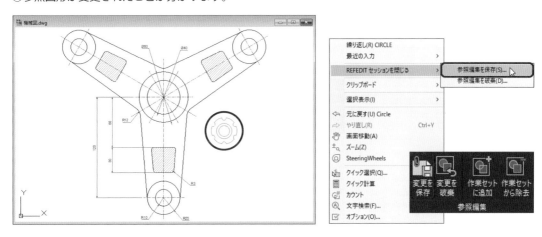

外部ファイル

⑧ [buhin.dwg] ファイルを開くと、図形が自動的に変更されています。

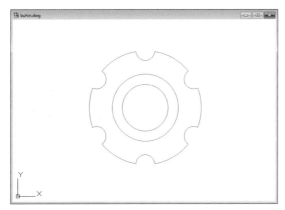

　　[インプレイス参照編集] は、参照されているファイルを開かなくても、
　　挿入した図面内で変更が行える機能です。

第2節　　　　　　　　　　　　イメージ挿入

1　アタッチ [ImageAttach][Attach]

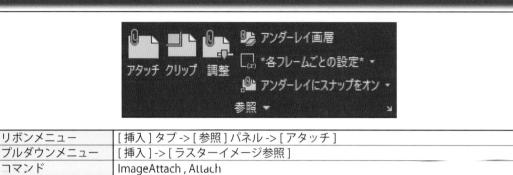

リボンメニュー	[挿入] タブ -> [参照] パネル -> [アタッチ]
プルダウンメニュー	[挿入] -> [ラスターイメージ参照]
コマンド	ImageAttach , Attach

1 図面内にイメージファイルを挿入する

① [参照] パネル -> [アタッチ] を選択します。

　挿入可能なラスター (イメージ) ファイルが表示されます。

②ラスター (イメージ) ファイルを選択し、[OK] ボタンを押します。(図 1)

③ [相対パス] か [絶対パス] かを選択して、[OK] ボタンを押します。(図 2)

(図 1)　　　　　　　　　　　　　　　　　　　(図 2)

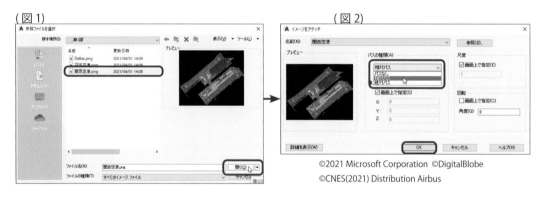

©2021 Microsoft Corporation ©DigitalBlobe
©CNES(2021) Distribution Airbus

> memo
>
> [位置] パネル -> [位置を設定] コマンドで < 関西国際空港 > の画像を取得しました。

④左下 (P1) を 1 点目として右上 (P2) にボックスを描くように配置します。

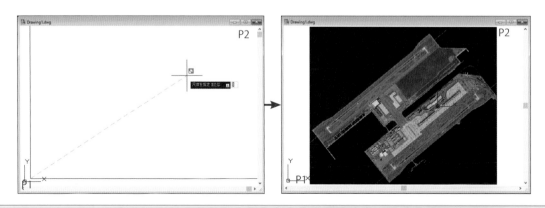

2 クリップ [ImageClip][Clip]

リボンメニュー	[挿入] タブ -> [参照] パネル -> [クリップ]
プルダウンメニュー	[修正] -> [クリップ] -> [イメージ]
コマンド	ImageClip , Clip

1 イメージファイルを切り取る

① [参照] パネル -> [クリップ] を選択します。

②クリップするオブジェクトを選択：
　イメージの端を指示して選択します。

③イメージ クリップ オプションを入力 [オン (ON)/
　オフ (OFF)/ 削除 (D)/ 境界作成 (N)] < 境界作成 >： ⏎

④外側モード - 境界の外側にあるオブジェクトが
　隠されます。
　クリップ境界を指定 または 反転オプションを選択：
　[ポリラインを選択 (S)/ ポリゴン (P)/ 矩形 (R)/ クリップ
　を反転 (I)] < 矩形 >： ⏎

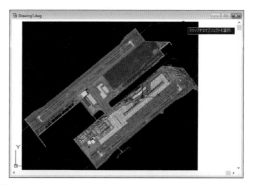

⑤ 1 番目のコーナー点を指定：
　切り取る 1 点目 (右上 P1) を指示します。

⑥もう一方のコーナー：
　2 点目 (左下 P2) を指示します。

⑦イメージが切り取られました。

💡 [クリップ] -> [クリップを削除] を選ぶと、
　クリップされたイメージは元の大きさに戻ります。

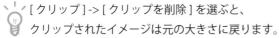

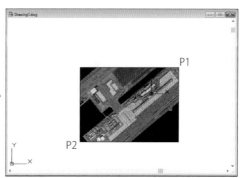

外部ファイル

3 調整 [ImageAdjust][Adjust]

リボンメニュー	[挿入] タブ -> [参照] パネル -> [調整]
プルダウンメニュー	[修正] -> [オブジェクト] -> [イメージ] -> [調整]
コマンド	ImageAdjust , Ajust

ラスター（イメージ）ファイルの画質（明るさ、コントラスト）を調整します。

❶ イメージの画質を調整 (Adjust)

① [参照] パネル -> [調整] を選択します。

② <u>イメージまたはアンダーレイを選択：</u>

　ラスターファイルの境界を指示します。

③ [イメージのオプションを入力] が表示されます。

　（ コントラスト、フェード、明るさ] から選択します。

memo　[位置] パネル -> [位置を設定] コマンドで
　　　< 羽田空港 > の画像を取得しました。

©2021 Microsoft Corporation ©DigitalBlobe
©CNES(2021) Distribution Airbus

❷ イメージの画質を調整 (ImageAdjust)

① プルダウンメニュー [修正] -> [オブジェクト] -> [イメージ] -> [調整] を選択します。

② <u>イメージを選択：</u>

　ラスターファイルの境界を指示します。

③ [イメージ調整] ダイアログが表示されます。

イメージ画質の調整	
明るさ	イメージの明るさをコントロールします。値が大きいほどイメージは鮮明になります。
コントラスト	値が大きいほど、各ピクセルの基本色または 2 次色になるピクセルの割合が大きくなります。
フェード	値が大きいほど、イメージが現在の背景色と混ざる度合いが高くなります。

外部ファイル

4 フェード [Adjust]

リボンメニュー	[イメージ] リボン タブ -> [調整] パネル -> [フェード]
プルダウンメニュー	ありません
コマンド	Ajust

1 [フェード] の数値を調整する

①フェードは、背景色と混合する度合いを調整します。

フェードは、値が大きいほど背景色と混ざり合って、ぼやけた感じになります。

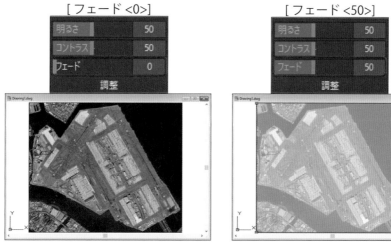

②明るさは、値が大きいほどイメージは鮮明になります。

明るさを最大にすると、明るいというよりも白っぽくなります。

③コントラストは、値が大きいほど各ピクセルの基本色の割合が大きくなります。

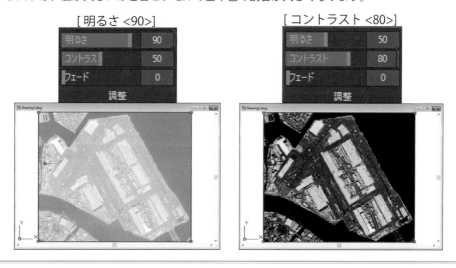

第 3 節　　　　　　　　　　　　PDF

1 PDF 書き出し [ExportPDF]

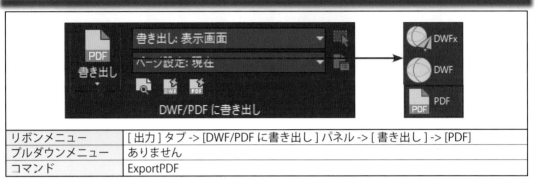

リボンメニュー	[出力] タブ -> [DWF/PDF に書き出し] パネル -> [書き出し] -> [PDF]
プルダウンメニュー	ありません
コマンド	ExportPDF

1 図面を PDF として保存する【機械図 .dwg】

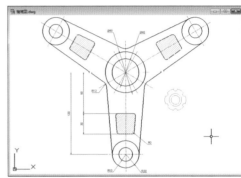

① 右の図面を PDF として保存します。

　画層やリンクの情報も保存できます。

② [DWF/PDF に書き出し] パネル -> [書き出し] -> [PDF] を選択します。

③ [PDF に名前を付けて保存] ダイアログが表示されます。

④ [ファイル名] に名前を入力して、[OK] ボタンを押します。

⑤ [オプション] ボタンを押して、PDF の詳細を指定できます。

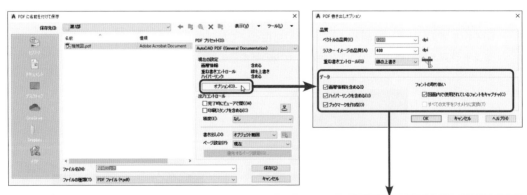

PDF 書き出しオプションの [データ]	
画層情報を含める	PDF ファイルの表示または印刷時に、画層を表示 / 非表示にできます。
ハイパーリンクを含める	図面ファイルのハイパーリンクを PDF ハイパーリンクに変換します。
ブックマークを作成	ビューへのリンクを PDF の " しおり " としてブックマークを作成します。
フォントの取り扱い	PDF ファイルに TrueType フォントを埋め込めます。

2 PDF 読み込み [PDFImport]

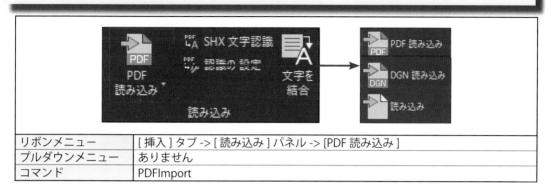

リボンメニュー	[挿入] タブ -> [読み込み] パネル -> [PDF 読み込み]
プルダウンメニュー	ありません
コマンド	PDFImport

1 PDF を図面ファイルとして読み込む (PDF を DWG に変換)【機械図 .pdf】

① [読み込み] パネル -> [PDF 読み込み] を選択します。

② [PDF ファイルを選択] ダイアログから、読み込む PDF を選択します。(左下図)

③ [PDF を読み込む] ダイアログで [位置][読み込む PDF データ][画質][オプション] を指定して
[OK] ボタンを押します。(右下図)

④選択した PDF が図面内に挿入されます。

[機械図 .pdf] が [Drawing1.dwg] 内に挿入されました。

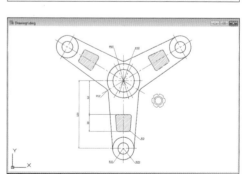

⑤ [画層プロパティ管理] で確認すると、[PDF_0] の
ように画層名の前に [PDF_] が付加されています。

[PDF の画層を使用] で読み込むと、
図面の画層名が引き継がれます。

[オブジェクトの画層を作成] で読み込むと、
ジオメトリのタイプごとに分けられます。

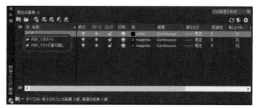

外部ファイル

3 PDF アンダーレイをクリップ [Clip]

リボンメニュー	[挿入] タブ -> [参照] パネル -> [クリップ]
プルダウンメニュー	ありません
コマンド	Clip

1 PDF を参照ファイルとして挿入する (アタッチ)【建築図 .pdf】

① [参照] パネル -> [アタッチ] を選択します。

② [ファイルを選択] ダイアログから、アタッチする
　PDF を選択します。(建築図 .pdf)

③ [PDF アンダーレイをアタッチ] ダイアログで
　[挿入点][尺度][回転] を指定して [OK] ボタンを押し
　ます

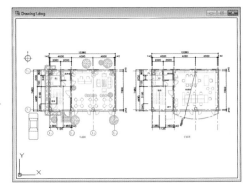

2 必要な範囲だけをクリッピングする (クリップ)

① [参照] パネル -> [クリップ] を選択します。
　クリップするオブジェクトを選択：読み込んだ PDF の外枠を選択します。

② PDF クリップ オプションを入力 [オン (ON)/ オフ (OFF)/ 削除 (D)/ 境界を新規作成 (N)] < 境界を新規
　作成 (N)>: N ⏎

③ クリップ境界を指定 または 反転オプションを選択：
　[ポリラインを選択 (S)/ ポリゴン (P)/ 矩形 (R)/ クリップを反転 (I)] < 矩形 (R)>:
　マウスで切り取る範囲 (P1 - P2) をクリックします。

④ P1 - P2 に囲まれた部分だけがクリッピングされます。

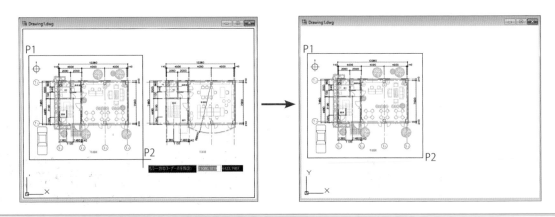

4　PDF アンダーレイ画層 [ULayers]

リボンメニュー	[挿入] タブ -> [参照] パネル -> [アンダーレイ画層]
プルダウンメニュー	ありません
コマンド	ULayers

① PDF の画層をコントロールする

① [参照] パネル -> [アンダーレイ画層] を選択します。

② [アンダーレイ画層] パネルに読み込んだ PDF の画層一覧が表示されます。(右下図)

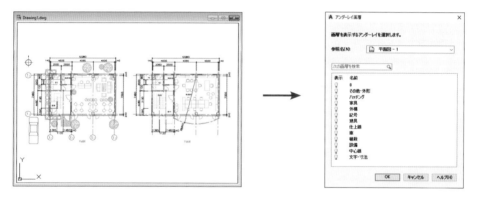

③ [アンダーレイ画層] パネルから、画層 < 家具 >< 車 >< 植栽 > のチェックを外します。

④ PDF の < 家具 >< 車 >< 植栽 > の画層が非表示になりました。

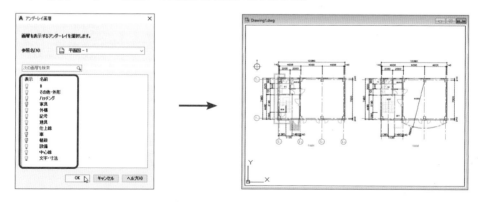

⑤ [アンダーレイにスナップをオン] を選択すると、PDF が図形と同じようにスナップが有効になります。

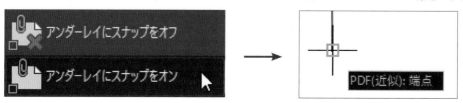

外部ファイル

第 4 節　　　　　　　　　　DXF・DWF

1　DXF で保存 [Saveas]

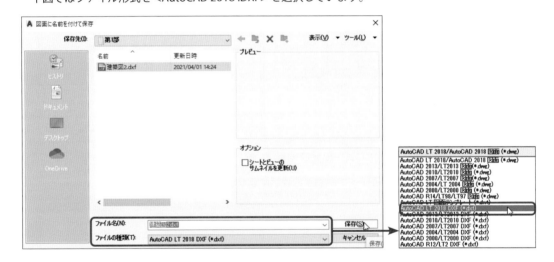

リボンメニュー	[クイックアクセス ツールバー] -> [名前を付けて保存]
プルダウンメニュー	[ファイル] -> [名前を付けて保存]
コマンド	Saveas

1　中間ファイル (DXF) で保存

① [クイックアクセスツールバー] -> [名前を付けて保存] を選択します。

　[ファイルの種類] から拡張子が <dxf> のバージョンを選びます。

　　下図ではファイル形式を <AutoCAD 2018 .DXF> を選択しています。

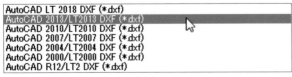

② DXF ファイルのバージョンは下図のように初期の DXF ファイル形式から選択できます。

　DXF ファイルで提供する相手のバージョンに合わせて保存しましょう。

③ DXF ファイルは、右図のようにテキストファイルです。

　メモ帳などのエディタで開いて確認できます。

外部ファイル

2 DXF を開く [Open]

リボンメニュー	[クイックアクセスツールバー] -> [開く]
プルダウンメニュー	[ファイル] -> [開く]
コマンド	Open

1 中間ファイル (DXF) を開く

① [クイックアクセスツールバー] -> [開く] を選択します。

　　[ファイルの種類] から拡張子が <dxf> のファイルを選びます。

　　下図では < 建築図 2. DXF> を選択しています。

②下図のように、図面の拡張子は <dxf> になっています。

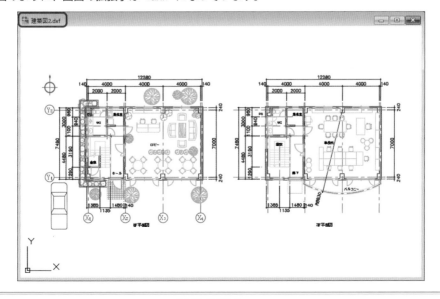

3 DWF アタッチ [DwfAttach]

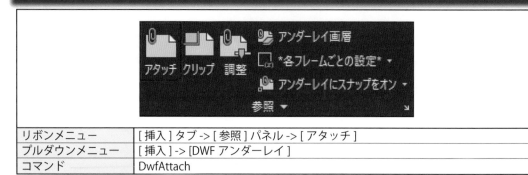

リボンメニュー	[挿入] タブ -> [参照] パネル -> [アタッチ]
プルダウンメニュー	[挿入] -> [DWF アンダーレイ]
コマンド	DwfAttach

DWF (Design Web Format) は Web 上の図面表示に適したベクトルデータ形式です。

また、この図面は CAD に依存しない DWF 形式の図面です。

この DWF を画像データと同じように外部参照として、図面内に読み込み下書き (アンダーレイ)
として利用できます。

1 DWF を読み込む

① [参照] パネル -> [アタッチ] を選択します。

　[参照ファイルを選択] ダイアログが表示されます。

② DWF を選択すると、[DWF アンダーレイをアタッチ] のダイアログが表示されます。

　挿入の位置や尺度が指定できます。

③ [OK] ボタンを押すと、図面内に挿入されます。

　この図はあくまで下書き図ですから、DWG ファイルと同じような修正はできません。

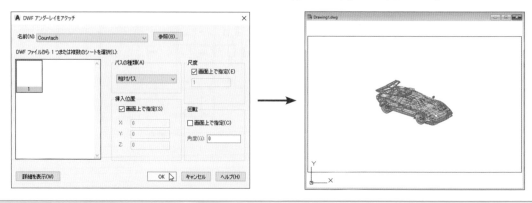

外部ファイル

第9章　ダイナミックブロック

通常のブロックにパラメトリックな情報を与え、
自由に大きさや角度を変更することができます。
このようなブロックをダイナミックブロックと呼びます。

この章では、
ダイナミックブロックの
作成方法を学びます。

第 1 節　　　ダイナミックブロックとは？

1　ブロックとダイナミックブロックの違い

1　[ダイナミックブロック] とは

ダイナミックブロックは、従来のブロックに移動や複写、回転、ストレッチなどのコマンドを付加したブロックです。

また複数のブロックを 1 つのブロックにまとめて、それぞれ異なる動作（1 つはストレッチであったり、他は尺度変更であったり）を与えることができます。

下の例を見てみましょう。

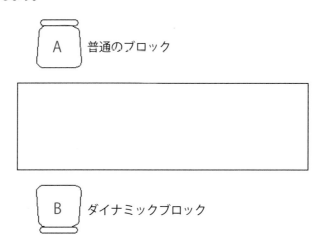

①上の図には、普通のブロック A とダイナミックブロック B があります。

今、A のブロックを右へ 3 つ配列複写しようと思います。

② [修正] パネルの [配列複写 (ArayClassic)] を使います。

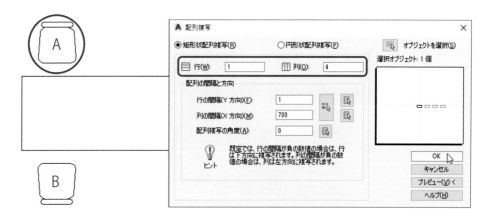

③ [配列複写] ダイアログで [矩形状配列複写]、[行] に <1>、[列] に <4> を指定します。

また [列の間隔] を <700> として、A のイスを選択します。

④ [OK] ボタンを押してダイアログを閉じます。

⑤以下のように、右へ3つ複写されました。

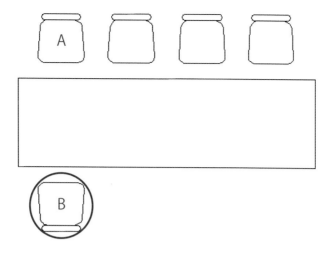

⑥次にBのイスをマウスで選択します。

　イスを選択すると、イスの右方向に水色の三角形が表示されます。

　マウスで三角形を選択して右へ動かすと、イスも指定された間隔で配列複写されます。

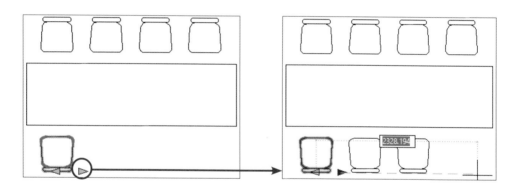

⑦このように、ダイナミックブロックは普通のブロックに動作(尺度変更、回転、配列複写など)が
　付加されたブロックといえます。

⑧また下図のように、ルックアップと呼ばれる一覧表を表示して、マウスでその数値を選択すれば
　配列複写の間隔を自由に変更できる機能もあります。

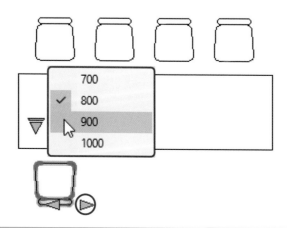

ダイナミックブロック

第2節　　ダイナミックブロックの作成手順

1　ダイナミックブロック作成準備

1 [ブロック] の用意

①右の図はベアリング用の M30 ナットです。
　このナットを 10 ミリ間隔で拡大 (尺度変更) が可能な
　ダイナミックブロックに変換します。
　このナットのブロック名は <M30> です。

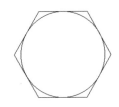

②ブロックの作成や編集は [ブロック定義] パネルの
　[エディタ] で行います。

③ [ブロック定義を編集] ダイアログから [M30] を選び、
　OK ボタンを押します。

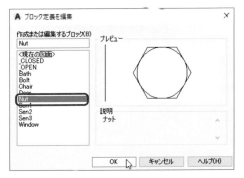

2 [ダイナミックブロック] への変換

① [ブロック定義を編集] ダイアログからブロックを選択すると、下図の画面に切り替わります。
　この画面は [ブロックエディタ環境] と呼ばれています。
　ダイナミックブロックだけでなく、通常のブロックや属性定義も作成できます。
　またブロックの基点 (M30 の基点は円の中心) は、原点に移動しています。

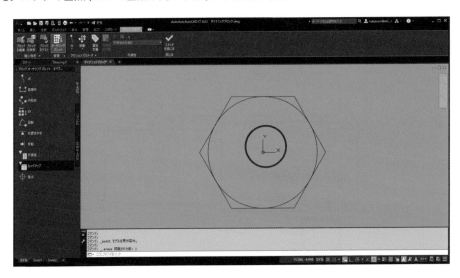

②通常のブロックからダイナミックブロックへの変換は 2 つの手順で行います。

　1 番目は、ブロックにパラメータを与えます。

　これは、ブロックを移動させるのか、回転させるのか、伸縮させるのかといった動作を指定します。

　[パラメータ] パネルから選択します。(図 1)

③次に、ブロックにアクションを与えます。

　例えば、[直線状パラメータ] が与えられたブロックには [移動][複写][尺度変更][ストレッチ] の
　コマンドが対応します。これらのどのコマンドを使うのかを指定します。複数選ぶこともできます。
　[アクション] パネルから選択します。(図 2)

(図 1)

(図 2)

④ [パラメータ] と [アクション] には複雑な動作を付加することもできます。

　例えば、左下図は [直線状パラメータ] プロパティです。

　[距離タイプ] で 30 ミリから 100 ミリの間を 10 ミリ間隔で増減させる設定になっています。

⑤また右下図は [配列複写アクション] のプロパティです。

　[行と列] の項目で、[行の間隔] を <800>、[列の間隔] に <500> を指定しています。

　これは、このダイナミックブロックが縦に <800> ミリ、横に <500> ミリの間隔で配列複写される
　ことを示しています。

2　M30 のブロックをダイナミックブロックに変換

1　ブロック [M30] に尺度変更の機能を付加する

① [ブロック定義] パネルの [エディタ] を選びます。

② [ブロック定義を編集] ダイアログから、[M30] を選択します。

③ [パラメータ] パネルの [直線状] を選びます。M30 に直線的動作を指定します。

④始点を指定：円の中心 (P1) を指定します。
　終点を指定：M30 の右端 (P2) を指定します。（右方向にマウスを動かして伸縮させます。）

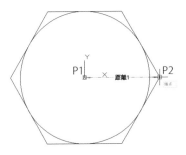

⑤ラベルの位置を指定：[パラメータ] のラベル < 距離 1> を配置します。
　数値の修正は、このラベルを選択して行います。

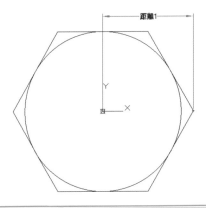

⑥ [アクション] パネルの [尺度変更] を選びます。M30 に [尺度変更] と同じ機能を与えます。

尺度変更
ブロック定義に尺度変更アクションを追加

⑦ パラメータを選択：[パラメータ] のラベル < 距離 1> を選択します。

　アクションのための選択セットを指定　オブジェクトを選択：

　M30 の六角形 (S1) と円 (S2) を選択します。

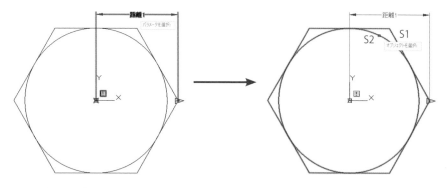

⑧ これで、M30 の普通のブロックを [尺度変更] の機能を持ったダイナミックブロックに変換できました。

　[パラメータ] と [アクション] が正常に指定されると、下図のようになります。

　ブロックエディタを閉じて、作図画面に戻ります。

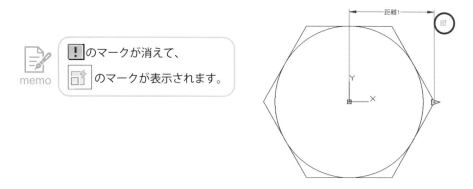

⑨ ダイナミックブロック <M30> を選択すると、右端に水色の矢印 (赤丸) が表示されます。

　中央の水色の四角は移動の基点になります。

　水色の矢印を選択して、マウスを右方向に動かすとブロックは尺度変更されます。

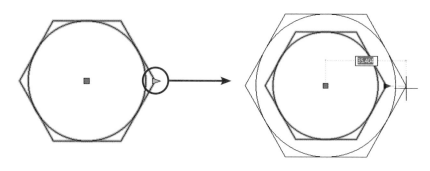

第3節　　　パラメータとアクション

1　ブロックエディタ [Bedit]

リボンメニュー	[挿入] タブ -> [ブロック定義] パネル -> [ブロック エディタ]
プルダウンメニュー	[ツール] -> [ブロック エディタ]
コマンド	Bedit

①[ブロック定義] パネル -> [ブロック エディタ] を選びます。

②作図画面からブロック専用の画面 ([ブロック エディタ] リボン) に切り替わります。

オーサリング パレット

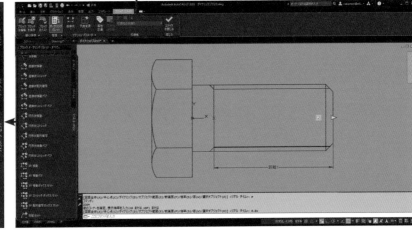

	[ブロックエディタ] リボンタブ	
①	開く / 保存	図面内にあるブロックを開いたり、ブロック定義を保存します。
②	管理	オーサリング パレットを開きます。
③	アクション パラメータ	ブロックにパラメータとアクションを追加します。
④	可視性	ダイナミックブロックに可視パラメータを追加します。 図形の可視状態をコントロールします。
⑤	閉じる	ブロックエディタを終了して図面に戻ります。
⑥	パラメータ	ブロックにパラメータを追加します。
⑦	アクション	ブロックにアクションを追加します。
⑧	パラメータセット	ブロックにパラメータとアクションを同時に追加します。

パネル	説明
点 直線状 （パラメータ）	ブロック内の図形に位置、距離、角度などの制御点を指定します。 図形に情報を設定するためにも使用します。
ストレッチ 円形状ストレッチ （アクション）	選択したパラメータに特定の動作を割り当てます。
直線状ストレッチ 直線状配列複写 （パラメータ セット）	パラメータとアクションの組み合わせを定義したものです。（一度に両方をセットできます。）
可視性の状態 可視性の状態0 可視性	複数のブロックの表示の ON / OFF を指定します。 三面図の切り替えなどに使用します。

③以下の図 (ボルト) は、[直線状] パラメータと [ストレッチ] アクションが与えられたダイナミックブロックです。

④①のパラメータは右方向に [直線状] に動くことを示しています。回転することはできません。
　②のアクションは [ストレッチ] を行うことを示しています。

⑤このようにダイナミックブロックは、[パラメータ] と [アクション] の 2 つで成り立っています。
　最初に [パラメータ] を設定し、そのパラメータに [アクション] を関連付けています。

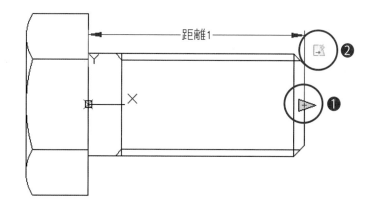

2 パラメータの種類 【ダイナミックブロック.dwg】

①パラメータのタイプは複数あり、各パラメータには固有のプロパティがあります。
[直線状]パラメータには<長さ>の項目が、[円形状]パラメータには<角度>の項目があります。

②各パラメータ固有の数値を変更することで、ダイナミックブロックの長さや角度を変更できます。

点パラメータ	ダイナミックブロックに点パラメータを与えます。
関連するアクション	移動、ストレッチ

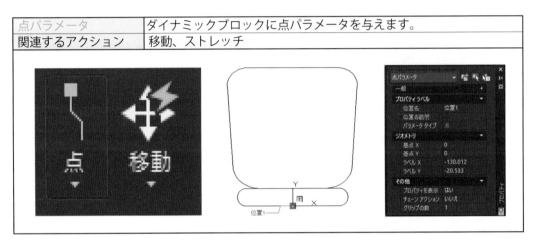

直線状パラメータ	ダイナミックブロックに直線状パラメータを与えます。
関連するアクション	移動、ストレッチ、尺度変更、配列複写

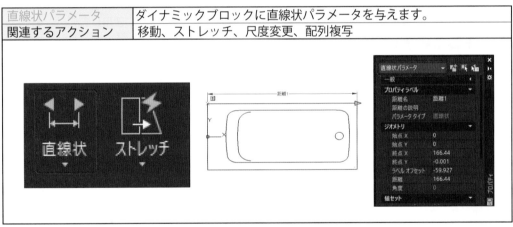

ＸＹパラメータ	ダイナミックブロックにＸＹパラメータを与えます。
関連するアクション	移動、ストレッチ、尺度変更、配列複写

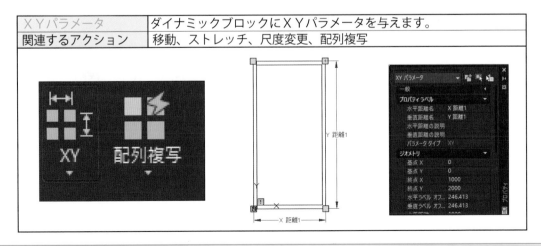

位置合わせグリップ	ダイナミックブロックに位置合わせグリップを与えます。
関連するアクション	ありません。（アクションは自動的に定義されます。）

 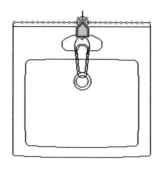 

反転グリップ	ダイナミックブロックに反転グリップを与えます。
関連するアクション	反転

 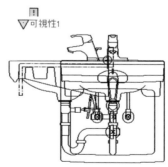 

可視性パラメータ	ダイナミックブロックに可視性パラメータを与えます。
関連するアクション	ありません。（アクションは自動的に定義されます。）

Point!

パラメータの注意点

①パラメータの値を一定間隔や指定した値の一覧で変更できるようにするには、
　プロパティの[値セット]で指定します。

②1つのパラメータに複数のアクションを割り当てることができます。
　これにより、1つのグリップを操作することで、複数のアクションを同時に実行できます。

3 アクションの種類【ダイナミックブロック .dwg】

①アクションはパラメータにストレッチや回転といった動作を付加します。

　［直線状］パラメータには＜尺度変更＞＜ストレッチ＞＜移動＞＜配列複写＞を付加できます。

　［回転］パラメータには＜回転＞を付加できます。

②1つのパラメータに複数のアクションを割り当てることができます。

尺度変更	ダイナミックブロックの尺度を変更します。
必須パラメータ	直線状、円形状、ＸＹ

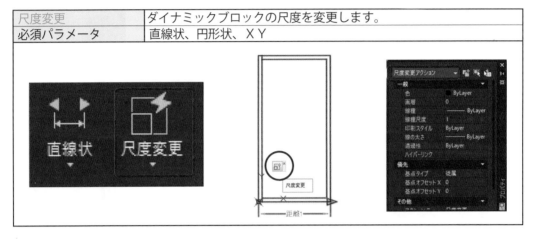

ストレッチ	ダイナミックブロックを直線的にストレッチします。
必須パラメータ	直線状、ＸＹ

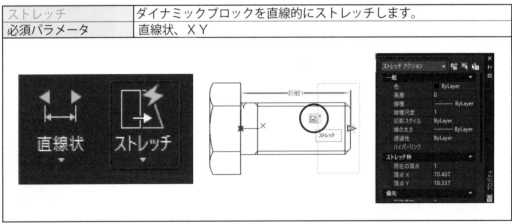

円形状ストレッチ	ダイナミックブロックを円形状にストレッチします。
必須パラメータ	円形状

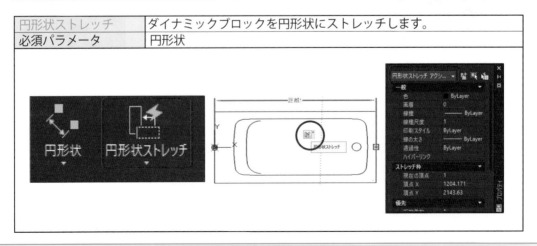

回転	ダイナミックブロックを回転します。
必須パラメータ	回転

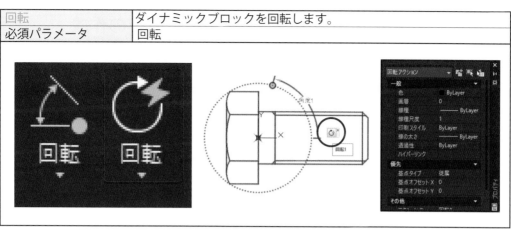

反転	ダイナミックブロックを反転します。
必須パラメータ	反転

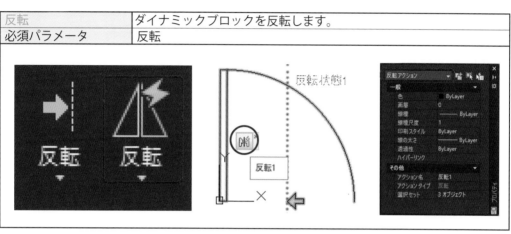

配列複写	ダイナミックブロックを配列複写します。
必須パラメータ	直線状、円形状、ＸＹ

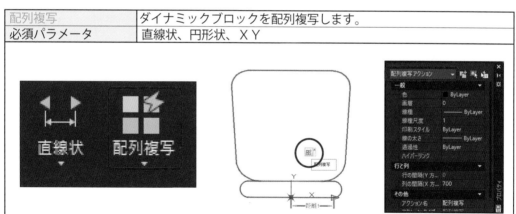

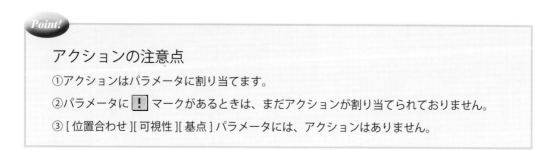

Point!

アクションの注意点

①アクションはパラメータに割り当てます。

②パラメータに ！ マークがあるときは、まだアクションが割り当てられておりません。

③[位置合わせ][可視性][基点] パラメータには、アクションはありません。

第4節　　ダイナミックブロックの作成

配列複写 [ブロック (chair) がマウスで横方向に連続複写 (配列複写) される。]

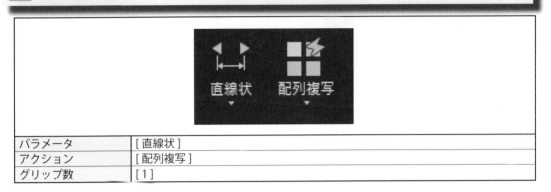

パラメータ	[直線状]
アクション	[配列複写]
グリップ数	[1]

① [ブロック (Chair)] の読み込み【ダイナミックブロック .dwg】

① [ブロック定義] パネル -> [エディタ] を選択し、ブロック <Chair> を選択します。

② <Chair> ブロックの背もたれの中点がブロックの挿入基点になっています。
　ダイナミックブロックの作成画面では、挿入基点が原点になります。

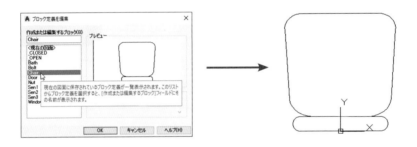

② [直線状] パラメータの指定

① [直線状] パラメータは始点 (P1) と終点 (P2) の 2 点を指定します。P1 から P2 の方向へ配列複写します。

②始点を指定 : P1(背もたれの中点) を指示します。

③終点を指定 : P2(背もたれの右端) を指示します。

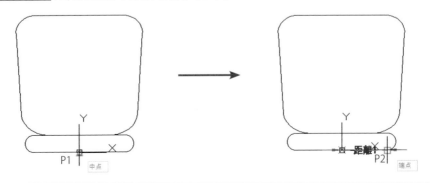

④ラベルの位置を指定：背もたれの下方を指示します。(図形と重ならないように配置します。)

⑤ [プロパティ] でグリップの数を <2> から <1> へ変更します。
　ブロックを配列複写するときにマウスで指定するポイント (グリップ) が表示されます。
　配列複写では左右の 2 方向に可能性がありますが、グリップ数を 1 つにすると 1 方向 (右方向) だけに
　複写されます。(P1 → P2 の方向)

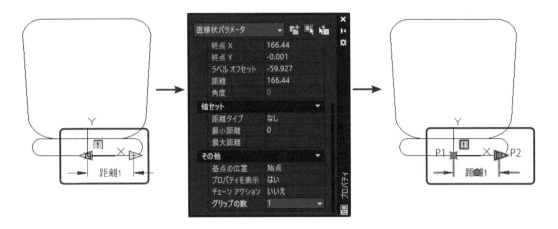

⑥下図のように [直線状] のパラメータが配置されました。
　　!　マークは、まだ [アクション] が指定されていないことを表しています。
　アクションを指定すると、このマークは消えます。

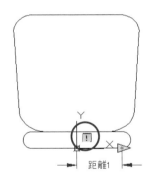

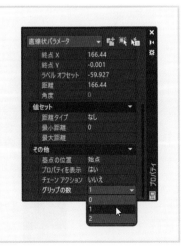

Point!

グリップの数を変更するには。

①パラメータ [距離 1] を選択して、[プロパティ] を表示
　させます。

② [プロパティ] の一番下の [グリップの数] の項目で数を
　変更します。

③この項目に表示されるグリップの数は、配列複写で可能性
　のある数字が表示されます。
　グリップの数は 2 が最高です。

3 [配列複写] アクションの指定

① [直線状] パラメータは始点 (P1) と終点 (P2) の 2 点を指定します。P1 から P2 の方向へ配列複写します。

② <u>パラメータを選択</u> : [距離 1] の寸法を選択します。

③ <u>アクションのための選択セットを指定</u>
　<u>オブジェクトを選択</u> : P3 から P4 と図形全部を囲みます。

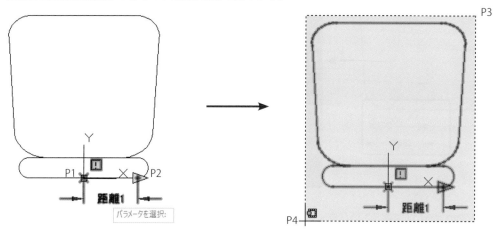

④ <u>X 方向の間隔を指定 (||||):</u> <700> と入力します。(700 ミリの間隔で右に複写されます。)

⑤ [配列複写] のラベルが自動的に配置されますが、適当な位置に移動できます。
　ラベルは後で [複写間隔] などを変更する場合にマウスでこのラベルを選択するために必要です。
　ラベルを配置すると、 ! マークが消えます。

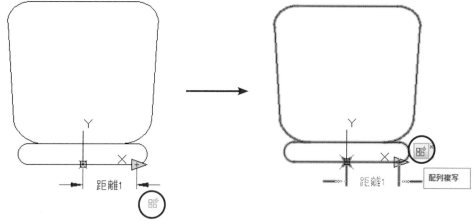

⑥ [閉じる] パネルの [エディタを閉じる] を選択します。
　[・・どのようにしますか] のダイアログに対して < 保存 > を指示して、作図画面に戻ります。

④ 作図画面で動作を確認する

①作図画面で [Chair] ブロックを選択すると、ブロックの基点 (水色のボックス) と複写の方向を示す
　水色の矢印が表示されます。

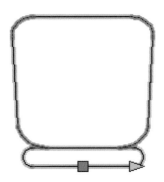

②マウスで矢印を選択して、右方向へ動かすと 700 ミリの間隔でブロック (Chair) が複写されます。

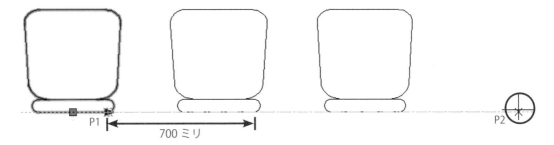

⑤ 複写の間隔を変更する

① [配列複写] 間隔の変更は、ブロックエディタ内で行います。

②ダイナミックブロック [Chair] の [アクション] のラベルを選択して、[プロパティ] を表示させます。

③ [プロパティ] の中の [列の間隔] の数値を変更します。

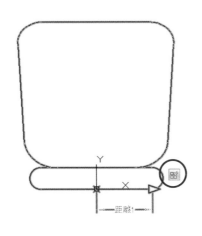

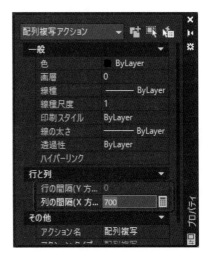

2 XY 配列複写 [ブロック (Window) がマウスで横方向と縦方向に連続複写 (配列複写) される。]

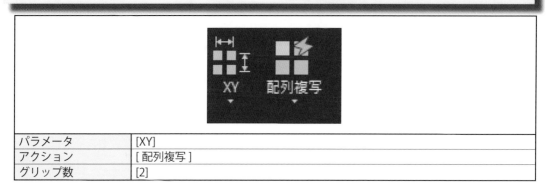

パラメータ	[XY]
アクション	[配列複写]
グリップ数	[2]

1 [ブロック (Window)] の読み込み【ダイナミックブロック .dwg】

① [ブロック定義] パネル -> [エディタ] を選択し、ブロック <Window> を選択します。

② <Window> ブロックの左下がブロックの挿入基点になっています。
ダイナミックブロックの作成画面では、挿入基点が原点になります。

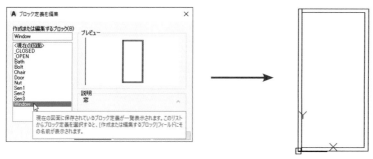

2 [XY] パラメータの指定

① [XY] パラメータは始点 (P1) と終点 (P2) の 2 点を対角線で指定します。

②基点を指定：P1(Window の左下) を指示します。

③終点を指定：P2(Window の右上) を指示します。
これで、横 (X) 方向と縦 (Y) 方向の複写距離を同時に指定したことになります。

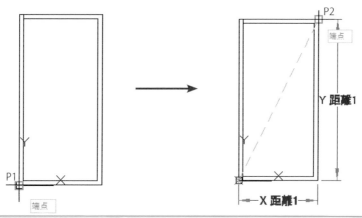

④ラベルは自動的に配置されます。

⑤ [プロパティ] でグリップの数を <4> から <2> へ変更します。(P1 と P2)

ブロックを配列複写するときにマウスで指定するポイント (グリップ) が表示されます。

XY 配列複写では上下左右の 4 方向に可能性がありますが、グリップ数を 2 つにすると 2 方向
（左、左下方向と右、右上方向）にだけ複写されます。

⑥下図のように [XY 配列複写] のパラメータが配置されました。

⚠️ マークは、まだ [アクション] が指定されていないことを表しています。

アクションを指定すると、このマークは消えます。

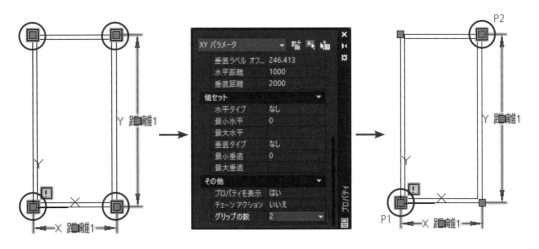

Point!

グリップの数を変更するには。

①パラメータ [X 距離 1] または [Y 距離 1] を選択して、
[プロパティ] を表示させます。

② [プロパティ] の一番下の [グリップの数] の項目で数を
変更します。

③この項目に表示されるグリップの数は、XY 複写で可能性
のある数字が表示されます。
グリップの数は 4 が最高です。

④ [グリップの数] を <4> にすると、上下左右に複写できます。

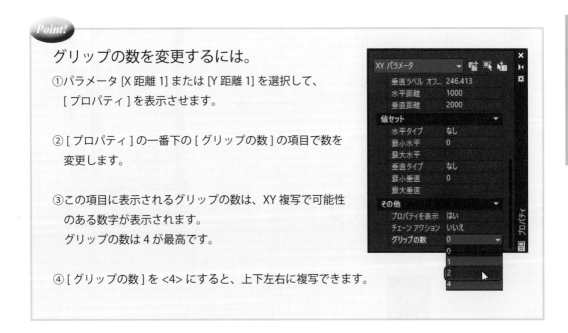

ダイナミックブロック

③ [配列複写] アクションの指定

① [XY] パラメータは X 方向と Y 方向へ同時に配列複写します。

② <u>パラメータを選択</u> : [X 距離 1] または [Y 距離 1] の寸法を選択します。(S1、S2 のどちらでも構いません。)

③ <u>アクションのための選択セットを指定</u>
　　<u>オブジェクトを選択</u> : P1 から P2 と図形全部を囲みます。

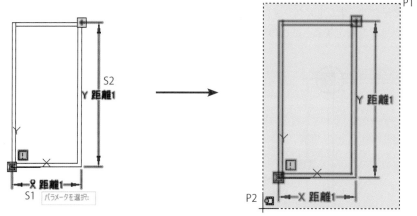

④ <u>Y 方向の間隔を指定 (---):</u>　<2000> と入力します。(2000 ミリの間隔で上へ複写されます。)
　　<u>X 方向の間隔を指定 (||||):</u>　<1000> と入力します。(1000 ミリの間隔で右へ複写されます。)

⑤ [XY 配列複写] のラベルが自動的に配置されますが、適当な位置に移動できます。
　　ラベルは後で [複写間隔] などを変更する場合にマウスでこのラベルを選択するために必要です。
　　ラベルを配置すると、 ! マークは消えます。

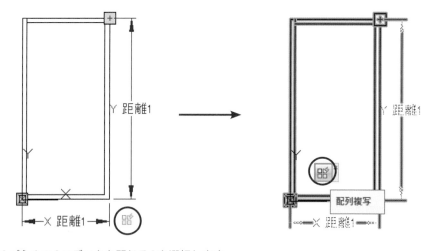

⑥ [閉じる] パネルの [エディタを閉じる] を選択します。
　　[・・どのようにしますか] のダイアログに対して < 保存 > を指示して、作図画面に戻ります。

④ 作図画面で動作を確認する

①作図画面で [Window] ブロックを選択すると、水色のボックスが 2 つ表示されます。

　①を選択すると [左と左下方向] へ配列複写、②を選択すると [右と右上方向] へ配列複写します。

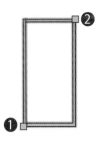

☞ 上下左右の 4 方向に配列複写するときは、
　　[グリップの数] を <4> にします。

②マウスで②を選択して、右上方向へ動かすと横 1000 ミリ、縦 2000 ミリの間隔でブロック (Window) が複写されます。

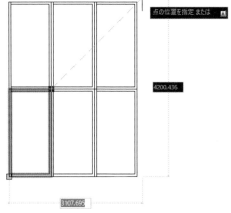

⑤ 複写の間隔を変更する

① [配列複写] 間隔の変更は、ブロックエディタ内で行います。

②ダイナミックブロック [Window] の [アクション] のラベルを選択して、[プロパティ] を表示させます。

③ [プロパティ] の中の [行と列] の [行の間隔 ..][列の間隔 ..] の数値を変更します。

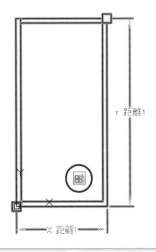
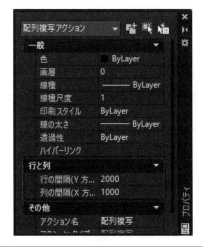

3 反転 [ブロック (Door) がマウスで反転される。]

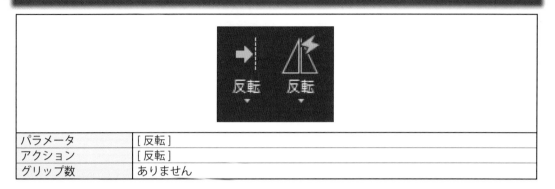

パラメータ	[反転]
アクション	[反転]
グリップ数	ありません

1 [ブロック (Door)] の読み込み【ダイナミックブロック .dwg】

① [ブロック定義] パネル -> [エディタ] を選択し、ブロック <Door> を選択します。

② [Door] ブロックの左下の吊元の端点がブロックの挿入基点になっています。
ダイナミックブロックの作成画面では、挿入基点が原点になります。

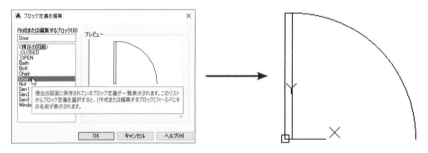

2 [反転] パラメータの指定

① [反転] パラメータは対称軸の 2 点 (P1、P2) を指定します。P1 - P2 を軸として反転します。

②対称軸の基点を指定：Door の左下と右下の中点 (P1) を指示します。

③対称軸の終点を指定：直交モードでマウスを上方の位置へ動かし、適当な位置 (P2) を指示します。

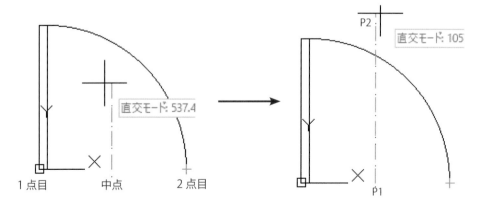

④ラベルの位置を指定： Door の上方に配置します。

⑤ [反転] パラメータにはグリップはありません。矢印を指示するごとに、ブロックは反転します。

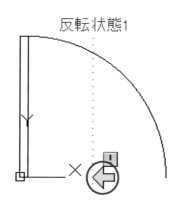

⑥下図のように [反転] のパラメータが配置されました。

　■! マークは、まだ [アクション] が指定されていないことを表しています。

　アクションを指定すると、このマークは消えます。

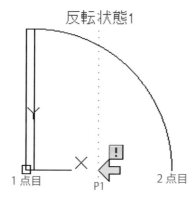

Point!

2 点の中点を取るには。

①1 点目を指示する前に、右ボタンのショートカットから
　[O スナップ] を表示させます。(Shift + 右ボタン)

②上から 3 番目に [2 点間中点] があります。

③これを選択してから 2 点を指示すると、その中間点の P1
　が取得できます。

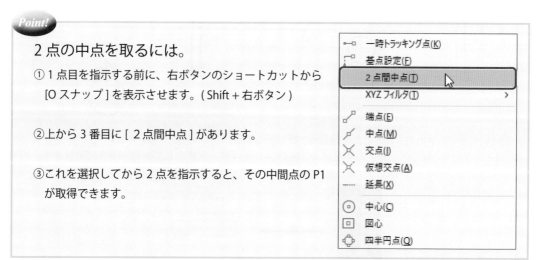

③ [反転] アクションの指定

① [反転] パラメータは対称軸を基準にしてブロックを反転します。

② パラメータを選択：[反転状態 1](S1) を選択します。

③ アクションのための選択セットを指定

　オブジェクトを選択：P1 から P2 と図形全部を囲みます。

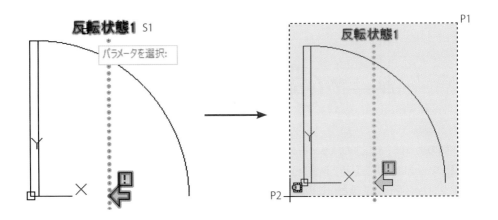

④ [反転] のラベルが自動的に配置されますが、適当な位置に移動できます。

　ラベルを配置すると、🔳 マークは消えます。

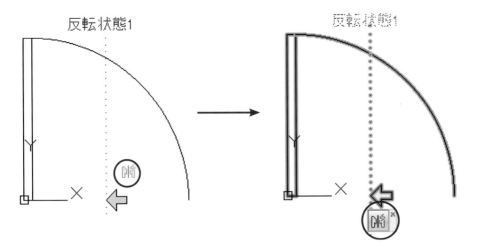

⑤ [閉じる] パネルの [エディタを閉じる] を選択します。

　[・・どのようにしますか] のダイアログに対して＜保存＞を指示して、作図画面に戻ります。

④ 作図画面で動作を確認する

① 作図画面で [Door] ブロックを選択すると、ブロックの基点 (水色のボックス) と反転の方向を示す水色の矢印が表示されます。

①は挿入基点なので、これを選択すると [移動] になります。②を選択すると [反転] になります。

② 初期値の状態では、プロパティの [反転状態 1] は < 反転なし > となっています。

③ マウスで②を指示すると、ブロック [Door] が反転します。指示するごとに [Door] は反転します。

④ プロパティの [反転状態 1] は < 反転 > に変わります。

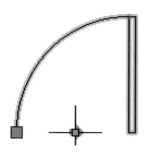

⑤ 反転の角度を変更する

① [反転] 角度の変更は、ブロックエディタで行います。

② ダイナミックブロック [Door] の [パラメータ] のラベルを選択して、[プロパティ] を表示させます。

③ [プロパティ] の中の [ジオメトリ] の [角度] の数値を変更します。

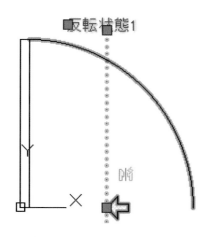
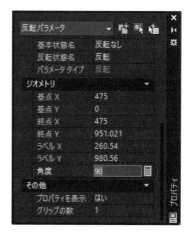

4 ストレッチ [ブロック (Bolt) がマウスでストレッチされる。]

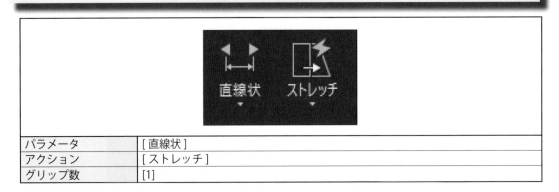

パラメータ	[直線状]
アクション	[ストレッチ]
グリップ数	[1]

1 [ブロック (Bolt)] の読み込み【ダイナミックブロック .dwg】

① [ブロック定義] パネル -> [エディタ] を選択し、ブロック <Bolt> を選択します。

② [Bolt] ブロックの P 点がブロックの挿入基点になっています。
ダイナミックブロックの作成画面では、挿入基点が原点になります。

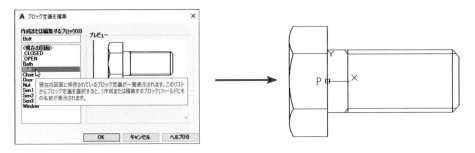

2 [直線状] パラメータの指定

① [直線状] パラメータは始点 (P1) と終点 (P2) の 2 点を指定します。P1 と P2 の間をストレッチします。

②始点を指定 : P1 を指示します。

③終点を指定 : P2(Bolt の右端の中点) を指示します。

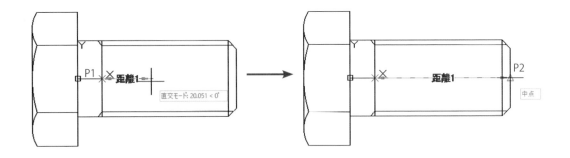

④ラベルの位置を指定：[Bolt] の下方を指示します。

⑤ [プロパティ] でグリップの数を <2> から <1> へ変更します。

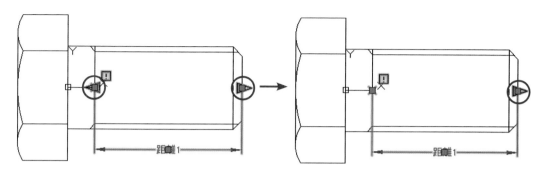

⑥下図のように [直線状] パラメータが配置されました。

　!! マークは、まだ [アクション] が指定されていないことを表しています。

　アクションを指定すると、このマークは消えます。

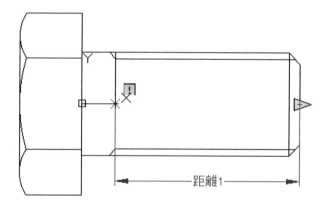

Point!

グリップの数を増やすと。

①プロパティで [グリップの数] を <2> にすると、左方向への矢印が追加されます (赤丸)。

②この場合、赤丸の矢印を指示すると左方向へもストレッチされます。

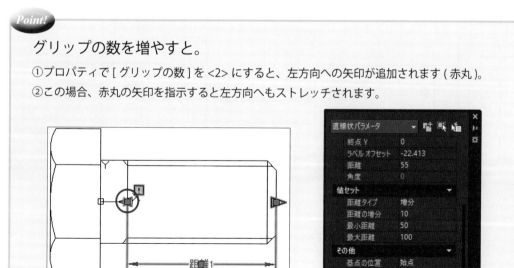

3 [ストレッチ] アクションの指定

① [ストレッチ] パラメータは対象図形を三角形グリップの矢印の方向へストレッチします。

②<u>パラメータを選択:</u> [距離1](S1) を選択します。

③<u>アクションと関連付けるパラメータ点を指定:</u> グリップの矢印 (P) を指示します。
　こちらの方向 (右方向) へストレッチできます。

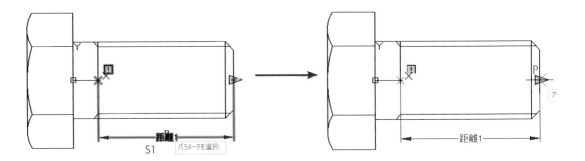

④<u>ストレッチ枠の最初の点を指定:</u>
　マウスで P1 から P2 へパラメータを選択するように囲みます。(図1)
　(ストレッチに関連するパラメータ <距離1> も取得します。)

⑤<u>ストレッチするオブジェクトを指定 オブジェクトを選択:</u>
　マウスで P3 から P4 へストレッチさせる箇所 (4本の線分) と交差するように囲みます。(図2)

　　👉 パラメータを先に選択 (図1) して、次にストレッチさせる図形を選択 (図2) します。

（図1）　　　　　　　　　　　　　　（図2）

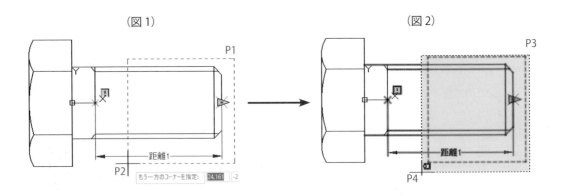

　　👉 <P1 - P2>、<P3 - P4> はどちらも右から左へ4本の横線と <距離1> とに
　　　クロスするように囲みます。

⑥ [ストレッチ] のラベルが自動的に配置されますが、適当な位置に移動できます。

　ラベルは後で [ストレッチ] を変更する場合にマウスでこのラベルを選択するために必要です。

　ラベルを配置すると、■ マークは消えます。

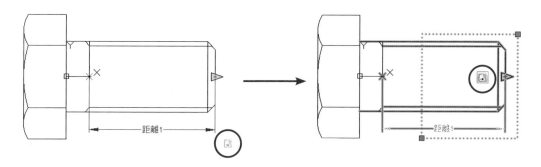

⑦ [閉じる] パネルの [エディタを閉じる] を選択します。

　[・・どのようにしますか] のダイアログに対して < 保存 > を指示して、作図画面に戻ります。

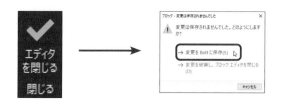

4 作図画面で動作を確認する

①作図画面で [Bolt] ブロックを選択すると、ブロックの基点 (水色のボックス) とストレッチの方向を示す水色の矢印が表示されます。

　①は挿入基点なので、これを選択すると [移動] になります。②を選択すると [ストレッチ] になります。

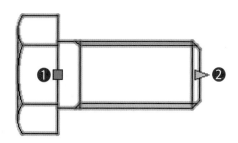

②マウスで②を選択すると、ブロック [Bolt] がストレッチします。

　グリップが 1 つなので、右方向しか伸縮できません。

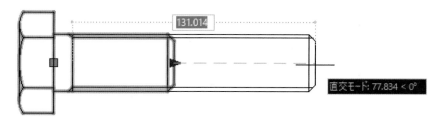

⑤ [増分] を指定して、数値でストレッチする

① [ブロックエディタ] 内でブロック [Bolt] のパラメータ [距離 1] を選択し、[プロパティ] を表示させます。

② [値セット] の [距離タイプ] に [増分] を選びます。

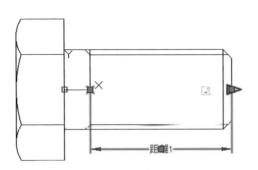

③ [距離増分] を < 10 >・・・< 10 > ミリごと伸縮します。

　 [最小距離] を < 50 >・・・伸縮部分の最小を < 50 > ミリにセットします。

　 [最大距離] を <100>・・・伸縮部分の最大を <100> ミリにセットします。

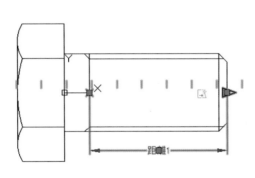

④赤のグリップを選択すると、右方向に <10> ミリ間隔で縦線が表示されます。

　 マウスはこの間隔でロックされ、最小 <50> ミリから最大 <100> ミリの間で動きます。

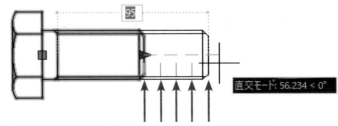

☞ [増分] は指定した増分 (ステップ) ごとにしか伸縮しません。

❻ [リスト] を指定して、数値でストレッチする

① [ブロックエディタ] 内でブロック [Bolt] のパラメータ [距離1] を選択し、[プロパティ] を表示させます。

② [値セット] の [距離タイプ] に [リスト] を選びます。

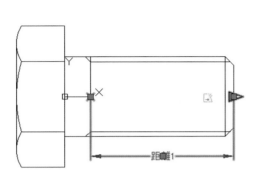

③ [値セット] の [距離値を追加] パネルに [追加] ボタンを押して順番に数値を入力します。

　 [削除] ボタンを押すと、その数値は削除されます。

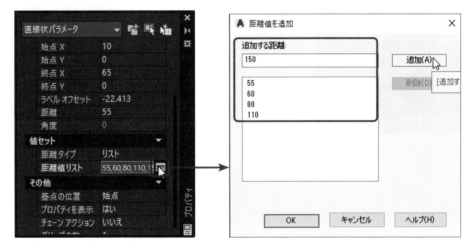

④赤のグリップを選択すると、右方向にリストの数値にしたがって縦線が表示されます。

　 マウスはこの間隔でロックされ、リストの数値の間で動きます。

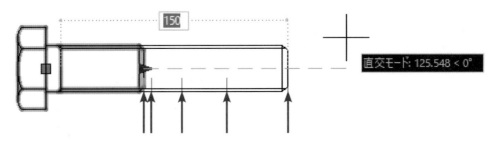

☞ [リスト] は伸縮の間隔を自由に設定できます。

5　ルックアップ [ブロック (Bolt) が一覧表からストレッチされる。]

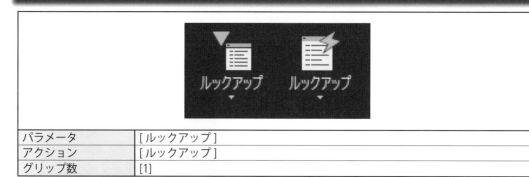

パラメータ	[ルックアップ]
アクション	[ルックアップ]
グリップ数	[1]

前ページでは、Bolt の長さを [増分 (左下図)] と [リスト (右下図)] で変更しました。
もう一つ、[ルックアップ] という方法で長さを変更することができます。
[ルックアップ] は一覧表を表示して、その中の数値を選択すれば、Bolt の長さを変更できます。

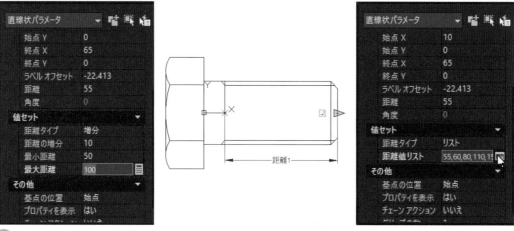

① [ルックアップ] を使用して、数値を選んでストレッチする

① [パラメータ] パネルの [ルックアップ] を配置します。

②パラメータの位置を指定：P1 あたりを指定します。

　　[ルックアップ] パラメータはブロック (Bolt) の近くに配置します。

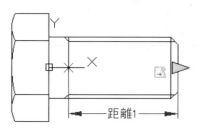

③グリップの数は <1> になっていますから、変更はありません。

④下図のように、ブロック (Bolt) の近くに [ルックアップ] パラメータが配置されました。
　この位置に一覧表が表示されます。

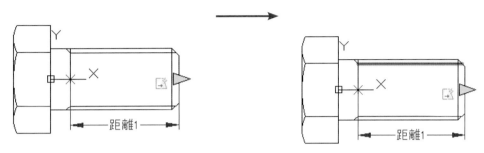

⑤次にこの [ルックアップ] パラメータに [ルックアップ] アクションを与えます。
　[アクション] パネルの [ルックアップ] を選択します。

⑥<u>パラメータを選択 :</u> パラメータ [ルックアップ 1] を選択します。

⑦ [プロパティルックアップテーブル] が表示されます。このテーブルに数値を入力します。

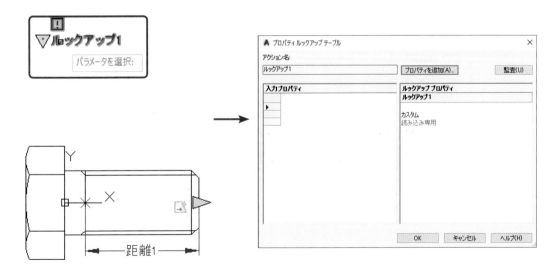

⑧ [プロパティルックアップテーブル] の右上にある [プロパティを追加] を選びます。

これは、どの [パラメータ] に [ルックアップテーブル] を結びつけるかを指定するものです。

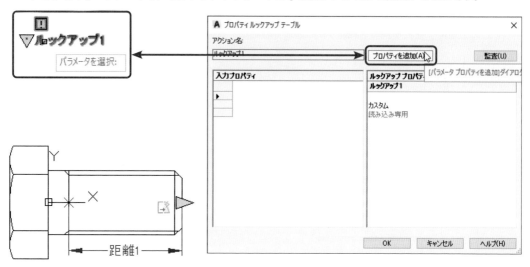

⑨ [パラメータプロパティを追加] パネルから [直線状] を選びます。

この Bolt には [直線状] パラメータだけ指定していますから、1 つだけ表示されています。

⑩ 右側の [ルックアップ プロパティ] の項目は、ルックアップ (一覧表) に表示される文字です。

左側の [距離 1] の項目は、実際に伸縮される数字です。

例えば、右の <Base*1.2> を選ぶと、ボルトの長さは <60 ミリ > になります。

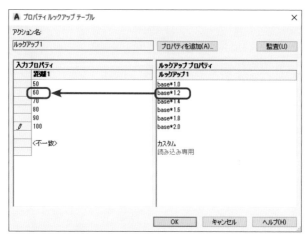

② 作図画面で動作を確認する

①作図画面で [Bolt] ブロックを選択すると、ブロックの基点 (水色のボックス) と伸縮の方向を示す
水色の矢印が表示されます。

①は挿入基点なので、これを選択すると [移動] になります。②を選択すると [伸縮] になります。
そして③がルックアップ (一覧表) が表示される場所です。

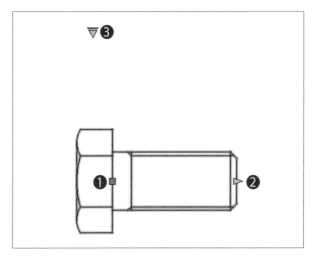

②下向きの三角形③を指示すると、[ルックアップ] 一覧表が下向きに表示されます。
 [ルックアップ] 一覧表から <Base*1.2> を選んだ図が左図です。
 <Base*2.0> を選んだ図が右図です。

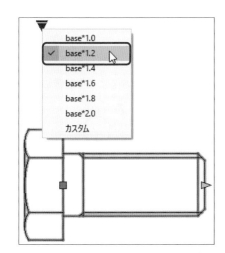
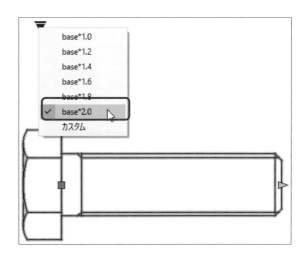

Point!

ダイナミックブロックの長さや角度の数値を変更するには。

①	プロパティの [距離タイプ] の [増分] で増加させる数値を指定する。(均等に増加します。)
②	プロパティの [距離タイプ] の [リスト] で増加させる数値を指定する。(各間隔は自由です。)
③	[ルックアップ] 一覧表に表示される数値を指定する。

6 可視性 [三つのブロック (sen1、sen2、sen3) を順番に表示する]

パラメータ	[可視性]
アクション	ありません
グリップ数	[1]

1 [ブロック (Senmen)] を新規に作成する【ダイナミックブロック .dwg】

① 3 つのブロック [sen1]、[sen2]、[sen3] を 1 つのブロックとして新規に作成します。

② [ブロック定義] パネル -> [エディタ] を選択し、[作成または編集するブロック] に <Senmen> と入力します。< 現在の図面 > に無いときは、新規ブロックの作成になります。

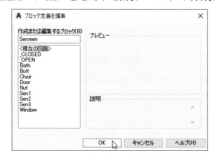

③ 3 つのブロック [sen1]、[sen2]、[sen3] をブロックエディタ内に挿入します。

④ 3 つのブロック [sen1]、[sen2]、[sen3] が、それぞれのブロックの基点が重なるように配置します。

（基点は sen1 の上辺の中点)

基点 (中点)

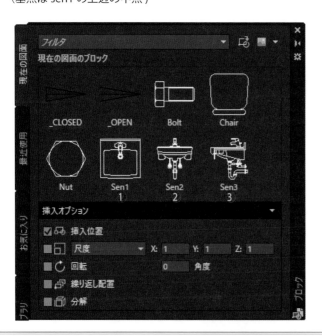

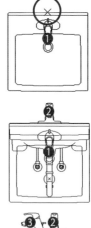

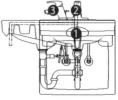

⑤ [ブロックエディタ] パネル -> [ブロックを保存] を選ぶか、[閉じる] パネルの [エディタを閉じる] を選択します。

⑥ [・・どのようにしますか] のダイアログに対して [保存] を指示して、作図画面に戻ります。

② 新ブロック (Senmen) の読み込み

① [ブロック定義] パネル -> [エディタ] を選択し、ブロック <Senmen> を選択します。

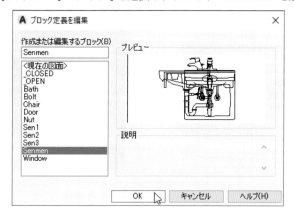

②新しいブロック <Senmen> では、挿入基点をまだ決めていないので基点を決めます。

　ブロックの基点は [移動] の基点になります。

③ [パラメータ] パネルから [基点] を選び、[sen1] の背面又は [sen2] の上端に基点 (P1) を指示します。

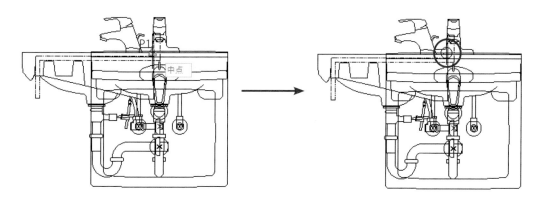

④ [sen1] の背面 (P1)、又は [sen2] の上端 (P1) に [基点] が配置されました。

　ブロック [Senmen] はこの点を基点として移動できます。

　（この位置に移動のためのグリップが表示されます。）

❸ [可視性] パラメータを配置する

① [パラメータ] パネルから [可視性] を選びます。

②<u>パラメータの位置を指定</u>：ブロックの上側の任意の点 (P1) を指示します。
　可視性パラメータがこの位置に表示されます。

③グリップの数は <1> になっていますから、変更はありません。

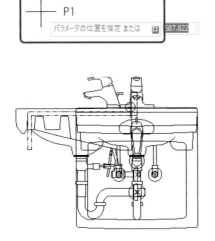

④下図のように [可視性] パラメータが配置されました。
　⚠ マークは、まだ [可視状態] が３つのパーツに指定されていないことを表しています。
　指定すると、このマークは消えます。

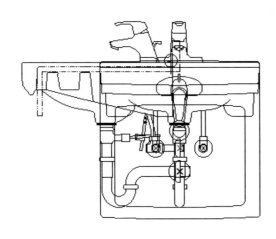

④ [可視性]パラメータを編集し、3種類の可視状態を作成する

①可視性パラメータ[可視性1]をダブルクリックします。

② [可視性の状態]ダイアログボックスの中の<可視性の状態0>を選択し[名前変更]をクリックして、
<平面>と入力します。

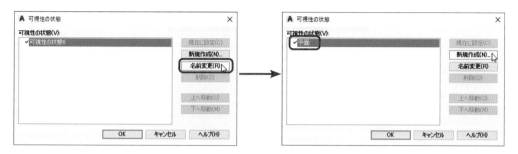

③ [新規作成]をクリックして、[可視性の状態を新規作成]ダイアログボックスに<正面>と入力し
[OK]をクリックします。

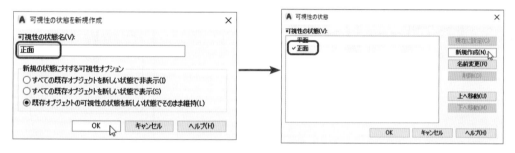

④同様に[新規作成]をクリックして、[可視性の状態を新規作成]ダイアログボックスに<側面>と
入力し[OK]をクリックします。

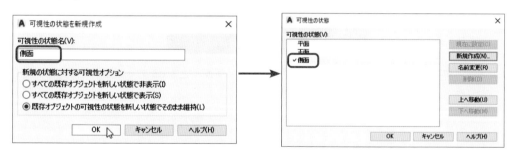

⑤可視性パラメータ[可視性1]をダブルクリックし、<平面>を選択して[現在に設定]ボタンを選択
します。

⑤ ブロックの特定ビューを各可視状態に割り当てる

① [可視性] パネルから [非表示にする] を選びます。(平面を表示しておきます。)

②非表示にするオブジェクトを選択：ブロック (sen2 ① < 正面 > と sen3 ② < 側面 >) を選び、確定します。ブロック (sen1< 平面 >) だけが表示されます。

▽可視性1　　　　　　　　　▽可視性1

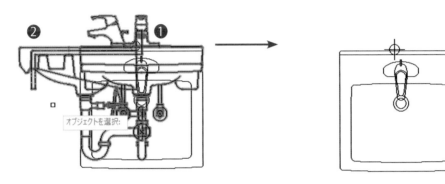

③ [可視性] パネルから [非表示にする] を選びます。(正面を表示しておきます。)

④非表示にするオブジェクトを選択：ブロック (sen1 ① < 平面 > と sen3 ② < 側面 >) を選び、確定します。ブロック (sen2< 正面 >) だけが表示されます。

▽可視性1　　　　　　　　　▽可視性1

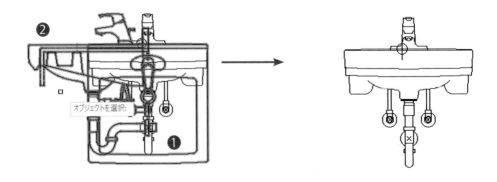

⑤ [可視性] パネルから [非表示にする] を選びます。(側面を表示しておきます。)

⑥非表示にするオブジェクトを選択:ブロック (sen1 ① < 平面 > と sen2 ② < 正面 >) を選び、確定します。
　ブロック (sen3< 側面 >) だけが表示されます。

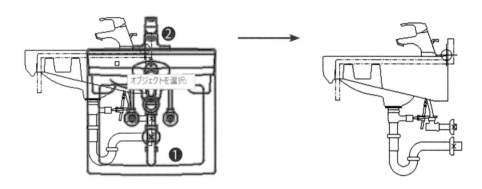

⑦ [可視性] パネルから < 平面 > や < 正面 > を選択すると、他の面が薄く表示されます。
　([可視性モード] ボタンで表示と非表示を切り替えることができます。)

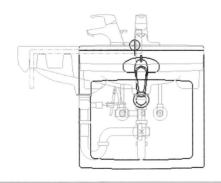

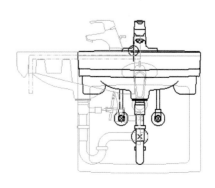

ダイナミックブロック

6 作図画面で動作を確認する

①作図画面で [Senmen] ブロックを選択すると、ブロックの基点 (水色のボックス) と可視パラメータ
　の水色の矢印が表示されます。

②矢印を指示すると、[平面、正面、側面] の文字が表示されます。
　[平面] を選べば < 平面 > が、[正面] を選べば < 正面 > が、[側面] を選べば < 側面 > が表示されます。

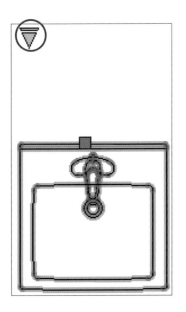

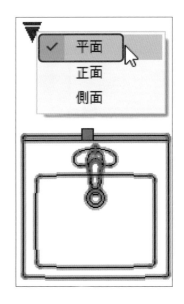

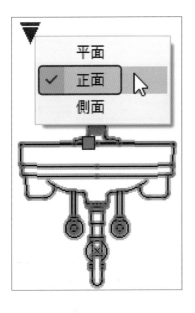

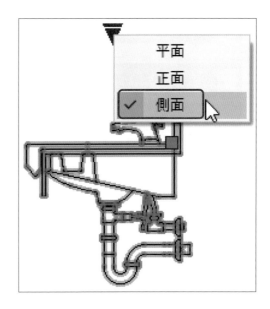

第10章　レイアウト

通常、図面は [モデル空間] で作成し、
作成図は [レイアウト空間] に配置して印刷します。
しかし、レイアウト空間に配置する図面の尺度は複数存在することもあります。

この章では、
図面の配置方法について学びます。

第 1 節　　　　　注釈オブジェクトとは？

1　設計オブジェクトと注釈オブジェクト

①[設計オブジェクト]と[注釈オブジェクト]

①図面は機械部品図や建築図などの「設計オブジェクト」と文字や寸法などの「注釈オブジェクト」で成り立っています。

設計図はモデル空間で実寸で作図し、注釈はレイアウト空間における希望する大きさで記入します。

したがって、文字や寸法などの「注釈オブジェクト」は印刷時の大きさを考慮して作成します。

(図 A) 作図尺度：実寸 [図面範囲 <420 × 297>]　　　印刷尺度：1/1 [A3 用紙 <420 × 297>]

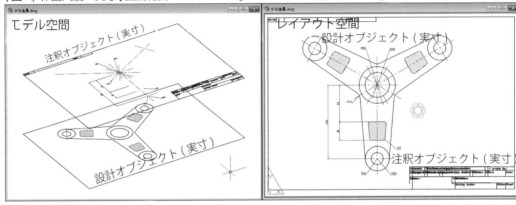

(図 B) 作図尺度：実寸 [図面範囲 <42000 × 29700>]　　印刷尺度：1/1 [A3 用紙 <420 × 297>]

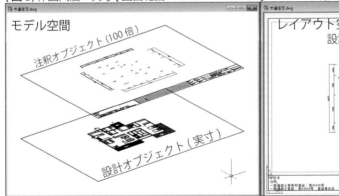

(図 A) は「水栓金具」の設計図ですが、モデル空間に配置した図枠もレイアウト空間に配置した図枠も同じ A3 用紙の大きさです。

このためモデル空間の寸法文字や表題欄の文字は印刷時と同じ大きさの 2 ミリで記入しています。

一方、(図 B) は「木造住宅」の設計図です。モデル空間では実寸で作図しますが、レイアウト空間では A3 の用紙に収まるように配置しますから図枠も住宅の大きさに合わせて拡大して配置します。

その拡大率は印刷する尺度の逆数になります。つまり、印刷を 1/100 で行う場合は、モデル空間に記入する文字や寸法 (注釈オブジェクト) の大きさを 100 倍にします。

例えば、印刷する文字の大きさを 2 ミリにする場合は、モデル空間では 200 ミリの大きさで記入します。

❷ [非異尺度対応注釈] の特徴

寸法文字や矢印などの大きさは、[寸法スタイル] ダイアログの [フィット] タブにある [寸法図形の尺度] で全体の尺度を指定します。

左下図は、印刷時に <1/1> で等倍印刷する場合、右下図は <1/100> で縮小印刷する場合の設定です。

このように、印刷尺度に応じた寸法スタイルを事前に作成しておく必要があります。

[文字スタイル] や他の注釈オブジェクトも同様です。

そのため、印刷尺度が異なる数だけ [寸法スタイル] や [文字スタイル] が必要になります。

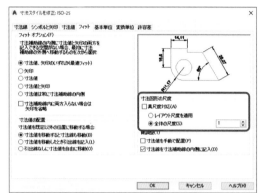 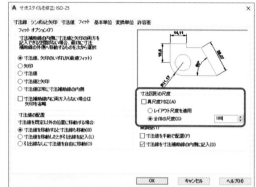

❸ [異尺度対応注釈] の特徴

異尺度対応注釈とは、レイアウト空間でどのような印刷尺度に設定しても、注釈オブジェクト自身が自動的に大きさを印刷尺度に合わせてくれる機能です。

[寸法スタイル] で 2 ミリと設定すれば、どの印刷尺度でも 2 ミリの大きさで表示してくれます。

そのため、[寸法スタイル] や [文字スタイル] は 1 つで足りることになります。

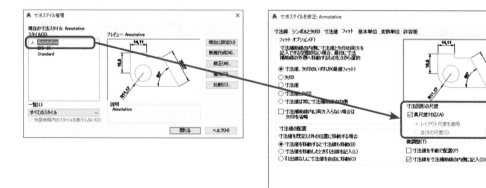

❹ 異尺度に対応できる注釈オブジェクトの種類

異尺度に対応できる注釈オブジェクトは、以下の 6 つです。

寸法	[寸法スタイル管理] ダイアログの [フィット] タブから [異尺度対応] を選択。
文字	[文字スタイル管理] ダイアログの [サイズ] から [異尺度対応] を選択。
引出線	[マルチ引出線スタイル管理] ダイアログの [尺度] から [異尺度対応] を選択。
ハッチング	[ハッチングとグラデーション] ダイアログの [オプション] から [異尺度対応] を選択。
ブロック	[ブロック定義] ダイアログの [動作] から [異尺度対応] を選択。
ブロック属性	[属性定義] ダイアログの [文字設定] から [異尺度対応] を選択。

第2節　　非異尺度対応図のレイアウト

1 非異尺度対応図の作成【建築図 .dwg】

1 モデル空間に作成した設計図を印刷のレイアウト空間に配置する

①下図はモデル空間に作図した設計図です。
　これから寸法を記入しますが、印刷は A3 の用紙に 1/100 の縮尺で行います。

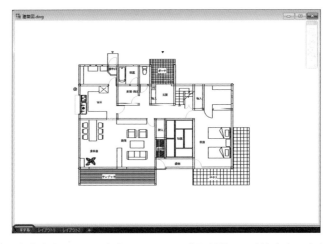

②印刷時の寸法文字の大きさを 2 ミリにしたいので、モデル空間での寸法文字の大きさは 200 ミリで
　表示することになります。（つまり 100 倍の大きさ）
③[寸法スタイル] ダイアログの [フィット] タブから　[寸法図形の尺度] を <100> にします。

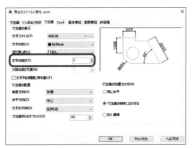

④下図のように寸法を記入しました。寸法文字の大きさは 200 ミリで表現されています。

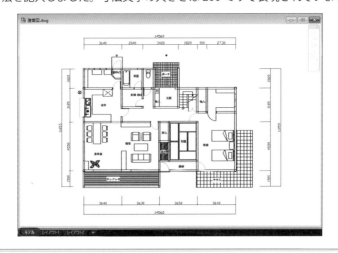

⑤レイアウト空間に移ります。

　レイアウトの大きさが A3 用紙の大きさであることを確認します。もし他の大きさの場合は変更します。

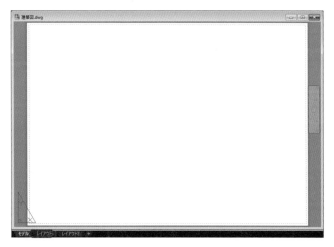

⑥レイアウト用紙の大きさを確認するには、[レイアウト] のタブで右クリックし (左下図)

　[ページ設定管理] を選択します。

　[ページ設定管理] ダイアログ (右下図) で用紙の大きさ等を変更します。

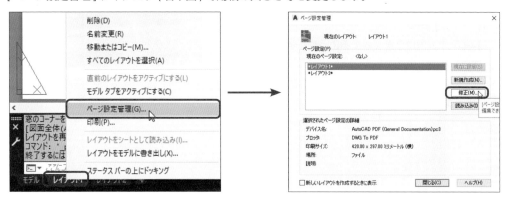

⑦特に確認する箇所は、[用紙サイズ] と [尺度] です。[尺度] は <1:1> にします。

　他に [印刷領域] や [図面の方向] も確認します。

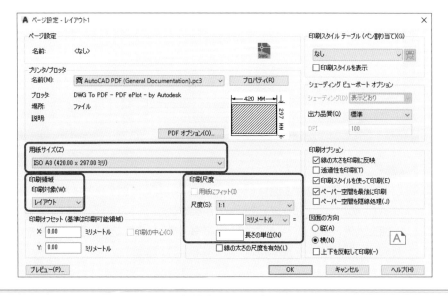

2 表題欄 (図枠) の挿入

1 A3 の大きさの表題欄 (図枠) を配置する

①事前に作成し、ブロック登録しておいた A3 用の図枠をブロック挿入します。

[ブロック] パネルの [挿入] を使い、リボン ギャラリーから < 図枠 A3 > を選びます。

または、[パレット] パネルの [ブロック] を使い、ブロック パレットから < 図枠 A3 > を選びます。

[リボン ギャラリー]   [ブロック パレット]

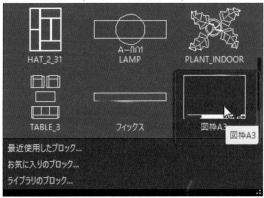

②レイアウト内にうまく収まるように配置します。

配置した後、タイトルの文字や内容を編集します。

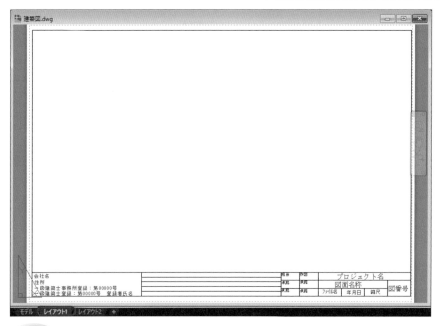

Point!

ブロックとして挿入する図枠 (タイトル図) は用紙の大きさ (A2,A3,A4) や、

タイトルの内容ごとに作成していた方が無難です。

A2 用図枠を尺度変更で半分の A3 にしても、細かい箇所で希望通りにならない

可能性もあります。

3 レイアウトの配置

1 レイアウトを1つ配置する

① [画層]パネルを開き、現在層を<レイアウト>に変更します。
下図のようにレイアウトの枠が表示されますが、印刷時にはレイアウト枠を非表示にして作図しないためです。

② [レイアウト ビューポート]パネルの[矩形(長方形)]を選びます。
下図のようにマウスでP1からP2と長方形で囲みます。(これがレイアウト枠です。)

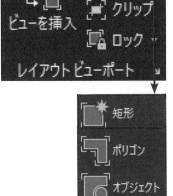 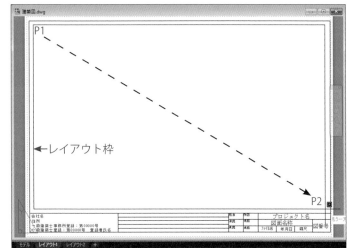

③モデル空間の図がレイアウト枠いっぱいに表示されます。
この時点では、印刷尺度は決まっていません。

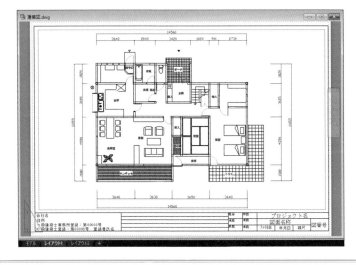

4 印刷尺度の指定

1 図面の尺度を 1/100 に指定する

①レイアウトを作成した時点ではレイアウト枠全体に表示されていますので、正しい尺度を指定します。
[プロパティ] パネルの [オブジェクトプロパティ管理] を選び、レイアウト枠を選択します。
選択すると枠の 4 コーナーに青いボックス (赤丸) が表示されます。

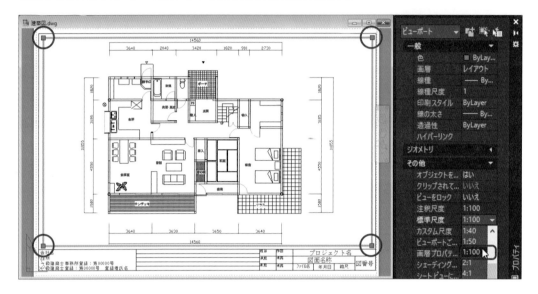

②尺度を決める方法は 2 通りあります。
1 つは、[オブジェクトプロパティ管理] の中の [標準尺度] から <1:100> を選びます。（上図）
もう 1 つは、[ステータスバー] の [選択されたビューポートの尺度] から <1:100> を選びます。（下図）

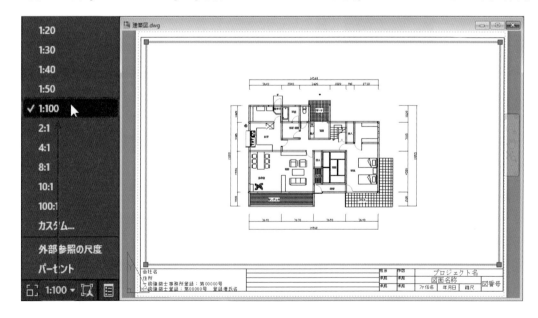

尺度を決めた後に画面を移動する場合、ズーム (ZOOM) コマンドを使うと尺度が変わってしまいます。この場合は、画面移動 (PAN) コマンドを使います。

③印刷時はレイアウト枠を印刷しないために、現在層を他の画層に変更して、画層<レイアウト>の
表示をオフにします。
[画層プロパティ管理]を開いて他の画層(例:<0>)に変更した後、<レイアウト>の画層を<オフ>
に切り替えます。(または、[印刷]をオフ。)

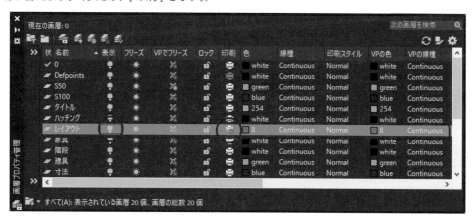

④下図のように表示されましたので、画面移動(PAN)コマンドで図面を移動してバランスを整えます。

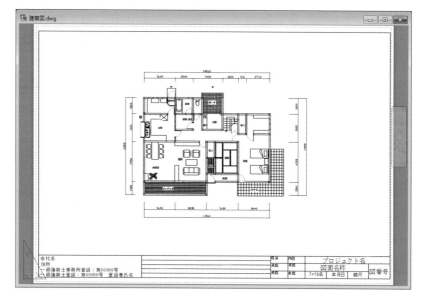

⑤[出力]パネルの[印刷]を選び、印刷を行います。([印刷対象]が[レイアウト]であることを確認)

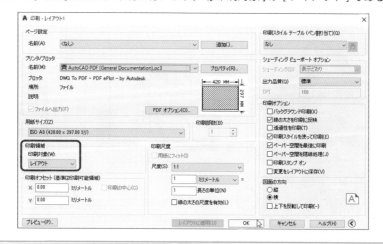

5　複数のレイアウトを配置

1　1枚の用紙に 1/100 と 1/50 のレイアウトを配置する

① 1枚の用紙に2種類の印刷尺度のレイアウトを配置します。

② [レイアウト ビューポート] パネルの [矩形 (長方形)] を選びます。
　左半分に下図のようにマウスで P1 から P2 と長方形で囲みます。
　続けて右側に P3 から P4 と長方形で囲みます。
　（この時も、作図画層は＜レイアウト＞です。）

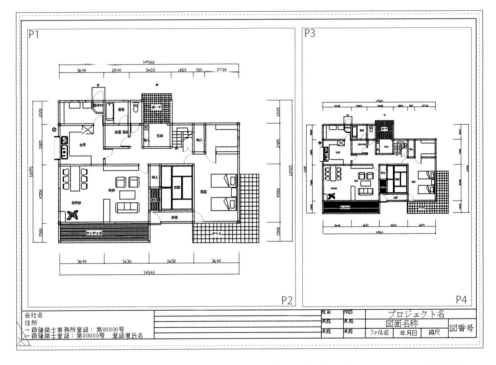

③ 左のレイアウト枠を選択して、[ステータスバー] の [ビューポート尺度] で ＜1:100＞ を選びます。
　左の図面が 1/100 の縮尺で表示されます。
　寸法文字も 1/100 の 2 ミリで表示されます。

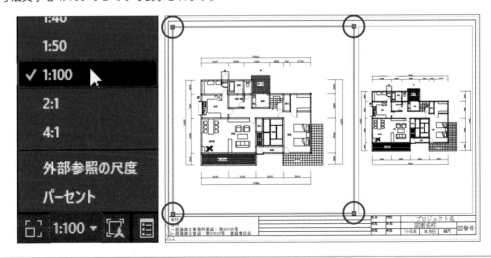

④続けて右のレイアウト枠を選択して、[オブジェクト プロパティ管理] から [プロパティ] を表示させ、標準尺度に <1:50> を選びます。
右のレイアウト図面が 1/50 の縮尺で表示されます。

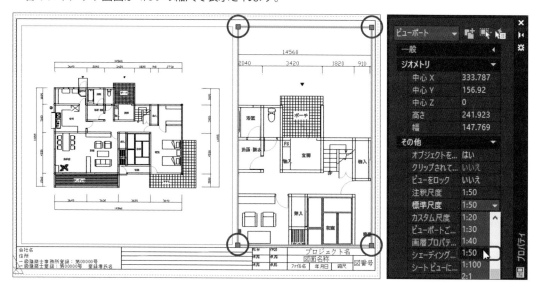

⑤左図の設計オブジェクトは 1/100、右図の設計オブジェクトは 1/50 になりましたが、左の寸法文字は 2 ミリ、右の寸法文字は 4 ミリで表示されているために、バランスが取れていません。

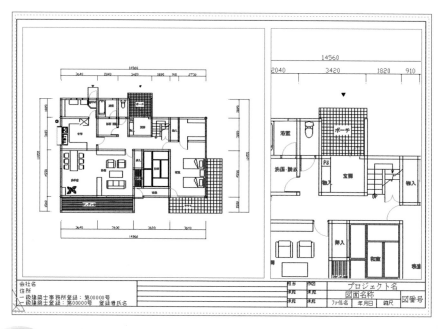

Point!

左右の寸法文字の大きさが異なる原因は、モデル空間で寸法を作成するときにレイアウト空間では 1/100 で表示する設定を寸法スタイルで指定しているためです。そしてそのスタイルで寸法を作成したためです。
したがって、1/50 で表示するための寸法スタイルや文字スタイルを別に作成しておく必要があります。

6 複数の寸法スタイルと画層の設定

1 1/100 用と 1/50 用の寸法スタイルを作成する

① 1/100 用と 1/50 用の寸法スタイルを作成します。
[寸法記入] パネルの [寸法スタイル管理] を選びます。

② [新規作成] ボタンを押して、新規スタイル名を <S100> と <S50> とします。
[フィット] タブを開き、[全体の尺度] に S100 は <100>、S50 は <50> と入力し、保存します。

<1:100> 用寸法スタイル　　　　　　　　　　　　　　　<1:50> 用寸法スタイル

2 1/100 用と 1/50 用の画層を作成する

① 1/100 用と 1/50 用の画層を作成します。
[画層] パネルの [画層プロパティ管理] を選び、2 つの画層を新たに作成します。

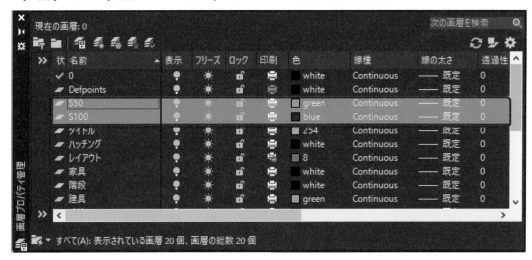

> **Point!**
>
> 1/100 用の画層と 1/50 用の画層を作成するのは、1/100 の寸法記入は S100 の画層で、
> 1/50 の寸法記入は S50 の画層で作成するためです。
> 1 つのレイアウト画面に両方の寸法が表示されたときは、片方の画層をオフにする
> ことによって重なって表示されることを防ぐことができます。

7 1/100 の尺度に適した寸法スタイルと画層の設定

1 1/100 用の図面に寸法スタイルと画層を割り当てる

①下図のレイアウトの寸法を選択して [プロパティ] で確認してみると、[画層] は < 寸法 >、
[寸法スタイル] は <Archi> になっています。
このレイアウトは印刷尺度が <1:100>1 つだけの場合の [画層] と [寸法スタイル] です。

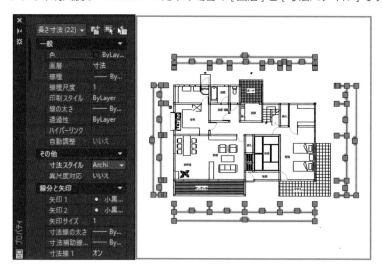

②寸法を全部選択して [プロパティ] で、[寸法スタイル] を <S100>、[画層] を <S100> に変更します。

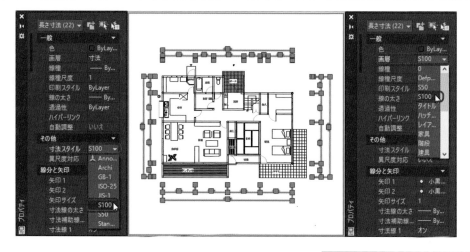

Point!

寸法を一度に選択するには、[プロパティ] パネルの右上に
ある [クイック選択] を使います。
[オブジェクトタイプ] として [長さ寸法]、[演算子] として
[すべて選択] を選び、OK ボタンを押します。

8 1/50 のレイアウトに寸法を記入

❶ 1/50 用のレイアウト図で 1/100 用の画層をオフにする

①右のレイアウト内をクリックして、モデル空間に入ります。

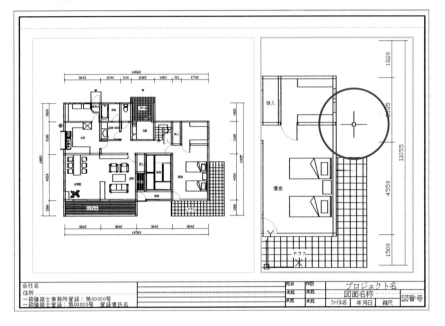

②このとき注意する点は、ズームで拡大縮小を行うとレイアウトの尺度が
変わってしまいます。
ズーム (ZOOM) ではなく画面移動 (PAN) を使うのが安全です。
もし尺度が変わったときは、[ステータスバー] のビューポート尺度で
<1:50> を選び直します。

③右側のレイアウト内には <1/100> の寸法が表示されていますので、[画層プロパティ管理] で
現在画層を <S50> にして、<S100> の画層をオフにします。

[画層プロパティ管理] で <S100> 画層の [VP でフリーズ] 選択

[画層スタイルコントロール] で
<S100> 画層の [フリーズ] 選択

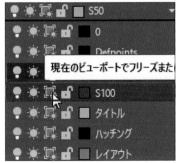

② 1/50 用のレイアウト図に寸法を新たに記入する

①右側のレイアウト内の図面に寸法を記入します。
　[寸法スタイル] は <S50>、画層は <S50> であることを確認します。

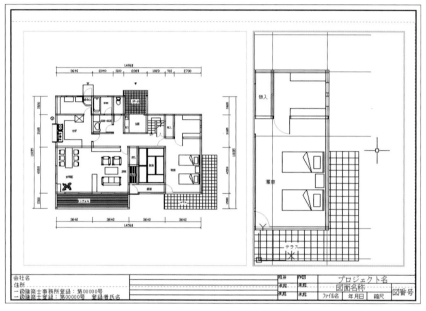

②右側のレイアウトの寸法は、左の寸法と区別しやすくするために < 緑色 > で作成しています。
　左と右の寸法文字の大きさが同じであることがわかります。(部屋文字の大きさは違います。)

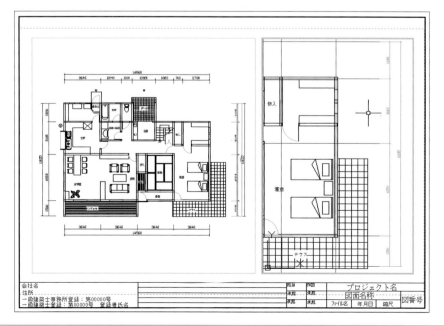

❸ 左の 1/100 用のレイアウト図で 1/50 用の画層をオフ (フリーズ) にする

①左のレイアウトでは、1/50 の寸法（緑色）も見えています。

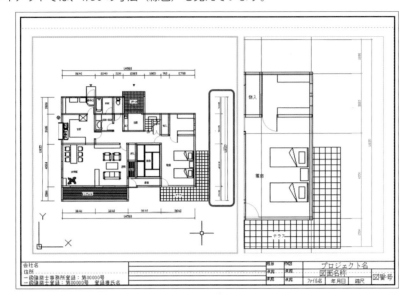

②[画層スタイルコントロール] で <S50> の画層をオフにします。(現在のビューポートでフリーズ)

③左のレイアウトでは <1/100> の寸法だけ、右のレイアウトでは <1/50> の寸法だけが表示されました。
文字も <1/100> 用と <1/50> 用の文字スタイルを作成する必要があります。

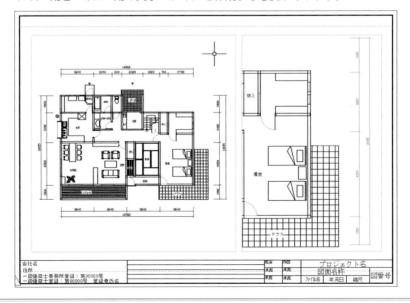

9 非異尺度対応図作成のポイント

1 レイアウトが 1 つだけの場合

①作図のレイアウトが <1/100> とか <1/50> の 1 つだけのときは、[寸法スタイル] や [文字スタイル]、[画層] は 1 つで済みます。

2 レイアウトが 2 つ以上ある場合

①作図のレイアウトが 2 つ以上の複数あるときは、レイアウトの数だけ [寸法スタイル][文字スタイル][画層] が必要です。

②下図のように <1/100> と <1/50> の尺度をレイアウトする場合は、[寸法スタイル][文字スタイル][画層] をそれぞれ個別に用意することになります。

[1/100 用の画層 / 文字・寸法スタイル]

(⚠Annotative のマークはありません。)

[1/50 用の画層 / 文字・寸法スタイル]

(⚠Annotative のマークはありません。)

第3節　　　異尺度対応図のレイアウト

1 異尺度対応スタイルの設定【建築図1.dwg】

① [異尺度対応注釈オブジェクト]

①レイアウト空間で尺度の違う図面を配置するときに、尺度に応じてサイズを変えなければならない
寸法や文字、引出線などを [注釈オブジェクト] と呼びます。
異尺度対応注釈とは、尺度に応じたサイズに自動的に調整される注釈です。

②自動的に調整される注釈オブジェクトは、以下の6つです。

寸法	[寸法スタイル管理] ダイアログで設定。
文字	「文字スタイル管理] ダイアログで設定。
引出線	[マルチ引出線スタイル管理] ダイアログで設定。
ハッチング	[ハッチングとグラデーション] ダイアログで設定。
ブロック	[ブロック定義] ダイアログで設定。
ブロック属性	[属性定義] ダイアログで設定。

② 注釈度対応スタイルの設定

①寸法スタイル ([注釈] タブ -> [寸法記入] パネル -> [寸法スタイル管理])

異尺度対応寸法スタイル	
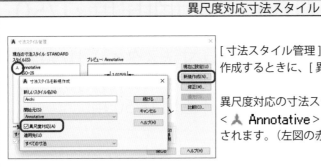	[寸法スタイル管理] ダイアログで新しい寸法スタイルを作成するときに、[異尺度対応] にチェックします。 異尺度対応の寸法スタイルは、スタイル名の先頭に< ▲ Annotative > のように三角形のマークが表示されます。（左図の赤丸）
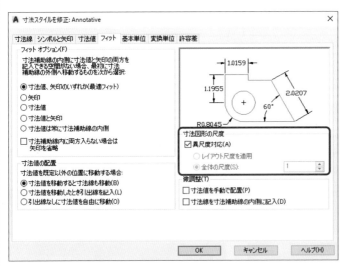	[寸法スタイル管理] ダイアログの [フィット] タブの [寸法図形の尺度] の項目は薄くなっていて選択できません。 注釈尺度を適用する寸法には必要がないからです。

②文字スタイル ([注釈] タブ -> [文字] パネル -> [文字スタイル管理])

異尺度対応文字スタイル
[文字スタイル管理] ダイアログで新しい文字スタイルを作成するときに、[異尺度対応] にチェックします。 すでにある文字スタイルでも、[異尺度対応] にチェックすると [異尺度対応] の文字スタイルになります。 異尺度対応の文字スタイルは、スタイル名の先頭に < 🔺 Annotative > のように三角形のマークが表示されます。（下図の赤丸） 

③引出線スタイル ([注釈] タブ -> [引出線] パネル -> [マルチ引出線スタイル管理])

異尺度対応マルチ引出線スタイル	
	[マルチ引出線スタイル管理] ダイアログで新しいスタイルを作成する時に、[異尺度対応] にチェックします。 異尺度対応の引出線スタイルは、スタイル名の先頭に < 🔺 Annotative > のように三角形のマークが表示されます。（左図の赤丸）
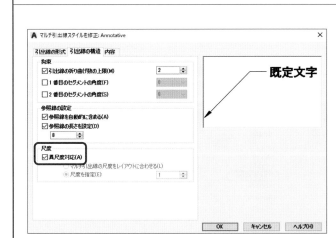	[マルチ引出線スタイル管理] ダイアログの [引出線の構造] タブの [尺度] の項目が自動的にチェックされています。

レイアウト

④ハッチング ([ハッチング作成] タブ -> [オプション] パネル -> [ハッチング設定])

異尺度対応ハッチング
[ハッチングとグラデーション] ダイアログの [オプション] にある < 異尺度対応 > をチェックします。 

⑤ブロック ([挿入] タブ -> [ブロック定義] パネル -> [ブロック作成])

異尺度対応ブロック
[ブロック定義] ダイアログの [動作] にある < 異尺度対応 > をチェックします。 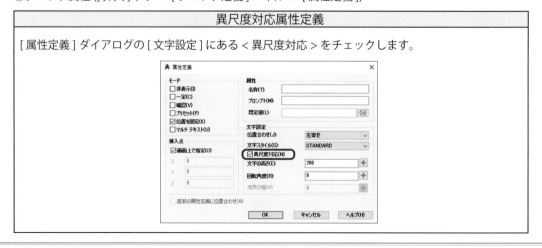

⑥ブロック属性 ([挿入] タブ -> [ブロック定義] パネル -> [属性定義])

異尺度対応属性定義
[属性定義] ダイアログの [文字設定] にある < 異尺度対応 > をチェックします。

❸ [モデル空間で異尺度対応オブジェクトを使用する]

①異尺度対応オブジェクト (文字や寸法) を使用するときは、[文字] パネル、[寸法記入] パネル、
　[引出線] パネルの現在スタイルが [異尺度対応] になっていることを確認します。

②下図のように設計図を作成した後、寸法を記入するときにステータスバーの [注釈尺度] を確認します。
　使用する寸法スタイルの文字高の初期値 <2 ミリ > を何倍の大きさで表示するかを決めます。
　下の例では <1:100> を選んでいますので、画面上は <200 ミリ > の大きさで表示されます。

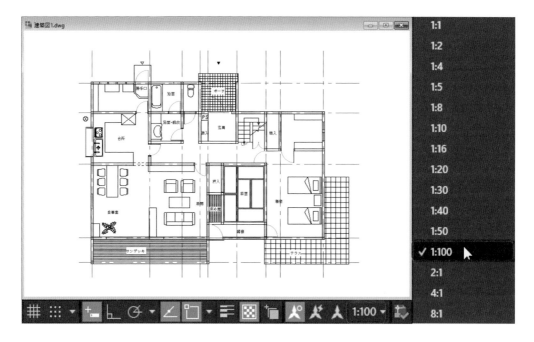

③もう一つは、ステータスバーの [注釈尺度] の右側の 2 つのアイコンの状態を確認します。
　①は注釈オブジェクトを < すべて表示するか >、< 使用中だけを表示するか > のアイコンです。
　②は注釈尺度が変更されたとき、尺度表現を自動作成するか、しないかのアイコンです。

❶　　❷ (現在の注釈尺度)

[ステータスインジケータ][注釈尺度] リスト

アイコン		ON / OFF	ステータス インジケータの説明
①		ON	すべての尺度の注釈オブジェクトが表示される。
		OFF	現在の注釈尺度に一致する尺度表現が表示される。
②		ON	注釈尺度が変更されると新しい尺度表現が自動作成される。
		OFF	注釈尺度が変更されても新しい尺度表現は作成されない。

2 異尺度対応寸法の使用

1 [モデル空間]で異尺度対応寸法を記入する

① [寸法記入] パネルの現在の寸法スタイルが異尺度対応の <Archi>、注釈尺度が <1:100> であることを確認します。

② [寸法記入] コマンドで寸法を記入していきます。

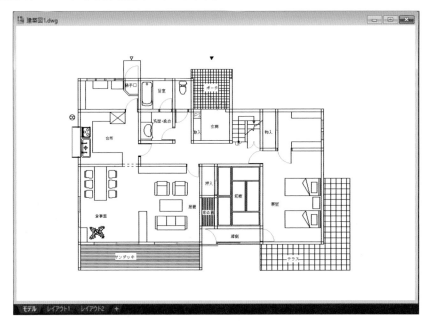

③下図のように寸法を記入しました。

②［レイアウト空間］で複数の尺度のレイアウトを行う

①下図はレイアウト空間で 2 つのレイアウトを配置したところです。
　2 つともレイアウト枠いっぱいに表示されていますので、個別に尺度を決めていきます。

②左のレイアウトの［ビューポート尺度］に <1:100>、右の［ビューポート尺度］に <1:50> を選びます。

③この時点では、左の <1:100> の［ビューポート］の寸法と文字は表示されていますが、
　右の <1:50> の［ビューポート］の寸法と文字は表示されていません。

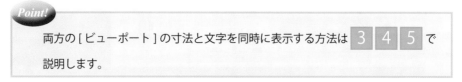

Point!

　両方の［ビューポート］の寸法と文字を同時に表示する方法は　3　4　5　で

　説明します。

レイアウト

3 非異尺度対応のオブジェクトを異尺度対応に変更

1 既存の図面を [異尺度対応オブジェクト] への変換作業

既存のオブジェクト	変換作業内容
寸法	①寸法オブジェクトのプロパティを異尺度対応にする。 ②寸法スタイルを異尺度対応に変更する。
文字	①テキストオブジェクトのプロパティを異尺度対応にする。 ②文字スタイルを異尺度対応に変更する。
引出線	引出線と文字が単一のオブジェクトであるため、作成し直します。
ハッチング	ハッチングパターンの [異尺度対応] をオンにする。
ブロック	①ブロック定義を [異尺度対応] に更新する。 ②プロパティで [異尺度対応] をオンにする。
ブロック属性	①属性定義を [異尺度対応] に更新する。 ②ブロックエディタ環境で属性定義を編集する。

2 [非異尺度対応寸法] を [異尺度対応寸法] に変換する

①下図はもともと [非異尺度対応寸法スタイル] で作成された寸法を [異尺度対応寸法スタイル] に
　変更しようとしています。

②[ステータスバー] の [注釈尺度] が <1:100> であることを確認します。

③[オブジェクトプロパティ管理] から [プロパティ] パネルを使い、寸法を全部選択します。
　[その他] の項目から、異尺度対応寸法の <Archi> を選択します。

> 寸法を一度に選択するには、[プロパティ] パネルの右上にある [クイック選択] を使います。
> [オブジェクトタイプ]として [長さ寸法]、[演算子] として [すべて選択] を選び、OK ボタンを押します。

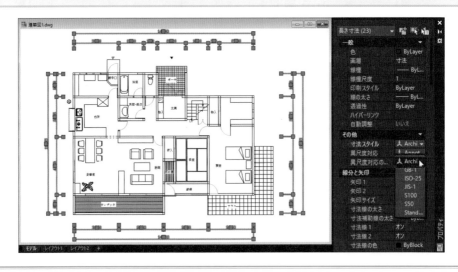

④レイアウト空間に戻ると、下図のように左側の <1:100> の尺度の寸法が表示されています。
　寸法にマウスを近づけると、[異尺度対応] であることのマーク (赤丸) が表示されます。

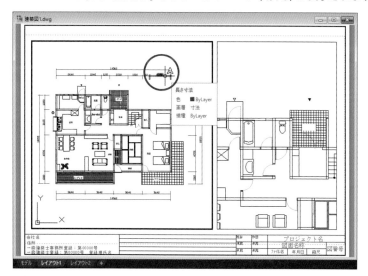

⑤右側のレイアウト図には寸法が見えないのは、モデル空間で指定した尺度が <1:100> であるためです。
　モデル空間で <1:100> で作成した寸法オブジェクトは、レイアウト空間では <1:100> のビューポート
　尺度内でしか表示されません。

⑥右側のレイアウト内をダブルクリックして、ビューポート内に入り寸法を記入していきます。
　下図では区別しやすいように紫色で作成しています。

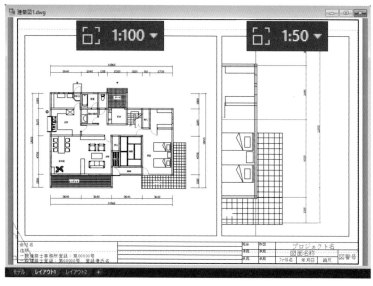

⑦右側のレイアウト図の寸法は <1:50> で作成していますから、左側のレイアウト図には寸法は
　見えません。つまり、画層を切り替えたり、表示の ON と OFF を切り替えたりする必要がありません。

　モデル空間で既存の [非異尺度対応寸法] を [異尺度対応寸法] に変更するには、
　①[ステータスバー] の [注釈尺度] が <1:100> 等の希望の尺度であることを確認する。
　②[プロパティ] コマンドで変更したい寸法の [寸法スタイル] を [異尺度寸法スタイル] に
　　変更する。

4 1つのオブジェクトに複数の異尺度対応を付加

1 1つの寸法オブジェクトに複数の異尺度を付加する

①寸法オブジェクトに複数の異尺度を付加することができます。
　現在 <1:100> の異尺度の寸法があるとすると、レイアウトは <1:100> の他に <1:50> でも表示したい
　寸法があれば、<1:50> の尺度を付加することができます。

②下図の寸法は全部 <1:100> の尺度で作成されていますが、右辺の寸法に <1:50> の尺度を付加します。
　右辺の寸法を選択し、[プロパティ] を表示します。

③プロパティの [異尺度対応] が <1:100> となっていることが確認できます。

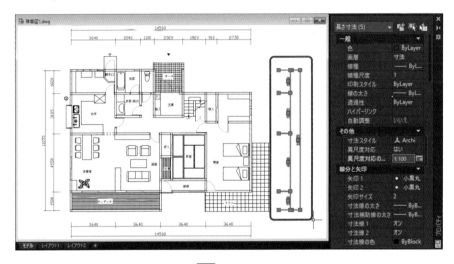

④ [プロパティ] の [異尺度対応] の右にある  を選びます。(赤丸)
　[異尺度対応オブジェクトの尺度] パネルが表示されます。
　現在は <1:100> のみですから、[追加] ボタンを押します。

⑤表示される[オブジェクトに尺度を追加]パネルで<1:50>を選択し、OKボタンを押します。

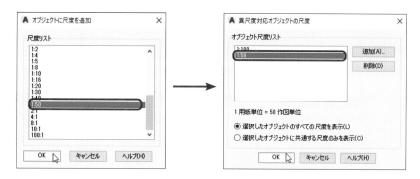

⑥レイアウト空間に戻り、右のレイアウト図を見ると<1:50>を追加した右辺の寸法が表示されています。また、左右のレイアウトの寸法文字の大きさは同じになっています。

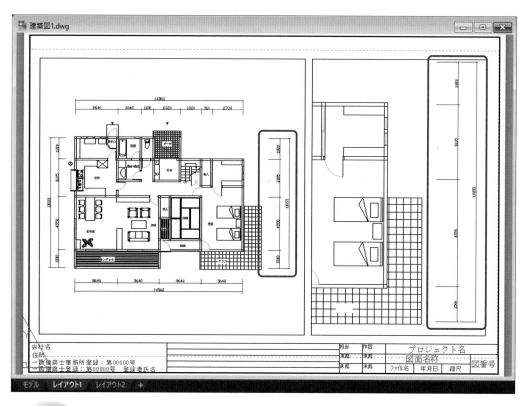

Point!

1つの寸法オブジェクトに複数の尺度を付加するには、[尺度リスト]を追加するだけです。
<1:100>と<1:50>の尺度を付加された寸法オブジェクトは、レイアウト空間では
<1:100>のビューポートでは<1:100>の寸法だけが表示され、<1:50>のビューポートでは
<1:50>の寸法だけが表示されます。

memo

寸法スタイルだけでなく、文字スタイルや引出線スタイル、ブロック、属性、ハッチングなども[異尺度対応]を用意する必要があります。

5 全てのオブジェクトに複数の異尺度対応を付加

1 全ての寸法オブジェクトに複数の異尺度を付加する

①下図の寸法はすべて <1:100> の異尺度対応寸法です。このすべての寸法に <1:50> の尺度を追加します。

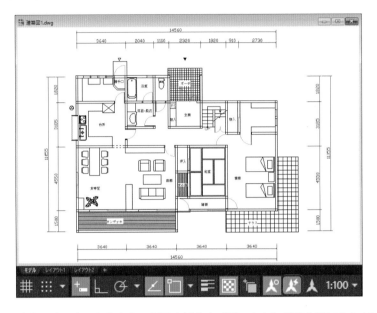

②モデル空間で [注釈尺度を変更したときに異尺度対応オブジェクトに尺度を追加] をオンにします。

③ [ステータスバー] の [注釈尺度] から <1:50> を選びます。
　これだけで新規の尺度が追加されます。
　寸法文字が半分の大きさで表示されています。

④ [ステータスバー] の [注釈尺度] を <1:100> を選びます。
　文字の大きさは <2 ミリ× 100 = 200 ミリ > の大きさで表示されます。

（ 現在の注釈尺度 ）

⑤ [ステータスバー] の [注釈尺度] を <1:50> を選びます。
　文字の大きさは <2 ミリ× 50 = 100 ミリ > の大きさで表示されます。

（ 現在の注釈尺度 ）

⑥レイアウト空間に切り替えて、2 つのレイアウトを確認します。
　左右のレイアウトの寸法文字は同じ大きさで表現されています。

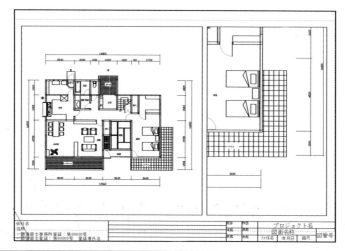

全てのオブジェクトに複数の異尺度対応を付加

397

6 異尺度対応オブジェクトの仕組み

寸法や文字を異尺度対応オブジェクトにすれば、なぜレイアウト空間で異なるビューポートに配置しても
寸法や文字の大きさは変わらないのでしょうか？

1 レイアウト空間に 3 つの異なる尺度をレイアウトする

①モデル空間で作成した図面をレイアウト空間で 3 つの異なるレイアウトで配置しようと思います。

②あらかじめ、レイアウト空間にレイアウトを 3 つ作ります。
　　レイアウト A の尺度は <1:100>、レイアウト B の尺度は <1:50>、レイアウト C の尺度は <1:200> です。
　　[レイアウトビューポート] パネルの [長方形] を使い、ビューポートを作成します。

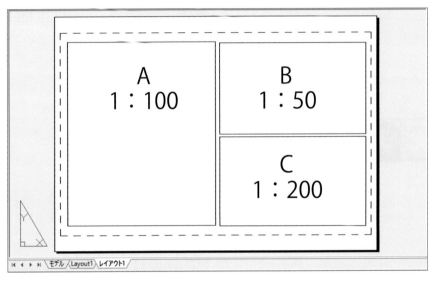

2 モデル空間で基本となる寸法を記入する

①下図の寸法はすべて <1:100> の異尺度対応寸法です。①
　　また [注釈尺度] も <1:100> で寸法を記入しています。②

❸ モデル空間からレイアウト空間に切り替える

①寸法はレイアウトAにだけ表示されて、レイアウトBとCの寸法と文字は表示されません。
　これは、モデル空間で<1:100>の注釈尺度で記入したためです。
　<1:100>で記入した寸法はレイアウト空間では<1:100>のレイアウトビュー内でしか表示されません。

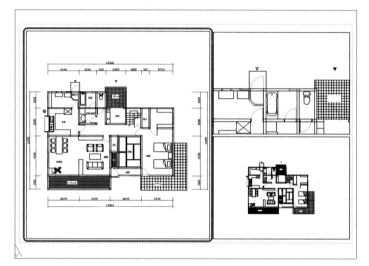

②モデル空間に戻り、注釈尺度<1:50>を追加します。
　[注釈尺度を変更したときに異尺度対応オブジェクトに尺度を追加]をオンにします。
　下図のように[ステータスバー]の注釈尺度で<1:50>を選びます。

③レイアウト空間に切り替えると、<1:50>の図面に寸法と文字が表示されています。

④モデル空間に戻り、注釈尺度 <1:200> を追加します。
　[注釈尺度を変更したときに異尺度対応オブジェクトに尺度を追加] をオンにします。
　(図1) のように [ステータスバー] の注釈尺度で <1:200> を選びます。

⑤レイアウト空間に切り替えると、<1:200> の図面にも寸法と文字が表示されています。
　寸法だけでなく、文字もすべて同じ大きさになっています。(図2)

(図1)

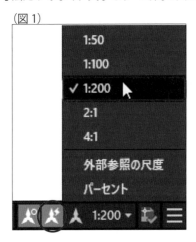

(図2)

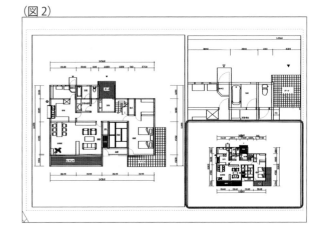

⑥使わなくなった注釈尺度は削除して整理します。
　[注釈] -> [注釈尺度] -> [尺度リスト] から不要な尺度を
　選択して、[削除] ボタンを押します。
　右図では [1:50] の尺度が削除されます。

　💡 [現在の尺度を削除] からでも削除できます。

異尺度対応図作成のポイント

Point!

異尺度対応図を作成するポイント

①	モデル空間で作成する寸法、文字、引出線、ハッチング、ブロック、属性はレイアウト空間で印刷する場合の大きさを考慮して作成します。(注釈尺度で指定します。)
②	メインのレイアウト空間の [印刷尺度] が <1:100> であれば、モデル空間の [注釈尺度] も <1:100> にして記入します。
③	レイアウトが1つの時はこれで終了ですが、2つ以上ある場合はモデル空間で異なる尺度の数だけ [注釈尺度] を追加します。
④	モデル空間で [注釈尺度を変更したときに異尺度対応オブジェクトに尺度を追加] をオンにして、追加する寸法尺度を指定します。
⑤	モデル空間で [注釈尺度] を追加すると、CAD 側で自動的にその大きさで作成しています。そして、レイアウト内の各ビューポートで尺度に合った寸法だけを表示しています。

第2部
製図編

第1章　製図の手順

白紙から図面を作成するにはどうすればよいのでしょう。

この章では、
テンプレートの作成と
異なる印刷スタイルで
印刷する方法を紹介します。

- 作図開始までの手順
- テンプレートの作成
- 異尺度対応スタイルの設定
- 印刷スタイルの設定
- 名前の付いた印刷スタイル
- 色従属印刷スタイル

製図の手順

第 1 節　　　　　　　新規製図

1　作図開始までの手順

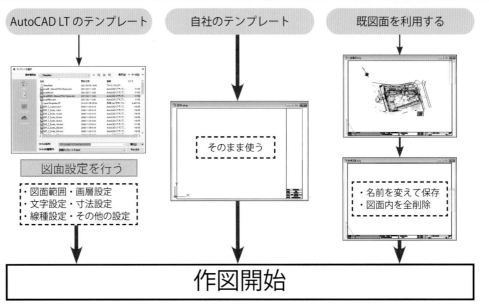

AutoCAD LT のテンプレート　　自社のテンプレート　　既図面を利用する

図面設定を行う

・図面範囲・画層設定
・文字設定・寸法設定
・線種設定・その他の設定

そのまま使う

・名前を変えて保存
・図面内を全削除

作図開始

❶ [テンプレートファイル] の選択

① [AutoCAD LT が提供するテンプレート] を使う場合。

テンプレートにはインチ系の [acadlt][acadlt-Named Plot Styles] とミリ系の [acadltiso][acadltISO-Named Plot Styles] の 2 種類があります。

[acadltiso] は < 色従属印刷スタイル >、[acadltISO-Named Plot Styles] は < 名前の付いた印刷スタイル > が最初から設定されています。

画層	<0> のみ
寸法スタイル	<ISO-25><Standard> のみ
文字スタイル	<Standard> のみ
線種	<Continuous 実線 > のみ
その他の設定	初期値のみ

→これをもとに自社用のテンプレートを作成して、作図を開始します。

② [自社作成のテンプレート] を使う場合。

→すぐに作図を開始できます。

③ [既図面] を利用する場合。

・[名前を付けて保存] を選び、別名で保存します。

・図面内のオブジェクトをすべて削除します。

・[アプリケーションメニュー] -> [図面ユーティリティ] -> [名前削除] で不必要なオブジェクトを削除します。

→既存のオブジェクト (図形) を削除してから、作図を開始します。

❷ AutoCAD LT のテンプレートファイル <acadltiso.dwt><acadltISO-Named Plot Styles.dwt>

① 日本仕様のテンプレートファイルは 2 種類ありますが、印刷スタイルが違うだけです。

② [色従属印刷スタイル] は使用する色が <255 種類 > に限られ、画層やオブジェクトごとに変更できません。

③ [名前の付いた印刷スタイル] は使用する色が <255 種類 > 以上使用できます。
また、画層やオブジェクトごとに [印刷スタイル] を割り当てることができます。

項目		acadltiso.dwt	acadltISO-Named Plot Styles.dwt
印刷スタイル		色従属印刷スタイル	名前の付いた印刷スタイル
文字スタイル	フォント名	TT Arial	TT Arial
	フォントスタイル	標準 (Standard)	標準 (Standard)
寸法スタイル		<ISO-25><Standard>	<ISO-25><Standard>
画層		<0>	<0>
線種		Continuous 実線	Continuous 実線

共通の文字スタイル　　　　　　　　共通の寸法スタイル

 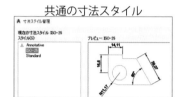

❸ <acadltiso.dwt> と <acadltISO-Named Plot Styles.dwt> の印刷スタイルの違い

① <acadltiso.dwt> の [印刷スタイル] は < 色従属印刷スタイル > です。
画面の色で印刷時の色が決まります。画層やオブジェクトに割り当てることはできません。
そのため右下図の [画層プロパティ管理] ダイアログには、[印刷スタイル] の項目がありません。

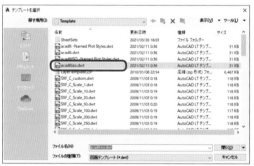 

② <acadltISO-Named Plot Styles.dwt> の [印刷スタイル] は < 名前の付いた印刷スタイル > です。
画層やオブジェクトに [印刷スタイル] を個別に割り当てることができます。
右下図の [印刷スタイル] は初期値は <Normal> となっていますが、他のスタイルに変更できます。

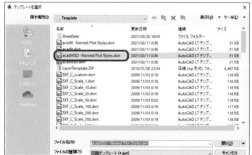 

製図の手順

2 [文字スタイル][寸法スタイル][画層][線種][単位] の設定

1 [文字スタイル] の設定

①フォントは 2 種類あります。TrueType の文字 (明朝体やゴシック体) と SHX フォントと呼ばれる
CAD 用のフォントです。
TrueType はアウトライン フォント、SHX フォントはストローク フォントと呼ばれます。

② SHX フォントは線分と円弧で構成されていて描画が速いので、寸法文字などに適しています。
一方、TrueType 文字は見栄えが良いので、タイトルや表題等での使用に適しています。

③ [TrueType] は [フォント] の中から選択します。

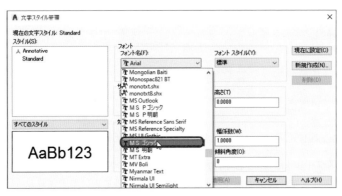

TrueType フォント

④ [SHX] には英文用 [フォント] と日本語用 [フォント] があります。
下図①は英文用 [フォント]、②は日本語用 [フォント] です。

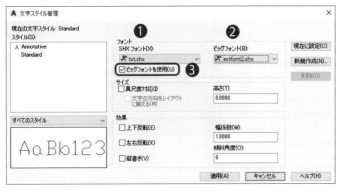

日本語用 SHX フォント

① SHX フォント (英数字)

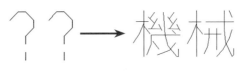

② SHX フォント (漢字)

memo

・[SHX] は英数字と漢字 (ビッグフォント) の 2 種類あります。
・[ビッグフォントを使用] にチェックを入れて選択しないと
日本語は表示されません。(③)

❷ [寸法スタイル] の設定

① [寸法記入] -> [寸法スタイル管理] から設定します。

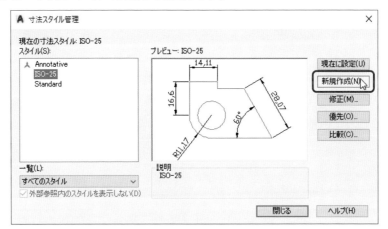

② [寸法スタイル] を新規に作成するには、新規作成(N)... ボタンを押します。
下図のように、スタイル名を入力して作成します。
異尺度対応スタイルにするには、[異尺度対応] にチェックします。

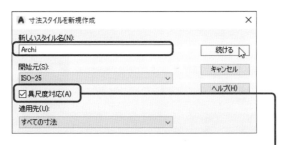

③ [寸法スタイルを新規作成 :< 例：Archi>] のダイアログが表示されます。
必要な項目を設定して、[OK] ボタンを押して確定します。

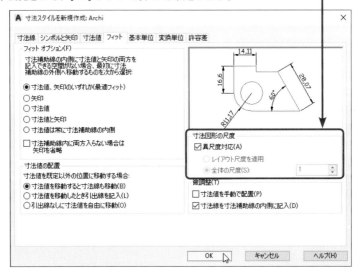

④既存の寸法スタイルを削除するには、[図面ユーティリティ] -> [名前削除] から行いますが、
使用している寸法スタイルは削除できません。

製図の手順

❸ [画層] の設定

① [画層] パネル -> [画層プロパティ管理] を選択すると [画層プロパティ管理] ダイアログ ボックスが
表示されます。（最初は画層名 < 0 > だけあります。）

② ダイアログの中の [新規作成] ボタンを押すと、[画層 1] が作成されます。

画層の [名前]、[色]、[線種]、[線の太さ]、[透過性]、[印刷スタイル] などの変更が可能です。

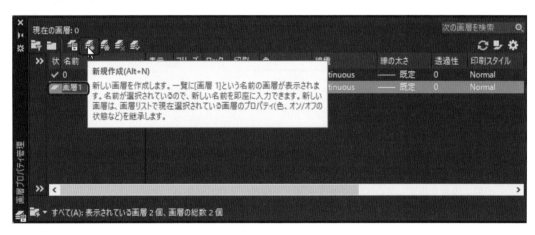

③ 画層名を削除するには、削除する画層名を選択して [削除] ボタンを押しますが、

その画層にオブジェクトが残っているときは、その画層は削除できません。

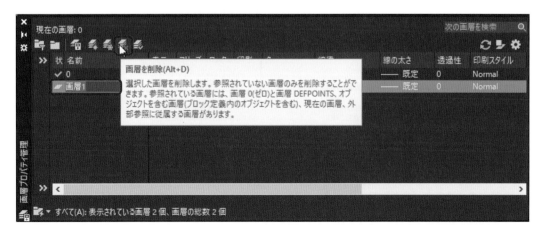

❹ [線種] の設定

①線種は初期値では < Continuous 実線 > しか登録されていません。

　[プロパティ] の [線種] から、[ロード] ボタンを押して使用する線種を読み込む必要があります。

② [線種のロードまたは再ロード] ダイアログから使用する線種を選択して [OK] ボタンを押します。

③ [画層プロパティ管理] から線種を変更したい画層を選択し、使用する線種を指示します。

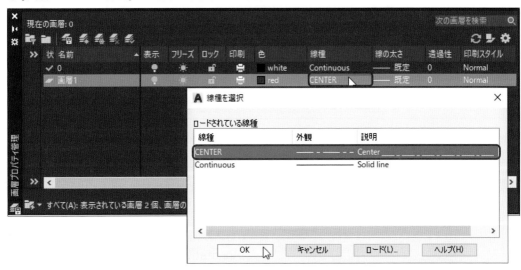

④既存の線種を削除するには、[アプリケーション メニュー] -> [図面ユーティリティ] -> [名前削除]
　から行います。（又は [クリーンアップ] -> [名前削除]）しかし使用している線種は削除できません。

製図の手順

3 異尺度対応スタイルの設定

1 異尺度対応注釈オブジェクト

レイアウト空間で尺度の違う図面を配置するときに、尺度に応じてサイズを変えなければならない
文字や寸法、引出線などを [注釈オブジェクト] と呼びます。
異尺度対応注釈は、尺度に応じたサイズに自動的に調整される注釈オブジェクトです。

2 異尺度対応スタイルの設定

①寸法スタイル ([注釈] タブ -> [寸法記入] パネル -> [寸法スタイル管理])

異尺度対応寸法スタイル

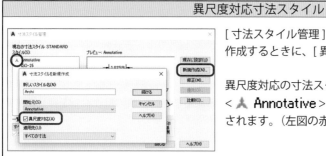

[寸法スタイル管理] ダイアログで新しい寸法スタイルを
作成するときに、[異尺度対応] にチェックします。

異尺度対応の寸法スタイルは、スタイル名の先頭に
< ⚖ Annotative > のように三角形のマークが表示
されます。（左図の赤丸）

②文字スタイル ([注釈] タブ -> [文字] パネル -> [文字スタイル管理])

異尺度対応文字スタイル

[文字スタイル管理] ダイアログで新しい文字スタイルを作成するときに、[異尺度対応] にチェック
します。すでにある文字スタイルでも、[異尺度対応] にチェックすると [異尺度対応] の文字スタ
イルになります。
異尺度対応の文字スタイルは、スタイル名の先頭に < ⚖ Annotative > のように三角形のマークが
表示されます。（下図の赤丸）

③引出線スタイル ([注釈] タブ -> [引出線] パネル -> [マルチ引出線スタイル管理])

異尺度対応マルチ引出線スタイル

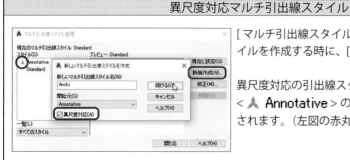

[マルチ引出線スタイル管理] ダイアログで新しいスタ
イルを作成する時に、[異尺度対応] にチェックします。

異尺度対応の引出線スタイルは、スタイル名の先頭に
< ⚖ Annotative > のように三角形のマークが表示
されます。（左図の赤丸）

④ハッチング ([ハッチング作成] タブ -> [オプション] パネル -> [ハッチング設定])

異尺度対応ハッチング
[ハッチングとグラデーション] ダイアログの [オプション] にある < 異尺度対応 > をチェックします。

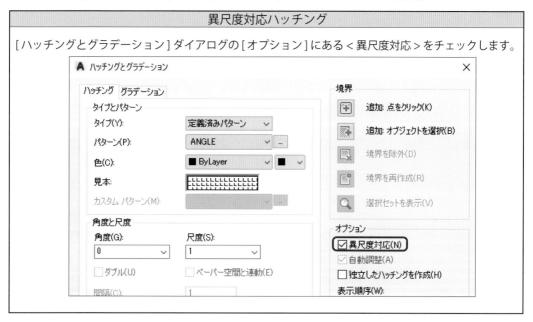

⑤ブロック ([挿入] タブ -> [ブロック定義] パネル -> [ブロック作成])

異尺度対応ブロック
[ブロック定義] ダイアログの [動作] にある < 異尺度対応 > をチェックします。

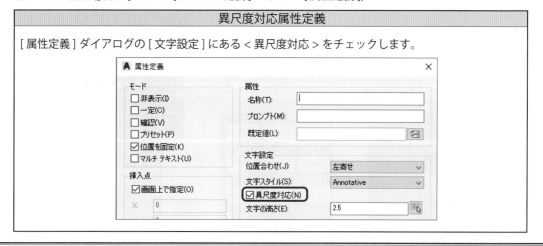

⑥ブロック属性 ([挿入] タブ -> [ブロック定義] パネル -> [属性定義])

異尺度対応属性定義
[属性定義] ダイアログの [文字設定] にある < 異尺度対応 > をチェックします。

異尺度対応スタイルの設定

製図の手順

製図の手順

4 デザインセンターの利用

1 [画層][線種][寸法スタイル][文字スタイル] を他の図面から取り込む

① （図 1）はテンプレートの新規図面です。

この図面の [画層][線種][寸法スタイル][文字スタイル] はテンプレートの初期値しかありません。
[デザインセンター] を使えば、他の図面から使用したい画層やスタイルを取り込むことができます。

（図 1）

（画層）

（線種）

（寸法スタイル）　　（文字スタイル）

② （図 2) は既存の図面です。

この図にある [画層][線種][寸法スタイル][文字スタイル] を白紙の新規図面に取り込みます。

（図 2）

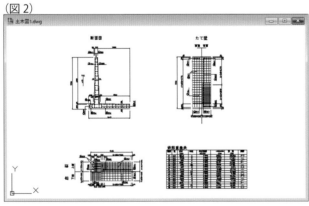

（画層）

（線種）

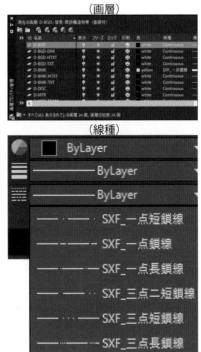

（寸法スタイル）

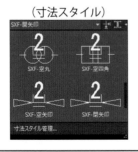

（文字スタイル）

③ [表示] タブ -> [パレット] パネル -> [デザインセンター] を使います。

[デザインセンター] の中から < 土木図 1.dwg> ①を開き、[画層] ②から画層一覧を表示させます。

コピーしたい画層③をマウスで選択して、右の図面内に < ドラッグ & ドロップ > します。

選択した画層が新規図面にコピーされます。

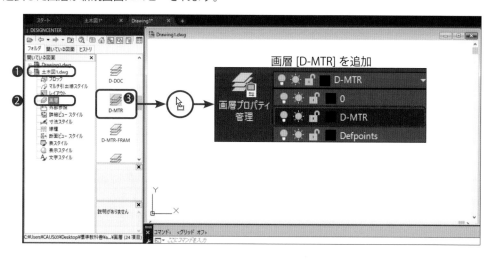

④同様にコピーしたい寸法スタイルをマウスで選択して、右の図面内に < ドラッグ & ドロップ > します。

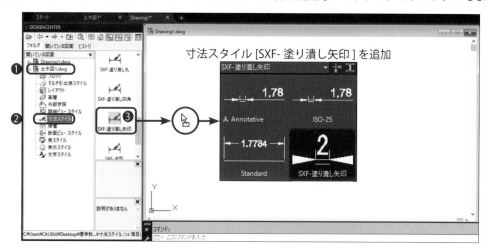

⑤同様にコピーしたい文字スタイルをマウスで選択して、右の図面内に < ドラッグ & ドロップ > します。

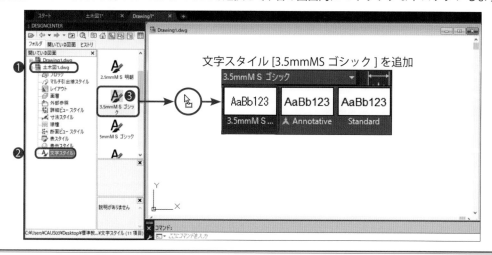

製図の手順

製図の手順

第 2 節　　　　印刷スタイル

1 [名前の付いた印刷スタイル] と [色従属印刷スタイル]

1 2 つの印刷スタイルの相違

① [名前の付いた印刷スタイル] では、色は 255 種類以上指定できます。

　 [色従属印刷スタイル] では、色は 1 番から 255 番までに限られます。

② [名前の付いた印刷スタイル] では、画層やオブジェクトごとに指定できます。

　 [色従属印刷スタイル] では、色ごとにきまります。画層は関係ありません。

項目	名前の付いた印刷スタイル	色従属印刷スタイル
色指定	指定数は 255 以上	1 番から 255 番まで指定
設定方法	画層やオブジェクトごとに割り当てる	画面の色ごとに番号を割り当てる

memo

テンプレートの設定は図面に保存されますが、[印刷スタイル] は図面には保存されません。
[オプション] -> [ファイル] -> [プリンタ サポート ファイルのパス] で指定したフォルダに
保存されます。

③ [印刷スタイル] が保存されている場所 (初期値)

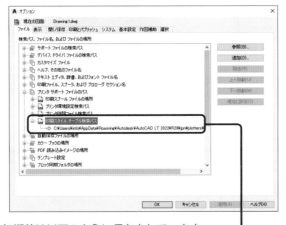

④ [印刷スタイル] の初期値は以下のように保存されています。

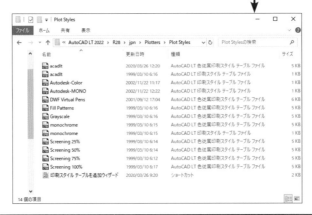

② [名前の付いた印刷スタイル] を指定する

[名前の付いた印刷スタイル] のテンプレートを使います。

① [クイックアクセス ツールバー] -> [新規作成] を選びます。

② [名前の付いた印刷スタイル] が設定済みの <acadltISO-Named Plot Styles.dwt> を指定します。

③ [名前の付いた印刷スタイル] の特徴

①画層ごとに印刷スタイルを指定できます。[色従属印刷スタイル] ではできません。

　[画層プロパティ管理] の [印刷スタイル] を押して、他の印刷スタイルを選択できます。

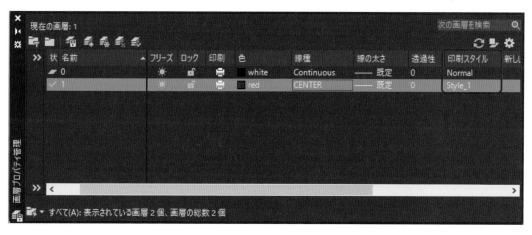

②表示される [印刷スタイルを選択] から使用したいスタイルを選びます。(画層ごとに指定できます。)

[エディタ] からスタイルの修正や追加が可能です。

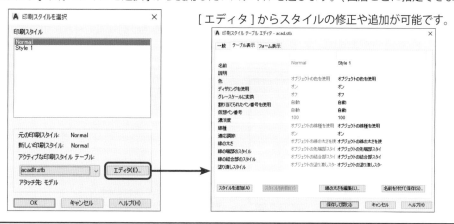

名前の付いた印刷スタイル

製図の手順

③オブジェクトごとに印刷スタイルを割り当てることもできます。

割り当てたいオブジェクトを選択して、[プロパティ] を使用します。

[一般] の項目の上から 5 番目の [印刷スタイル] の中から、変更する印刷スタイルを選びます。

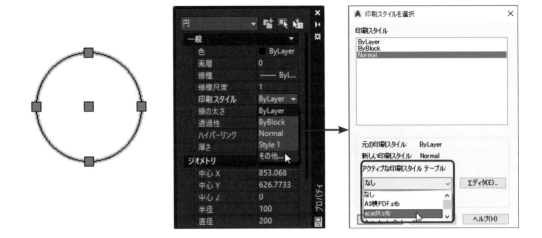

④ [色従属印刷スタイル] を指定する

[色従属印刷スタイル] のテンプレートを使います。

① [クイックアクセス ツールバー] -> [新規作成] を選びます。

② [色従属印刷スタイル] が設定済みの <acadltiso.dwt> を指定します。

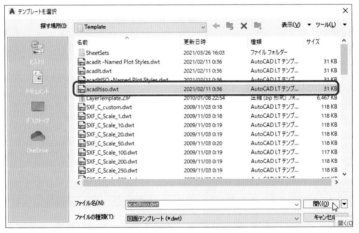

③ [色従属印刷スタイル] は下図のように、1 番から 255 番までの色に割り当てられます。

例えば、< 色 1> が赤であれば、全ての画層の < 色 1> には赤色が割り当てられます。

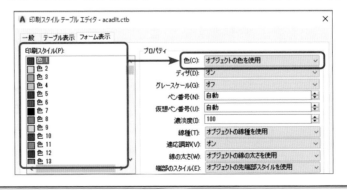

❺ [色従属印刷スタイル] の特徴

①画層ごとの印刷スタイルの指定はできません。

　画面の中で同じ色はすべて同じ色番号の色で印刷されます。

　従って下図の [画層プロパティ管理] ダイアログには、[印刷スタイル] の項目がありません。

②オブジェクトごとに印刷スタイルを割り当てることもできません。

　割り当てたいオブジェクトを選択して [プロパティ] を使用しても、印刷スタイルを選択できません。

　[印刷スタイル] は <ByColor> で固定されています。

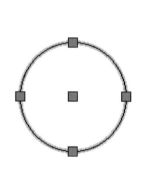

③下図のように印刷スタイル [色 1] のプロパティを <Black> と指定すると、画面の赤色はすべて黒で
　印刷されます。

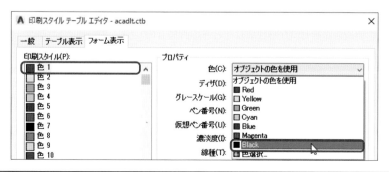

❻ [印刷スタイルテーブル設定]

[名前の付いた印刷スタイル] と [色従属印刷スタイル] の一覧は [オプション] -> [印刷とパブリッシュ]
-> [印刷スタイルテーブル設定] から確認できます。

① [名前の付いた印刷スタイル] と [色従属印刷スタイル] には、どちらにも < なし ><acadlt> が
あります。これらは画面の見たままの色で印刷しますから、どちらの印刷スタイルを選択しても
印刷結果は同じになります。

②

① [画層 0 の既定の印刷スタイル] は図面テンプレートを
使用せずに新規図面をゼロから作成したときの画層 0 の
既定の印刷スタイルを指定します。

② [オブジェクトの既定の印刷スタイル] は図面テンプレート
を使用せずに新規図面をゼロから作成したときの新しい
オブジェクトの既定の印刷スタイルを指定します。

第 2 章　建築用テンプレート

建築図面用のテンプレートを作成しましょう。

この章では、
テンプレートの作成方法を紹介します。

- 図面範囲の設定
- 画層の設定
- 文字スタイルの設定
- 寸法スタイルの設定
- 図枠・タイトル文字等の作図
- テンプレートファイルの保存
- レイアウト空間のテンプレート

第 1 節の内容　　印刷をモデル空間で行う

① 作図の [図面範囲] を決めます。（用紙は A3、縮尺は 1/100）

[用紙] の大きさと [印刷尺度] により図面範囲が決定されます。

A3 の用紙に 1/100 の縮尺で印刷しますので、図面範囲は < 横 42000 ミリ、縦 29700 ミリ > になります。

Point!

　[図面範囲] の設定は必ずしも必要ではありませんが、
　印刷時に [印刷対象] から [図面範囲] を選択できます。

② [図枠] を作成します。

図面範囲が < 横 42000 ミリ、縦 29700 ミリ > の大きさですから、印刷するときに用紙の内側に図枠が収まるように図枠サイズを設定します。

この例では、横の長さを <41000 ミリ >、縦の長さを <28000 ミリ > にしています。

（図枠の線の太さを印刷時に 0.5 ミリにする場合は、実際に作図する時の線の太さを 50 ミリにする必要があります。

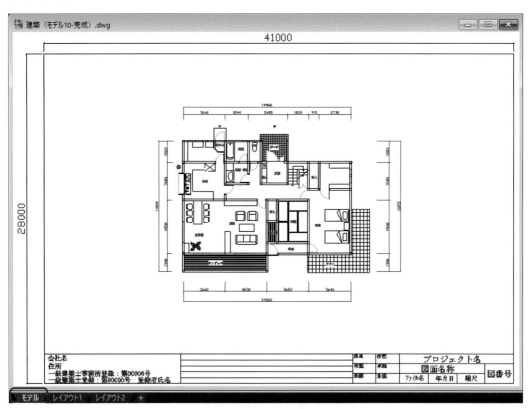

図枠はモデル空間に作成します。

上図では、図枠が横 41000 ミリ、縦 28000 ミリになっていますので、この図面を 1/100 で印刷した場合、図枠の横は 410 ミリ、縦は 280 ミリで出力されます。

第 2 節の内容　　印刷をレイアウト空間で行う

① 印刷の [レイアウト] を決めます。（用紙は A3、縮尺は 1/1）

[図面] の大きさと [用紙] の大きさは同じですので、レイアウト範囲は < 横 420 ミリ、縦 297 ミリ > です。

> **Point!**
>
> レイアウトタブから [レイアウト] の設定は必須です。
> 用紙サイズやプリンタ / プロッタの設定を行います。

② [図枠] を作成します。

レイアウト範囲が < 横 420 ミリ、縦 297 ミリ > の大きさですから、印刷するときに用紙の内側に図枠が収まるように図枠サイズを設定します。

この例では、横の長さを <410 ミリ >、縦の長さを <280 ミリ > にしています。

（図枠の線の太さを印刷時に 0.5 ミリにする場合は、実際に作図する時の線の太さも 0.5 ミリにする必要があります。

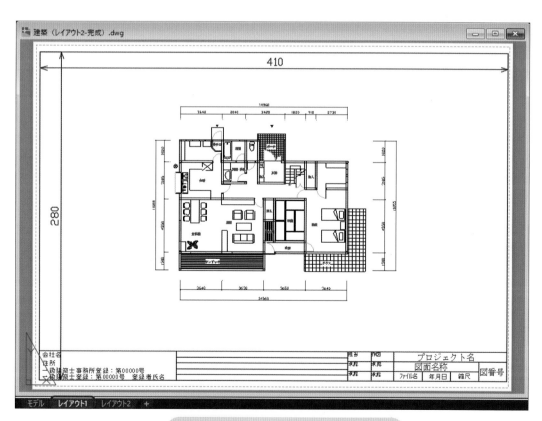

図枠はレイアウト空間に作成します。

上図では、図枠が横 410 ミリ、縦 280 ミリになっていますので、この図面を 1/1 で印刷した場合、図枠の横は 410 ミリ、縦は 280 ミリで出力されます。（同じ大きさ）

図形は A3 の用紙に配置する時点で縮小していますので、印刷の尺度は 1/1 になります。

第 1 節　モデル空間用テンプレート図面を作成

テンプレート作成（モデル空間用）	建築 (モデル 0- 図枠).dwg

作 成 手 順	
❶	[図面範囲] を決めます。（用紙は A3、縮尺は 1/100）
	[用紙] の大きさと [尺度] により図面範囲が決定されます。A3 の用紙に 1/100 の縮尺で作成しますので、図面範囲は < 横 42000 ミリ、縦 29700 ミリ > になります。
❷	[画層名 < レイヤー名 >] を決めます。
	建築用の画層名とその画層に割り当てる色と線種を決めます。
❸	[文字] のスタイルを決めます。
	タイトル用の文字や図面内で使用する文字のスタイルを作成します。
❹	[寸法] のスタイルを決めます。
	図面内で使用する寸法のスタイルを作成します。
❺	その他、細かい設定を行います。
	[グリッド][スナップ][作図単位] などの設定を行います。
❻	図枠とタイトル文字等を作図します。
	図面枠の作図と会社名や図面名称などを記入していきます。
❼	このように設定した図面を [テンプレートファイル] として保存します。
	新規図面は、このテンプレートファイルを基にして作図します。

[図面範囲] を決めます。（用紙は A3、縮尺は 1/100）

①プルダウンメニュー [形式] -> [図面範囲設定]

<u>コマンド '_limits</u>

<u>オフ : オン (ON)/< 左下コーナーを指定 <0,0>:</u> ↵

<u>右上コーナーを指定 <420,297>: 42000,29700</u> ↵

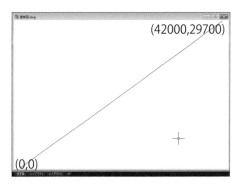

💡 [図面範囲] は印刷設定時に関係してきます。

②プルダウンメニュー [表示] -> [ズーム] -> [図面全体]

<u>コマンド : Z</u> ↵

<u>窓のコーナーを指定、表示倍率を入力 (nX または nXP)</u>

<u>または [図面全体 (A)/ 中心点 (C)/ ダイナミック (D)/</u>

<u>オブジェクト範囲 (E)/ 前画面 (P)/ 倍率 (S)/ 窓 (W)/</u>

<u>選択オブジェクト (O)] < リアル タイム >:A</u> ↵

memo

[図面範囲] を設定した後は、[図面全体] で全体を表示するようにしましょう。

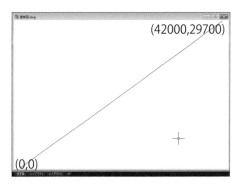 [画層名 < レイヤー名 >] を決めます。

① [画層] パネル -> [画層プロパティ管理] を選びます。（最初は < 0 > 画層の一つしかありません。）

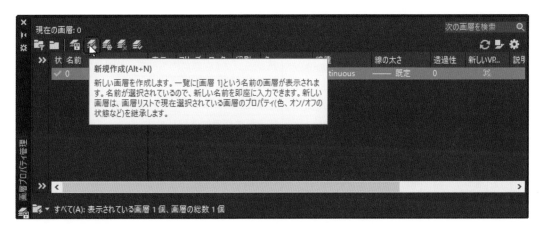

② [新規作成] のボタンを押します。

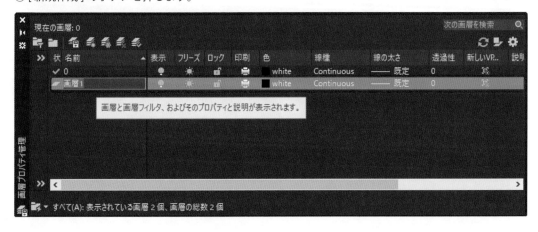

③画層が新しく作成されますので、画層の[名前]を＜通り芯＞に変更します。

又、色を＜red＞、線種を＜CENTER＞に設定します。

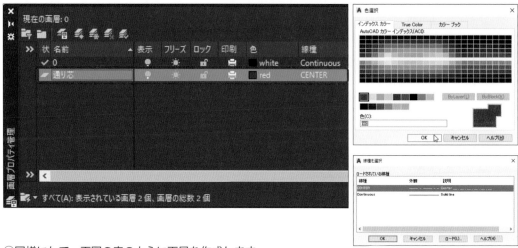

④同様にして、下図の表のように画層を作成します。

	画層名	色	線種	用途
1	通り芯	red	CENTER	通り芯の画層に使用します。(線種は一点鎖線)
2	柱	white	Continuous	柱の画層に使用します。
3	壁	white	Continuous	壁の画層に使用します。
4	建具	green	Continuous	建具(ドア)の画層に使用します。
5	窓	cyan	Continuous	窓の画層に使用します。
6	ハッチング	white	Continuous	ハッチング(玄関前のポーチ)の画層に使用します。
7	階段	white	Continuous	階段の画層に使用します。
8	方位	10	Continuous	オリエンテーションの画層に使用します。
9	部屋名	magenta	Continuous	部屋名の画層に使用します。
10	寸法	blue	Continuous	寸法線の画層に使用します。
11	タイトル	blue	Continuous	表題欄の文字の画層に使用します。
12	補助	40	Continuous	作図補助線の画層に使用します。

⑤下図のように画層を作成しました。

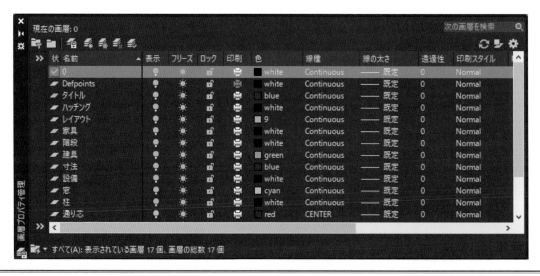

3 [文字] のスタイルを決めます。

① [文字] パネル -> [文字スタイル管理] を選びます。

[新規作成] のボタンを押します。

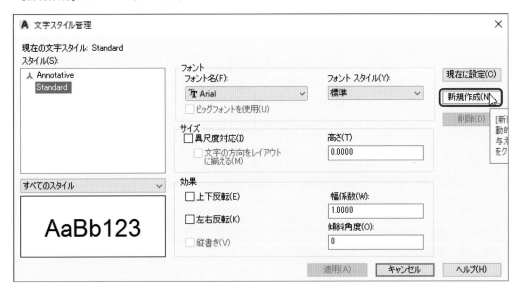

② [スタイル名] を <Archi> とします。

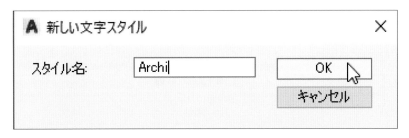

③続いて、[フォント名] では <txt.shx> を選び、[ビッグフォント] に <extfont2.shx> を選びます。

[適用] ボタンを押して、ダイアログを閉じます。（寸法文字に使います。）

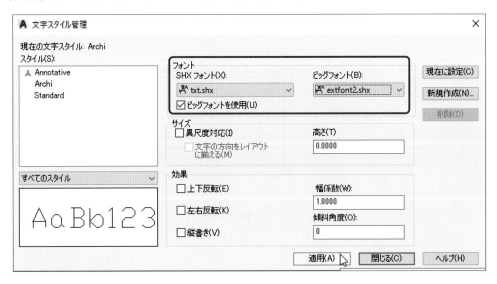

❹ [寸法]のスタイルを新しく作成します。

① [寸法記入]パネル -> [寸法スタイル管理]を選びます。
　[新規作成]のボタンを押します。

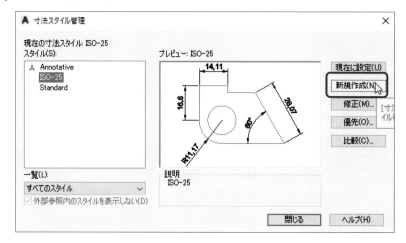

②[新しいスタイル名]を<Archi>として、[続ける]のボタンを押します。

❷新しい寸法スタイルを
[異尺度対応]にするには
[異尺度対応 (A)]にチェック
します。

③ [シンボルと矢印]のタブを表示します。
　[矢印のサイズ]を<1.0>に設定します。
　[矢印]の種類は<小黒丸>を選択します。

❸[寸法マスク]は寸法補助線が
交差したときに、補助線の一部
をカットします。

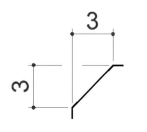

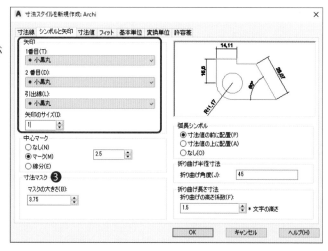

④次に [寸法値] タブを選びます。

　[文字スタイル] は <Archi> を選択します。

　[文字の高さ] を <2> に変更します。

 ④ [文字スタイル] で [文字の高さ] を
　<0> 以外に設定した場合、[寸法値] の
　[文字の高さ] は指定できません。

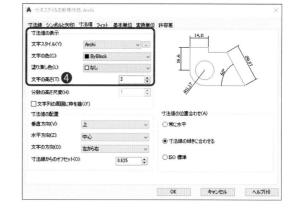

⑤次に [フィット] タブを選びます。

　[全体の尺度] を <100> とします。

 ❺ [異尺度対応] にチェックした場合、
　[全体の尺度] は指定できません。

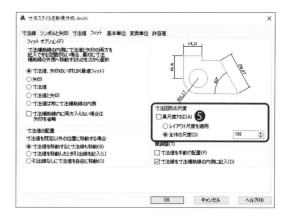

⑥次に [基本単位] タブを選びます。

　[長さ寸法] の [精度] を <0> とします。

　[0 省略表記] の [末尾] をチェックします。

 ❻ [単位形式] に [Windows デスクトッ
　プ] を指定すると、3 ケタ毎にカンマ <,>
　が入ります。

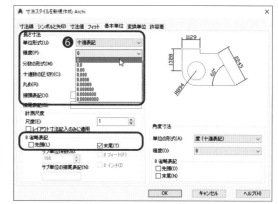

⑦ [OK] ボタンを押して、ダイアログを閉じます。

 ❼ 📐 のマークがある寸法スタイルは
　[異尺度対応スタイル] です。

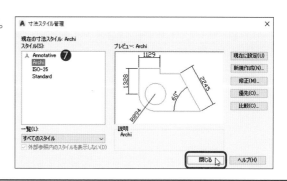

❺ 寸法以外の設定を変更します。

①プルダウン メニュー [形式] -> [単位管理]

[長さ] のタイプに < 十進表記 > を選択します。

[精度] を < 0 > にします。

 ❶ CAD は [反時計回り] が正の角度です。

②プルダウン メニュー [ツール] -> [作図補助設定]

[グリッド オン] にチェックします。

[X 間隔]：<1000>

[Y 間隔]：<1000> に変更します。

 ❷ [図面範囲外のグリッドを表示] の

チェックを外すと、グリッドは図面範囲

だけに表示されます。

③プルダウン メニュー [形式] -> [線種設定]

[グローバル線種尺度] に <500> を入力します。

 ❸ [ペーパー空間] で印刷するときは、赤丸に

チェックして、[グローバル線種尺度] を < 1 >

にします。

④プルダウン メニュー [形式] -> [点スタイル管理]

一番上の右から 2 番目の <X> 印を選択します。

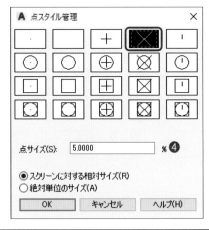

 ❹ [点] は印刷されますから、必要ない場合は

削除してください。

6 [作成]->[長方形]コマンドで図枠を作図します。（画層は<0>）

① [作成]->[長方形]を選びます。

X：41000、Y：28000の長方形を作図します。

コマンド _rectang

一方のコーナーを指定 または [面取り(C)/高度(E)/フィレット(F)/厚さ(T)/幅(W)]:

500,500 ⏎

もう一方のコーナーを指定 または [面積(A)/サイズ(D)/回転角度(R)]:

@41000,28000 ⏎

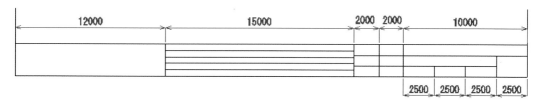

② [修正]->[オフセット]を選びます。

X方向：表示されている間隔でオフセットします。

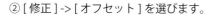

③ Y方向：表示されている間隔でオフセット、又は分割をした位置で線を作図します。

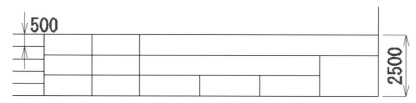

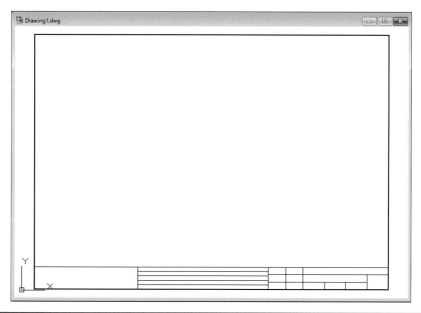

④ [文字記入] コマンドを選びます。（画層は＜タイトル＞）

　[文字スタイル管理] から文字スタイルを [TITLE] に切り換えます。

　[TITLE] のフォントは <MS 明朝 >、フォント スタイルは < 標準 > です。

会社名
住所
一級建築士事務所登録：第00000号
一級建築士登録：第00000号　登録者氏名

担当	作図	プロジェクト名		
承認	承認	図面名称		図番号
承認	承認	ファイル名	年月日	縮尺	

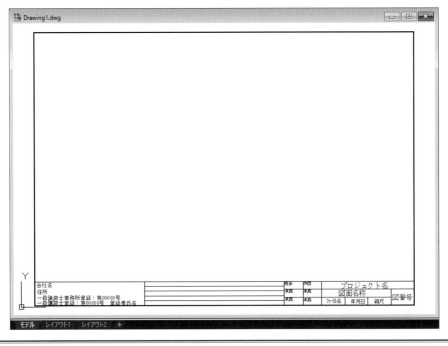

7 ［アプリケーションメニュー ］-> ［ 名前をつけて保存 ］ コマンドで新規保存します。

①保存場所

テンプレートを保存する場所を選びます。

［ファイル名］：＜図枠 A 3 ＞

［ファイルの種類］：＜AutoCAD 2018(dwg)＞

で保存します。

memo このファイルを使用する時は、［ アプリケーションメニュー ］-> ［ 新規作成 ］ コマンドを使います。

② [ファイルの種類] で [図面 (*.dwg)] に切り替え、テンプレートとして使用する図面 (図枠 A3.dwg) を指定します。

③ [図枠 A3.dwg] が新規の図面ファイル [Drawing.dwg] として読み込まれます。

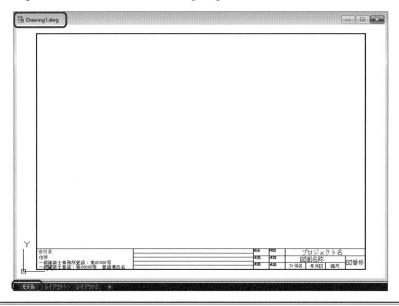

第 2 節　　レイアウト空間用テンプレート図面を作成

テンプレート作成（レイアウト空間用）	建築 (レイアウト 0- 図枠 .dwg)

作 成 手 順

❶	新規作成で [図枠 A3] の図面を使用します。（用紙は A3、縮尺は 1/1）
	[図枠 A3] の図面を読み込み、変更部分のみを修正して [A3 用紙][縮尺 1/1] 用の図面にします。
❷	図面全体をブロック登録します。
	[ブロック作成] コマンドで、図枠全体をブロック登録します。
❸	[レイアウト空間] へ切り替え、ブロック登録した [zuwaku] を挿入します。
	レイアウト空間内に [zuwaku] のブロックを挿入し、分解しておきます。
❹	[レイアウト空間] 用のファイルとして [名前を付けて保存] します。
	図面をレイアウト空間に配置する場合は、このテンプレートを使います。

Point!

レイアウト空間に配置する時の注意点

レイアウト空間に図枠や図面を配置するときは
あらかじめ [ページ設定管理] から [用紙サイズ] や
[プリンタ / プロッタ]、[印刷領域]、[印刷尺度] 等
の設定を済ませておきます。

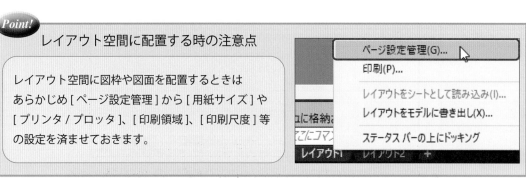

① 新規作成で [図枠 A3] の図面を使用します。（用紙は A3、縮尺は 1/1）

元の図面は 1/100 用に設定されていますので、1/1 用の原寸サイズに変更します。

① [修正] -> [尺度変更] を選びます。

コマンド _scale

オブジェクトを選択: all ⏎

グループのオブジェクト: 31

オブジェクトを指定: ⏎

基点を指定: 図枠の左下を指示します。

尺度を指定 あるいは [コピー (C)/ 参照 (R)]<1.0000>: 0.01 ⏎

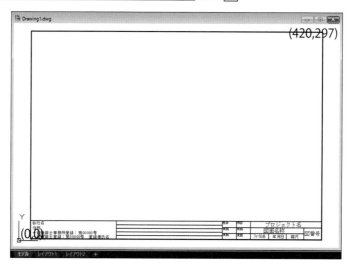

② プルダウンメニュー [表示] -> [ズーム] -> [オブジェクト範囲] を選びます。

コマンド Z

窓のコーナーを指定、表示倍率 (nX または nXP), または

[図面全体 (A)/ 中心点 (C)/ ダイナミック (D)/ オブジェクト範囲 (E)/ 前画面 (P)/ 倍率 (S)/ 窓 (W)/

選択オブジェクト (O)] < リアルタイム >: E ⏎

② この図面を [ブロック作成] コマンドで 1 つのブロックにします。

① [ブロック定義] パネル -> [ブロック作成] を選び
ます。

ブロックの [名前] を <zuwaku> にします。

[オブジェクトを選択] のボタンを押して、図形を
全部選択します。

[削除] にチェックします。

[基点] は図枠の左下を指示します。

 ブロックに変換した後、元の図形をそのまま残しておきたい時は、[保持] のボタンを押します。
又、挿入した後で分解すると、作成時の画層に戻ります。

❸ レイアウト空間に切り替えて、このブロック図形を配置します。

① [モデル] から [レイアウト 1] に切り替えます。

② [ブロック] パネルの [挿入] を使い、リボン ギャラリーから <zuwaku> を選びます。

　　または、[パレット] パネルの [ブロック] を使い、ブロック パレットから <zuwaku> を選びます。

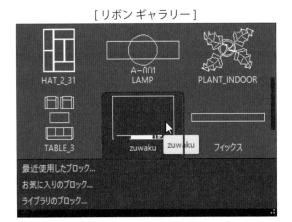

③レイアウト空間に実寸の A3 用紙用の図枠を配置しました。

❹ レイアウト空間用のテンプレートとして、名前を付けて保存します。

第3章　建築図面作成

建築図面を作図してみましょう。

この章では、
建築図面の作図方法を紹介します。

- テンプレートの呼び出し
- 壁芯
- 躯体
- 建具
- 什器・家具
- 文字・ハッチング
- 寸法記入
- 印刷

第 1 節　　モデル空間に作図し、印刷する

完成した建築図面	建築 (モデル 10- 完成).dwg

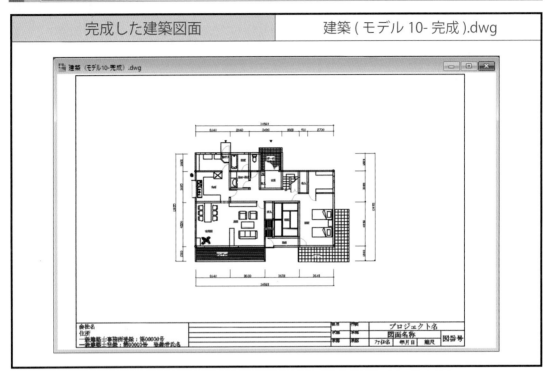

作 成 手 順 （作図も印刷もモデル空間）	
①	[A3 用紙・1/100] 用の図面をテンプレート図面として使います。 A3 用紙、縮尺 1/100 用の図面をテンプレートファイルとして使用します。 （図面範囲は < 横 42000 ミリ、縦 29700 ミリ > になります。）
②	[壁芯 < 通り芯 >] を作図 [真壁・大壁] と [間仕切り壁] の壁芯を作図します。
③ ④	[躯体 < 柱・壁 >] を作図 柱と壁を作図します。
⑤ ⑥	[建具 < 扉・窓 >] を作図 扉と窓を作図またはブロック挿入します。
⑦	[家具等] を作図 家具や什器などを作図またはブロック挿入します。
⑧ ⑨	[文字・ハッチング] を作図 居間や和室などの部屋名とハッチングを作図していきます。
⑩ ⑪	[寸法線] の作図と印刷 寸法を記入し、印刷を行います。

❶ 新規ファイルに [A3 用紙・1/100] 用のファイルを使います。

① [クイックアクセス ツールバー] -> [新規作成]

ファイルの種類に [dwg] ファイルを選び、使用する図面のあるフォルダに移動します。

② [開く] ボタンを押して、ファイルを開きます。

☞ 呼び出すファイルが存在している場所は上のダイアログに表示されている位置と
必ずしも同じではありません。

③ [A3・1/100] 用の図面を新規図面として使用します。（この例では < 図枠 A3> を使います。）

下図のように図枠が表示されました。

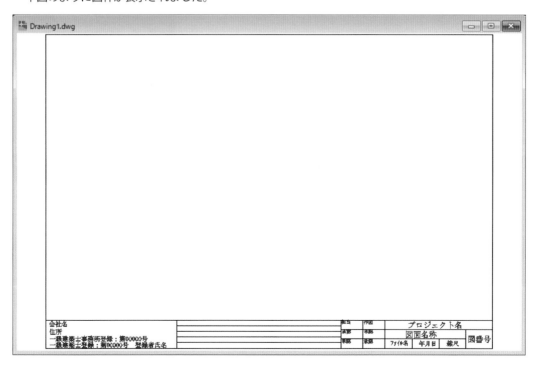

☞ 通常、図枠は一番最後に配置しますが、全体のバランスが判るように最初に配置しました。

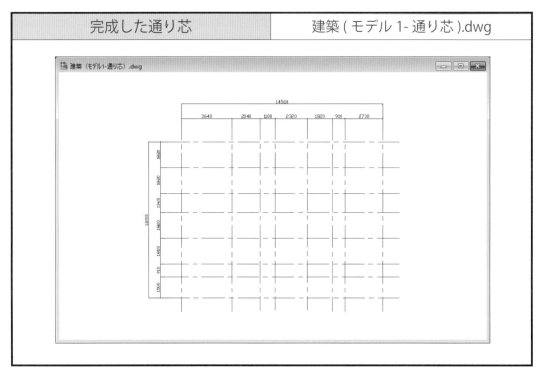

| 完成した通り芯 | 建築 (モデル 1- 通り芯).dwg |

━━━━ 作成手順 ━━━━

 画層を [通り芯] に変更します。

① [画層プロパティ管理] を開いて ＜通り芯＞の画層に
切り換えます。

[画層] は ＜通り芯＞、[線種] は ＜ByLayer＞ で
あることを確認しましょう。

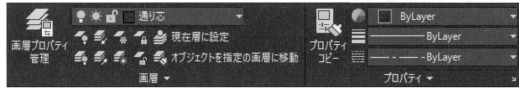

② [作図] -> [線分] コマンドで右図のように適当な位置に
1 本の縦線を引きます。
（直交モード使用）

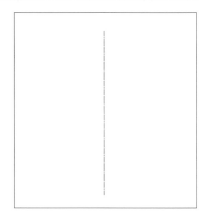

Point!

[線種] が ＜1 点鎖線＞ に見えないときは、[線種管理] の
ダイアログから [グローバル線種尺度] で数値を変更する
必要があります。

③ [修正] -> [オフセット] コマンドで下図のように最初の線分 A の平行線を作図していきます。

（図面の上側の間隔で平行線を作成しました。寸法は確認のために入れました。）

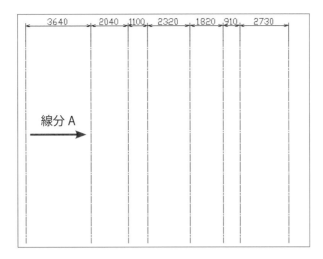

④ [作成] -> [線分] コマンドで下図のように適当な位置に 1 本の水平線を引きます。

（線分 B：直交モード使用）

⑤ [修正] -> [オフセット] コマンドで線分 B を上方向にオフセットしていきます。

（図面の左側の間隔で平行線を作成しました。寸法は確認のために入れました。）

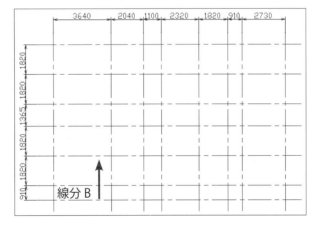

Point! 全体の通り芯を作図したあとで、通り芯の長さを適当に伸縮しておくといいでしょう。

（[修正] -> [長さ変更] -> [ダイナミック] または [修正] -> [ストレッチ]）

また細かい線分はあとで追加した方が分かりやすいこともあります。

---

memo **[壁芯と柱芯] の区別**

この図面では、壁芯と柱芯は同じ位置にありますので 1 本でいいのですが
鉄骨造や鉄筋コンクリート造では、壁芯の位置と柱芯の位置は違います。
このような場合は、画層や色を分けて作図したほうがいいでしょう。

また、部屋内の間仕切り線なども他の画層 (間仕切り線、作図芯等) を
使うこともあります。

| 完成した通し柱 | 建築 (モデル 2- 通し柱).dwg |

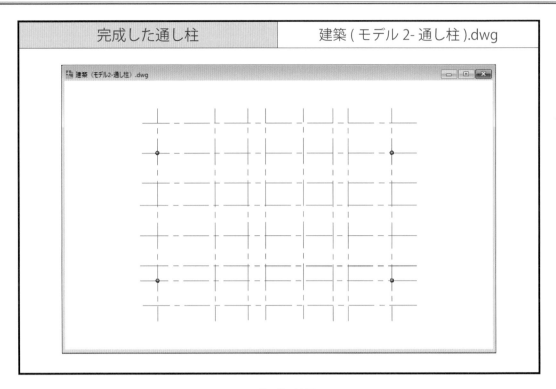

建築 (モデル2-通し柱) .dwg

作成手順

③　画層を [柱] に変更します。

① [画層プロパティ管理] を開いて < 柱 > の画層に切り換えます。

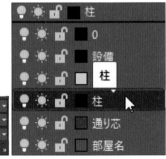

②ここでは < 通し柱 > を 1 つ作成して、残りを複写していきます。
　（全部で 4 つ）

　適当な位置で、一辺 150 ミリの正方形と外接する円を作図します。

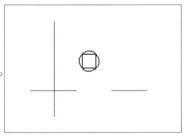

③< 通し柱 > を通り芯の交点に移動し、これを [修正] -> [複写]
　コマンドで残りの 3 箇所に複写します。

別方法 1つの<柱>を[配列複写]します。

① [修正] -> [矩形状配列複写]

② [列]と[行]に<2>を入力します。

③ [列の間隔(X方向)]には<14560>、[行の間隔(Y方向)]には<7735>と入力します。

④オブジェクトを選択：1つの通し柱（正方形と円）を選択します。

⑤ [配列複写を閉じる]を押して、リボンタブを閉じます。

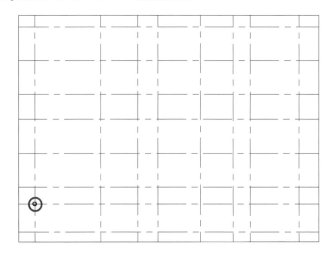

⑥下図のように1度に配置されます。

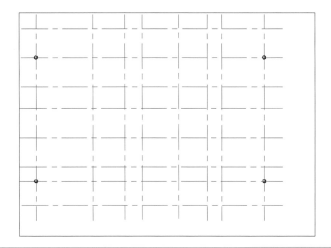

memo

> 木造や壁式の建築物ですと、壁を作成した場合に壁の交差する個所が柱のようになりますので、この場合あえて柱として作図する必要もないでしょう。
> ただ、柱の本数を積算する必要があるときは、ちゃんと柱として作図しなければいけません。

完成した壁	建築 (モデル 3- 壁).dwg

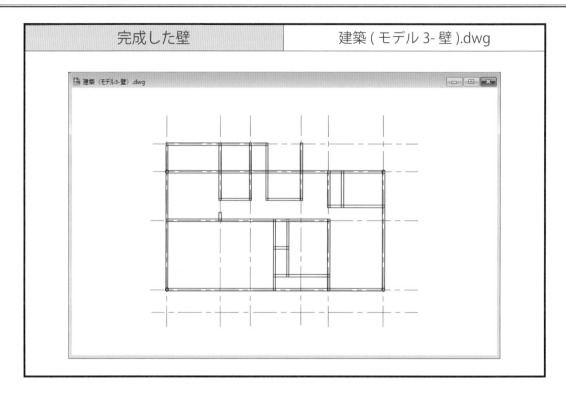

──────── 作成手順 ────────

④ 画層を [壁] に変更します。

① [画層プロパティ管理] を開いて ＜壁＞ の画層に切り換えます。

② [修正] -> [オフセット] コマンドを使います。

<u>オフセット距離を指定 または [通過点 (T)/ 消去 (E)/ 画層 (L)]</u>

<u>＜ 通過点 ＞:</u> 75 ↵

<u>オブジェクトを選択:</u> マウスで通り芯 (S1) を選びます。

<u>オフセットする側の点を指定 または [両方 (B)/ 終了 (E)/</u>

<u>一括 (M)/ 元に戻す (U)] ＜ 終了 ＞:</u>

S1 の左右を指示します。

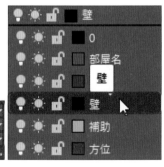

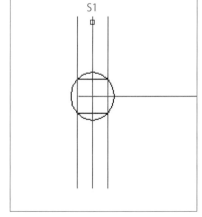

Point!

[オフセット] コマンドは、選択した図形の平行複写ですから同じ画層で作図されますが、

[オプション] を使えば、他の画層にオフセットすることもできます。

③ [オブジェクトプロパティ管理] を選びます。

[プロパティ] パネルが表示された状態で、二本 の線分

(S1 と S2) を選択します。

[画層] の項目を < 壁 > に変更して、パネルを閉じます。

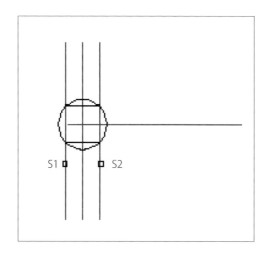

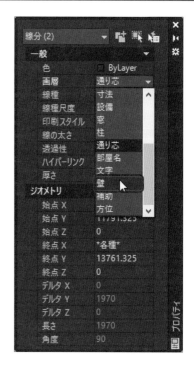

④他の個所も同様にして [オフセット] と [オブジェクトプロパティ] で壁を作図していきます。

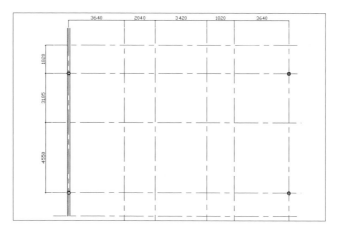

⑤延長コマンドやトリムコマンドを使って作図します。（通り芯の画層をオフにしています。）

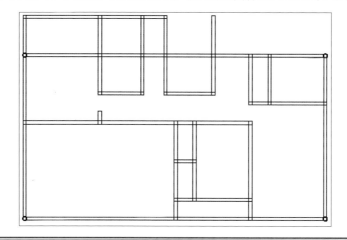

建築図面

完成した扉	建築 (モデル 4- 扉).dwg

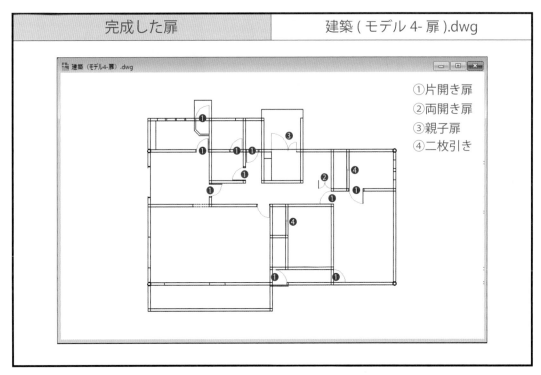

建築 (モデル4-扉).dwg

①片開き扉
②両開き扉
③親子扉
④二枚引き

作成手順

5 画層を[建具]に変更します。

① [画層プロパティ管理] を開いて < 建具 > の画層に切り換えます。
建具のブロック作成は < 0 > 画層、挿入の画層は < 建具 > です。

② [作成] -> [線分][円弧] で右図のように < 片開き扉 >
と < 両開き扉 > を作図し、[ブロック作成] でブロック
として登録します。
([ブロック名] は < 片開き扉 > と < 両開き扉 >)

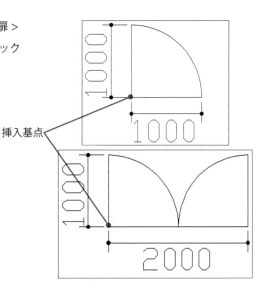

挿入基点

Point!

[ブロック] の図形は、実際の大きさではなく
きりのいい数値で作図しておいたほうが
挿入するときに尺度計算が簡単です。

建築図面

③ [パレット] パネルの [ブロック] を使い、ブロック パレットから < 片開き扉 > を選びます。

または、[ブロック] パネルの [挿入] を使い、リボン ギャラリーから < 片開き扉 > を選びます。

[ブロック パレット]　　　　　　　　　　　　[リボン ギャラリー]

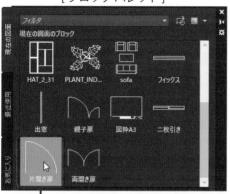
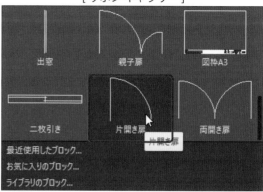

④ブロック パレットの [挿入オプション] の [挿入位置] と
[回転] にチェックすると、図面内で [挿入位置] と [回転]
を指定できます。

次に [XYZ 尺度を均一に設定] の項目を <0.76> にします。

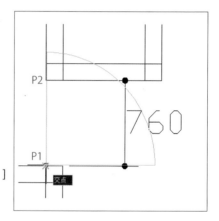

⑤挿入点を指定 または [基点 (B)/ 尺度 (S)/ 回転 (R)]:

マウスで右上図の点 P1 を指示します。

回転角度を指定 <0>:

マウスで点 P2 を指示します。

memo

挿入する扉の幅が 1000、挿入する柱間が 760
ですから、扉の <X 尺度 > は　760/1000 (0.76)
になります。

この様に挿入する図形が 100 とか 1000 のよ
うにきりのいい数値になっていると
挿入するときの尺度の計算が楽になります。

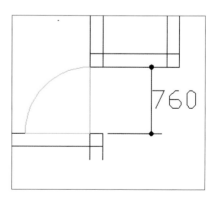

 Point!

右図のようにもとの扉を反転した形で挿入するときは、
[X 尺度] を < -0.76 > とします。(マイナス入力)

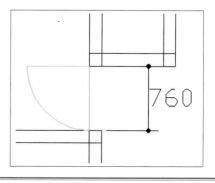

建築図面

完成した窓	建築 (モデル 5- 窓).dwg

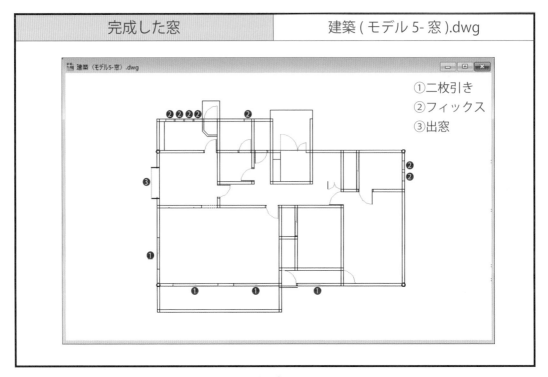

①二枚引き
②フィックス
③出窓

━━━ 作成手順 ━━━

6 画層を [窓] に変更します。

① [画層プロパティ管理] を開いて < 窓 > の画層に切り換えます。
　窓のブロック作成は < 0 > 画層、挿入の画層は < 窓 > です。

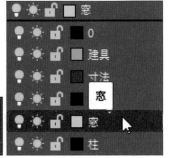

② [作成] -> [線分][長方形] で右図のように
　< 二枚引き > と < フィックス > を作図し、
　[ブロック定義] パネル -> [ブロック作成] で
　ブロックとして登録します。([ブロック名] は
　< 二枚引き > と < フィックス >)

Point!

[ブロック] の図形は、実際の大きさではなく
きりのいい数値で作図しておいたほうが
挿入するときに尺度計算が簡単です。

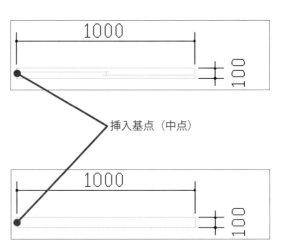

挿入基点（中点）

③ [パレット] パネルの [ブロック] を使い、ブロック パレットから < 二枚引き > を選びます。

または、[ブロック] パネルの [挿入] を使い、リボン ギャラリーから < 二枚引き > を選びます。

[ブロック パレット] 　　　　　　　　　　 [リボン ギャラリー]

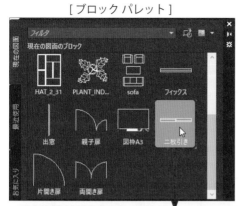
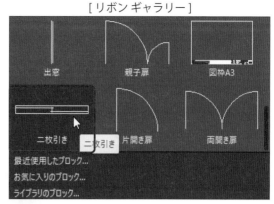

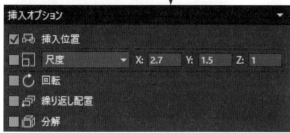

X 方向の尺度 : 2.7

（基の幅が <1000>、窓の幅が <2700>）

Y 方向の尺度 : 1.5

（基の厚さが <100>、壁厚が <150>）

④ ブロック パレットの [挿入オプション] の [挿入位置] にチェックすると、図面内で [挿入位置] を
指定できます。

次に [尺度] の [X] に <2.7>、[Y] に <1.5> と入力します。

⑤ 挿入位置を指定 または [基点 (B)/ 尺度 (S)/X/Y/Z/ 回転 (R)]:

マウスで下図の点 P1 を指示します。

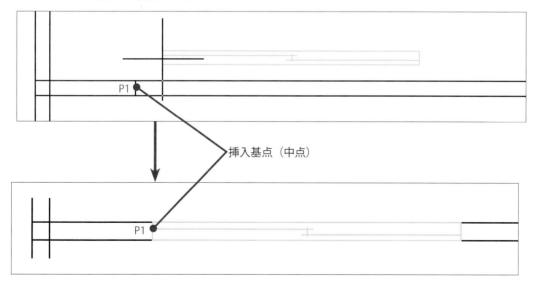

挿入基点（中点）

ブロック図形は、挿入時に挿入した画層の色と線種に変わります。

上図は壁の色と区別するために、画層 < 窓 > の色で表示しています。

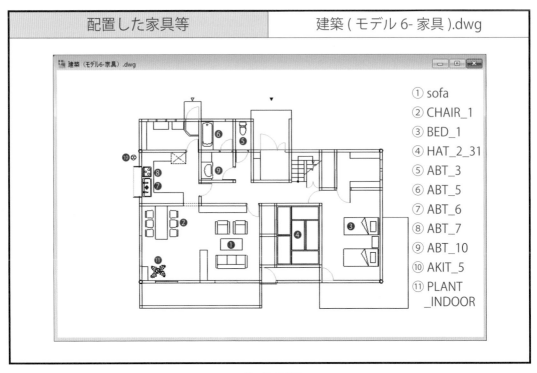

配置した家具等	建築 (モデル 6- 家具).dwg

建築 (モデル6-家具) .dwg

① sofa
② CHAIR_1
③ BED_1
④ HAT_2_31
⑤ ABT_3
⑥ ABT_5
⑦ ABT_6
⑧ ABT_7
⑨ ABT_10
⑩ AKIT_5
⑪ PLANT _INDOOR

作成手順

7 画層を [家具] に変更します。

① [画層プロパティ管理] を開いて < 家具 > の画層に切り換えます。

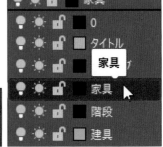

② [パレット] パネルの [ブロック] を使い、ブロック パレットから <sofa> を選びます。

　または、[ブロック] パネルの [挿入] を使い、リボン ギャラリーから <sofa> を選びます。

[ブロック パレット]　　　　　　　[リボン ギャラリー]

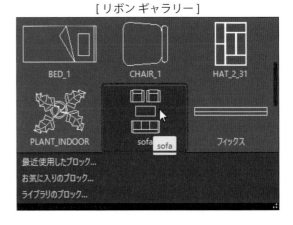

建築図面

③挿入位置を指定 または [基点 (B)/ 尺度 (S)/X/Y/Z/ 回転 (R)]:
マウスで下図の点 P1 を指示します。

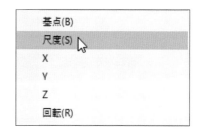

ブロックの大きさや挿入角度を変更する場合は、
マウスの右ボタンのショートカットから [基点]
[尺度][X][Y][Z][回転] を指定できます。

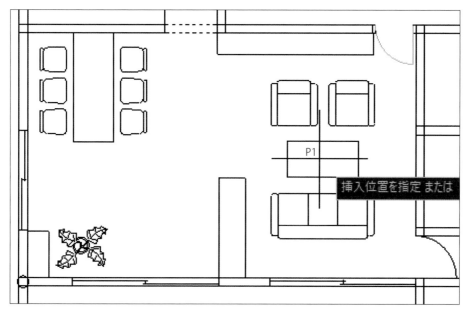

④同様にして、他のブロック (家具や設備) も下図のように配置します。

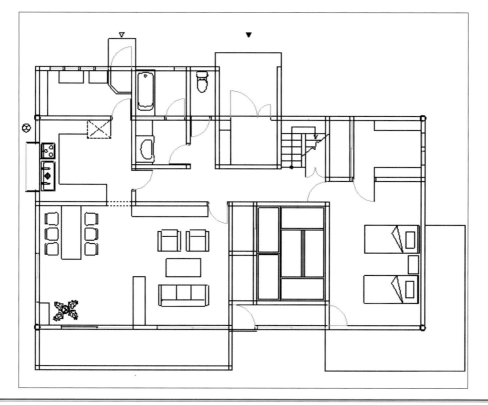

建築図面

配置した部屋名	建築 (モデル 7- 文字).dwg

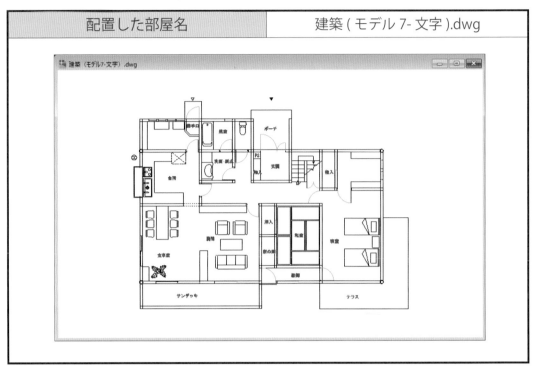

建築 (モデル7-文字) .dwg

━━━ 作成手順 ━━━

⑧ 画層を［部屋名］に変更します。

① [画層プロパティ管理] を開いて < 部屋名 > の画層に切り換えます。

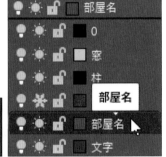

②文字スタイルを < 部屋名 > に変更します。

③ [文字] -> [文字記入] で部屋名を記入していきます。

　文字列の始点を指定：

　マウスで点 P1 あたりを指示します。

④高さを指定 <2.5>: 200 ↵

　文字の回転角度を指定 <0>: ↵

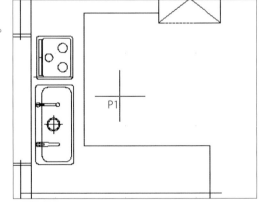

　　　　文字の高さが <200> の場合、1/100 で印刷したときは 2 ミリの大きさになります。

⑤ < 台所 > の文字を入力します。

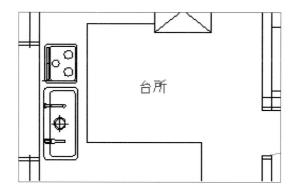

別方法 ［マルチテキスト］で作成

①最初のコーナーを指定 :

　マウスで大体の位置 (P1) を指示します。

　もう一方のコーナーを指定 または [高さ (H)/ 位置合わせ (J)/

　行間隔 (L)/ 回転角度 (R)/ 文字スタイル (S)/ 幅 (W)/ 段組み (C)]:

　マウスで大体の位置 (P2) を指示して、文字を配置する位置を

　決めます。

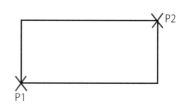

②下図のテキスト エディタが表示されます。文字のタイプや文字の高さを確認して、< 和室 > と入力し

　［テキスト エディタを閉じる］ボタンを押します。

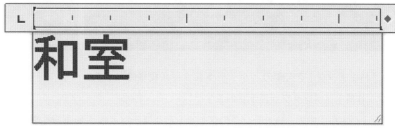

③右図のように配置されます。

memo

［マルチテキスト］を使用すると 1 文字ずつ文字
の大きさや文字のスタイルを変更できます。
枠の中央に収めたいとか、この文字だけ明朝体
やゴシック体を使いたいとき便利です。

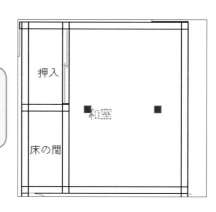

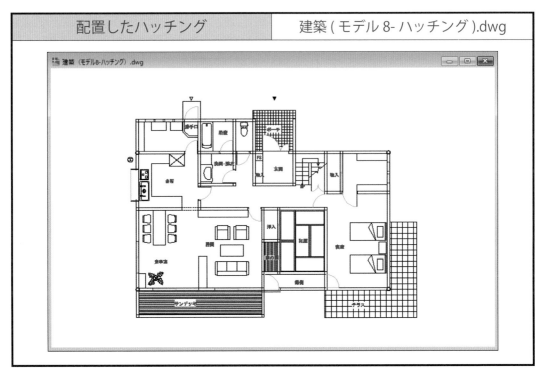

| 配置したハッチング | 建築 (モデル 8- ハッチング).dwg |

=== 作成手順 ===

9 画層を [ハッチング] に変更します。

① [画層プロパティ管理] を開いて < ハッチング > の画層に切り換えます。

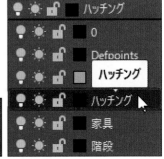

② [作成] -> [ハッチング] で玄関の < ポーチ > にタイル模様のハッチングを作成します。

　 [ハッチング作成] リボンタブが表示されます。

　 [プロパティ] パネルの中の [ハッチングのタイプ] で < ユーザ定義 > を選択します。

　 [角度] を <0>、[ハッチング間隔] を <200> に設定して、[ダブル] を指定します。

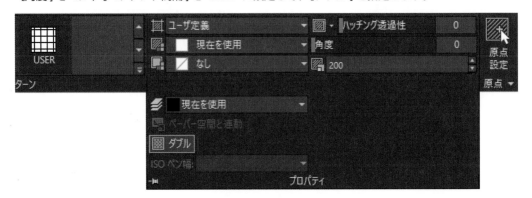

③ [境界] パネルの [点をクリック] ボタンを押します。

　内側の点をクリック または [オブジェクトを選択 (S)/ 元に戻す (U)/ 設定 (T)]:

　ハッチングをかけるポーチの内側 (P1) を指示します。

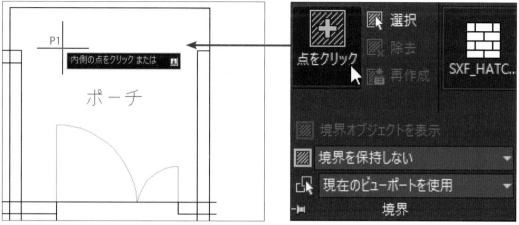

④マウスの右ボタンのショートカットから

　[Enter] を選択して確定します。

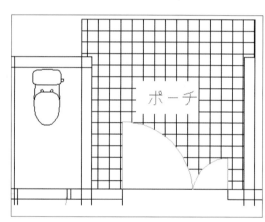

memo

> ハッチングパターンの [ユーザ定義] は
> 現在使用している線種を使っての平行線
> です。
> [ダブル] をONにすると正方形の模様
> になります。

---

memo　[ハッチング・パターン] のいろいろ

[境界ハッチング]のプロパティタブには多くの ハッチングパターンが用意されています。	[2色]のグラデーションを使用すると2種類の色の グラデーションを作成できます。

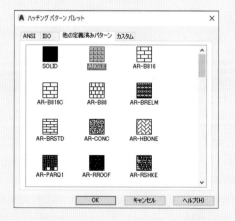

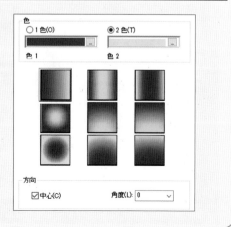

配置した寸法	建築 (モデル 9- 寸法).dwg

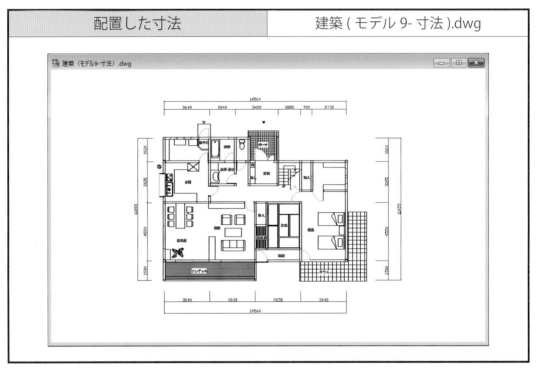

━━━━━━━━━━ 作成手順 ━━━━━━━━━━

⑩ 画層を [寸法] に変更し、[通り芯] の画層をＯＮにします。

① [画層プロパティ管理] を開いて < 寸法 > の画層に切り換えます。

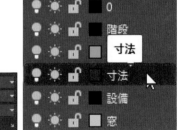

② [画層プロパティ管理] から [通り芯] の表示を <ON> に切り替えます。

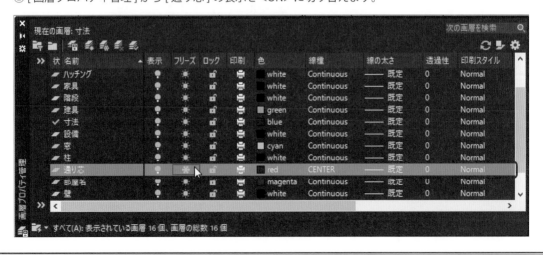

③ [寸法記入] -> [長さ寸法] で、上側の寸法を記入していきます。

1本目の寸法補助線の起点を指定 または＜オブ
ジェクトを選択＞:
マウスで左端の通り芯の端点 (P1) を取ります。
（Ｏスナップの端点モードにしておきます。）
2本目の寸法補助線の起点を指定 :
マウスで二番目の通り芯の端点 (P2) を取ります。

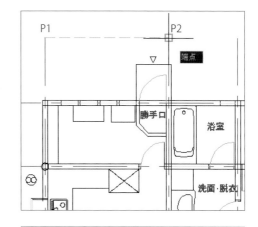

④寸法線の位置を指定 または
[マルチ テキスト (M)/ 寸法値 (T)/ 寸法値角度 (A)/
水平 (H)/ 垂直 (V)/ 回転 (R)]:
寸法線の出す位置をマウスで指示します。(P3)
寸法値 = 3640 ↵

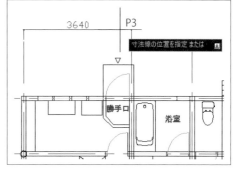

⑤続けて [直列寸法記入] コマンドで直列寸法を
記入していきます。
2本目の寸法補助線の起点を指定 または [元に戻す
(U)/ 選択 (S)] ＜ 選択 ＞:
マウスで次の通り芯の端点 (P4) を指示します。
2本目の寸法補助線の起点を指定 または [元に戻す
(U)/ 選択 (S)] ＜ 選択 ＞:
同様にして、右端まで順番に通り芯を選択してい
きます。

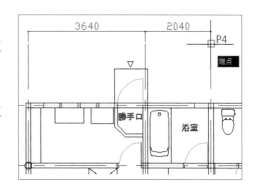

⑥下図のように寸法が作図されます。

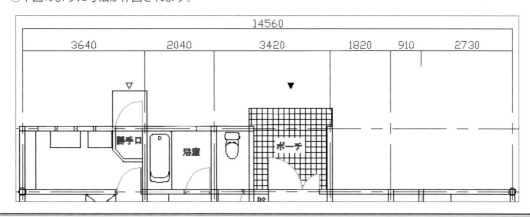

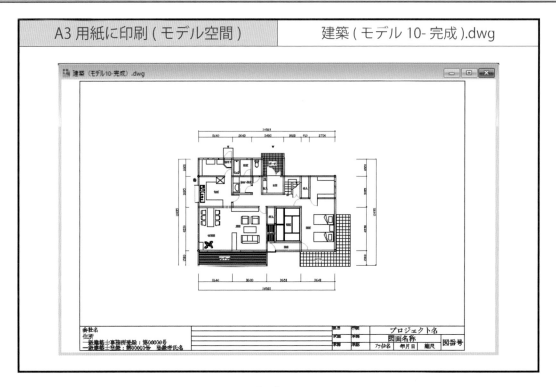

━━━ 作成手順 ━━━

⑪ 作図した図面を A3 用紙に印刷します。

① [出力] -> [印刷] を選びます。

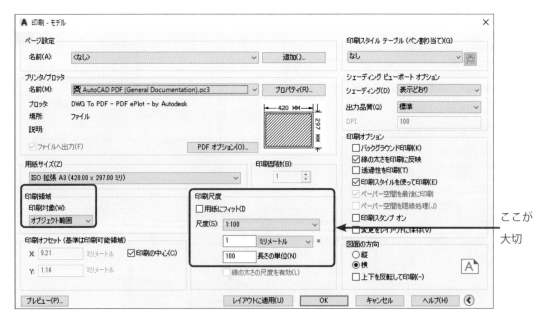

② [印刷] のダイアログが表示されます。

　[印刷領域] の項目では < オブジェクト範囲 > または < 図面範囲 > を選びます。

　[印刷尺度] の項目で、尺度を <1:100> にして [印刷プレビュー] ボタンを押します。

③印刷する前には、この様に印刷プレビューで確認をする方がいいでしょう。

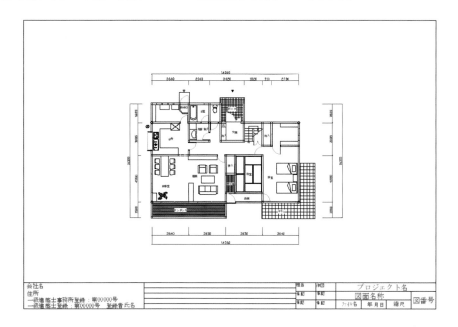

④ [OK] ボタン、又は下の [印刷] ボタンを押して印刷します。

memo

[印刷領域]

プリンターの種類によって、印刷可能な範囲が違っています。
そのため、印刷漏れが生じる可能性があります。
そのような場合は、図枠自体の大きさをプリンターの作図範囲に合わせて作成する
必要があります。

右のように、赤線で表される箇所は印刷範囲から
外れています。
赤線が無くなるように、図枠を縮小したり位置を
変更する必要があります。

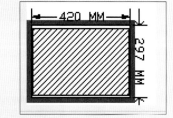

印刷する範囲	
[モデル] と [レイアウト] で共通	
オブジェクト範囲	描かれているオブジェクトの範囲を印刷
窓	マウスで四角で囲った範囲を印刷
表示画面	表示されているオブジェクトの範囲を印刷
[モデル]	
図面範囲	LIMITS(図面範囲) で設定されている範囲を印刷
[レイアウト]	
レイアウト	ページ設定の用紙サイズの範囲を印刷

第2節　レイアウト空間に配置し、印刷する

A3 用紙に印刷（レイアウト空間）	建築 (レイアウト 2- 完成).dwg

────■─■─■─ 作成手順 ─■─■─■────

1　作図した図面をレイアウト空間に配置します。

① [レイアウト 1] のタブをクリックして、レイアウト空間に移動します。

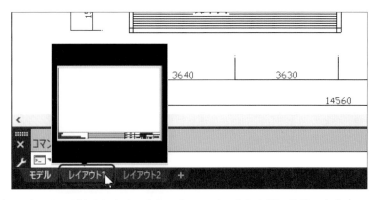

②ステータスバーにある [モデル] をクリックしても、レイアウト空間に移動できます。

（モデル空間とレイアウト空間の切り替えになります。）

③レイアウト空間には、あらかじめ A3 用紙の大きさの図枠が作成されています。

　（もしモデル空間に図枠を配置している場合は、モデル空間の図枠は削除しておきます。）

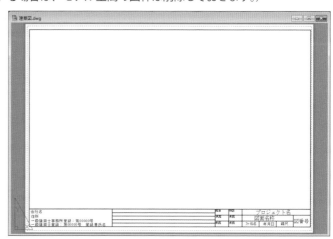

Point!

もし、レイアウト空間が白紙のまま
でしたら、A3 の図枠の図面ファイル
をブロック挿入することになります。

④ [画層] パネルの [画層プロパティ管理] を開いて、< レイアウト > の画層に切り替えます。

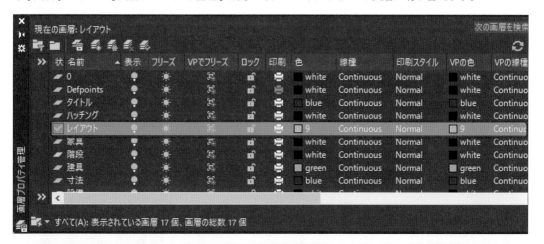

⑤ [レイアウト ビューポート] -> [矩形] を選び
　ます。

　<u>ビューポートの一方のコーナーを指定：</u>

　マウスで P1 あたりを指示します。

　<u>もう一方のコーナーを指定：</u>

　マウスで P2 あたりを指示します。

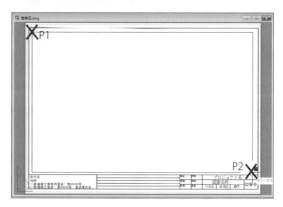

⑥マウスで囲った範囲内にモデル空間で作図した図形がぴったり表示されます。

⑦ビューポートの外枠をクリックして、[プロパティ]パネルを表示させます。

[標準尺度]が<カスタム>となっていますので、ここを<1:100>に変更します。

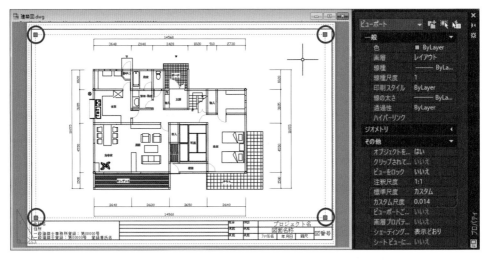

⑧このように、尺度を変更するには[プロパティ]パネルの[標準尺度]を<1:100>にするか(図1)、
[ステータスバー]の[選択されたビューポートの尺度]を<1:100>にします。(図2)

(図1)

(図2)

⑨図形全体が、1/100 の大きさで表示されます。

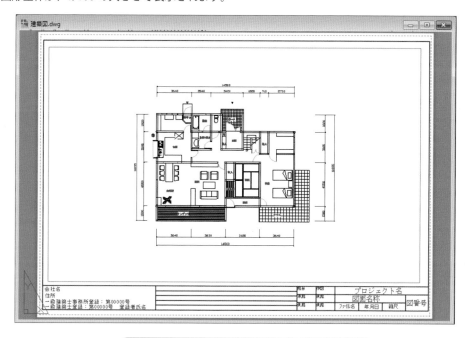

 memo 図枠は A3 の大きさですが、中の図面の大きさは 1/100 の縮尺で表示されています。

⑩ [現在の画層] を <0> に変更し、< レイアウト > の画層の表示を OFF にします。

（レイアウト空間での枠は、その時の画層に作成されるので、図面の尺度等を設定した後に
その画層を OFF にすれば、表示されなくなります。）

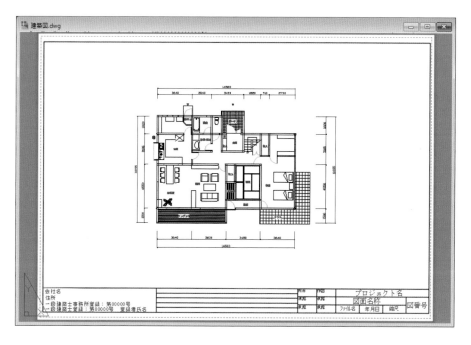

⑪完成した図面名を [建築図] から [建築 (レイアウト 2- 完成)] と名前を付けて保存します。

建築図面

⑫ [印刷] パレット -> [印刷] を使います。

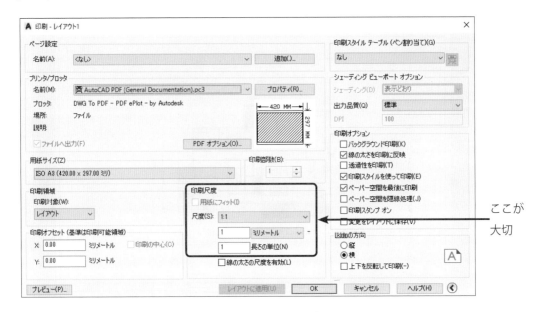

⑬ [印刷] のダイアログが表示されます。

[印刷領域] の項目では < レイアウト > を選びます。

[印刷尺度] の項目で、尺度を <1:1> を確認して [印刷プレビュー] ボタンを押します。

⑭ [OK] ボタン、又は下の [印刷] ボタンを押して印刷します。

第 4 章　機械用テンプレート

機械用のテンプレートを作成しましょう。

この章では、
機械用のテンプレートの作成方法を紹介します。

図面範囲の設定

画層の設定

文字スタイルの設定

寸法スタイルの設定

図枠・タイトル文字等の作図

テンプレートファイルの保存

レイアウト空間のテンプレート作成

第1節の内容　　印刷をモデル空間で行う

① 作図の [図面範囲] を決めます。（用紙は A3、縮尺は 1/1）

[図面] の大きさと [用紙] の大きさは同じですので、図面範囲は＜横 420 ミリ、縦 297 ミリ＞です。

> **Point!**
>
> [図面範囲] の設定は必ずしも必要ではありませんが、
> 印刷時に [印刷対象] から [図面範囲] を選択できます。

② [図枠] を作成します。

図面範囲が＜横 420 ミリ、縦 297 ミリ＞の大きさですから、印刷するときに用紙の内側に図枠が収まるように図枠サイズを設定します。

この例では、横の長さを＜410 ミリ＞、縦の長さを＜280 ミリ＞にしています。

（図枠の線の太さを印刷時に 0.5 ミリにする場合は、実際に作図する時の線の太さも 0.5 ミリのままです。）

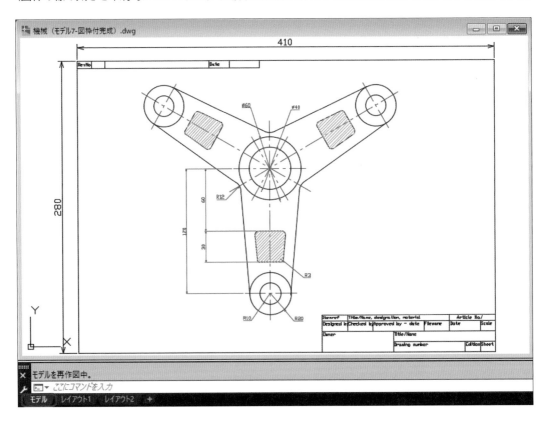

> 図枠はモデル空間に作成します。

上図では、図枠が横 410 ミリ、縦 280 ミリになっていますので、この図面を 1/1 で印刷した場合、

図枠の横は 410 ミリ、縦は 280 ミリで出力されます。（同じ大きさ）

A3 の用紙に図形を配置する時点では等倍なので、印刷の尺度は 1/1 になります。

第 2 節の内容　　印刷をレイアウト空間で行う

① 印刷の [レイアウト] を決めます。（用紙は A3、縮尺は 1/1）

[図面] の大きさと [用紙] の大きさは同じですので、レイアウト範囲は < 横 420 ミリ、縦 297 ミリ > です。

> **Point!**
>
> レイアウトタブから [レイアウト] の設定は必須です。
> 用紙サイズやプリンタ / プロッタの設定を行います。

② [図枠] を作成します。

レイアウト範囲が < 横 420 ミリ、縦 297 ミリ > の大きさですから、印刷するときに用紙の内側に図枠が
収まるように図枠サイズを設定します。

この例では、横の長さを <410 ミリ >、縦の長さを <280 ミリ > にしています。

（図枠の線の太さを印刷時に 0.5 ミリにする場合は、実際に作図する時の線の太さも 0.5 ミリのままです。）

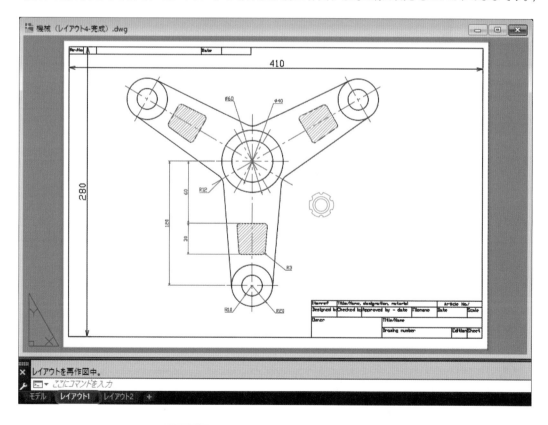

> 図枠はレイアウト空間に作成します。

上図では、図枠が横 410 ミリ、縦 280 ミリになっていますので、この図面を 1/1 で印刷した場合、
図枠の横は 410 ミリ、縦は 280 ミリで出力されます。（同じ大きさ）
図形は A3 の用紙に配置する時点でも等倍なので、印刷の尺度は 1/1 になります。

第1節　モデル空間用テンプレート図面を作成

テンプレート作成（モデル空間）	機械 (モデル 0- 図面 mech).dwg

作 成 手 順（モデル空間用テンプレート）

①	[図面範囲] を決めます。（用紙は A3、縮尺は 1/1）
	[用紙] の大きさと [尺度] により図面範囲が決定されます。（A3 の用紙に 1/1 の縮尺で作成しますので、図面範囲は < 横 420 ミリ、縦 297 ミリ > になります。）
②	[画層名 < レイヤー名 >] を決めます。
	[機械用] の画層名とその画層に割り当てる色と線種を決めます。
③	[文字] のスタイルを決めます。
	タイトル用の文字や図面内で使用する文字のスタイルを作成します。
④	[寸法] のスタイルを決めます。
	図面内で使用する寸法のスタイルを作成します。
⑤	その他、細かい設定を行います。
	[グリッド][スナップ][作図単位] などの設定を行います。
⑥	図枠とタイトル文字等を作図します。
	図面枠の作図と会社名や図面名称などを記入していきます。
⑦	このように設定した図面を [テンプレートファイル] として保存します。
	新規図面は、このテンプレートファイルを基にして作図します。

[図面範囲]を決めます。(用紙はA3、縮尺は1/1)

①プルダウンメニュー[形式]->[図面範囲設定]

<u>コマンド'_limits</u>

<u>オフ: オン(ON)/<左下コーナーを指定<0,0>: ⏎</u>

<u>右上コーナーを指定<420,297>: 420,297 ⏎</u>

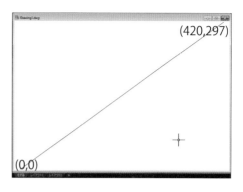

[図面範囲]は印刷設定時に関係してきます。

②プルダウンメニュー[表示]->[ズーム]->[図面全体]

<u>コマンドZ</u>

<u>ズーム: 拡大(I)/縮小(O)/図面全体(A)/ダイナミック(D)/</u>
<u>中心点(C)/オブジェクト範囲(E)/左(L)/前画面(P)/右(R)/</u>
<u>窓(W)/尺度(nX/nXP)/<リアルタイム>: A ⏎</u>

memo

[図面範囲]を設定した後は、[図面全体]
で全体を表示するようにしましょう。

② [画層名<レイヤー名>]を決めます。

① [画層]パネル->[画層プロパティ管理]を選びます。(最初は<0>画層の一つしかありません。)

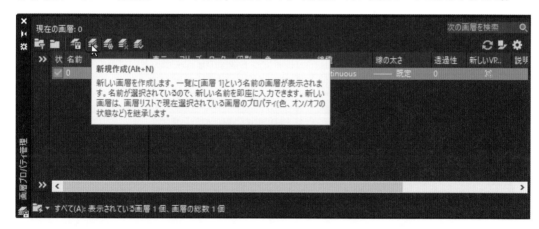

② [新規作成]のボタンを押します。

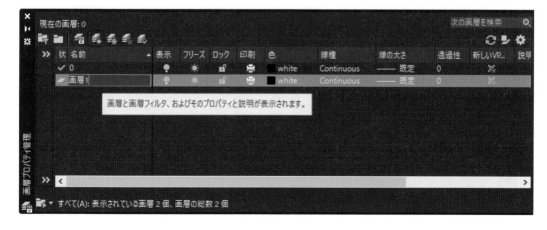

③画層が新しく作成されますので、画層の [名前] を < Cen > に変更します。

又、色を < red >、線種を < CENTER2 > に設定します。

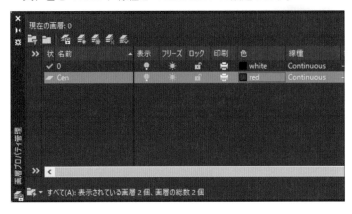

④同様にして、下図の表のように画層を作成します。

	画層名	色	線種	用途
1	Cen	red	CENTER2	中心線の画層に使用します。(線種は一点鎖線にします)
2	dim	magenta	Continuous	寸法の画層に使用します。
3	hat	green	Continuous	ハッチングの画層に使用します。
4	hid	white	HIDDEN	隠れ線の画層に使用します。(線種は破線にします)
5	paper	8	Continuous	レイアウト空間のビューポート作成用の画層に使用します。
6	txt	blue	Continuous	文字の画層に使用します。
7	title	white	Continuous	タイトルの画層に使用します。
8	other	white	Continuous	上記以外の画層に使用します。

⑤下図のように画層を作成しました。

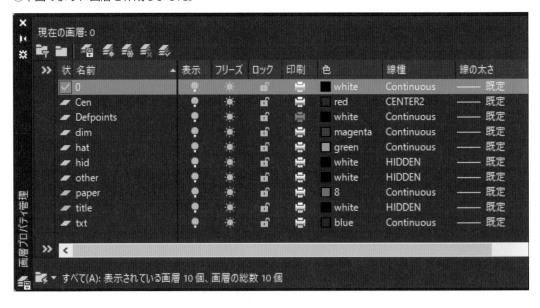

❸ [文字] のスタイルを決めます。

① [文字] パネル -> [文字スタイル管理] を選びます。

　[新規作成] のボタンを押します。（Standard は寸法文字に使います。）

② [スタイル名] を <Title> とします。（表題欄の文字に使います。）

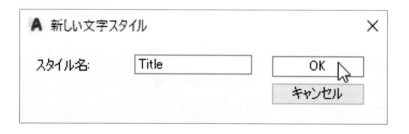

③ 続いて、[フォント名] では <MSP 明朝 > を選びます。

　[適用] ボタンを押して、ダイアログを閉じます。

❹ ［寸法］のスタイルを決めます。

① ［寸法記入］パネル -> ［寸法スタイル管理］を選びます。

　［新規作成］のボタンを押します。

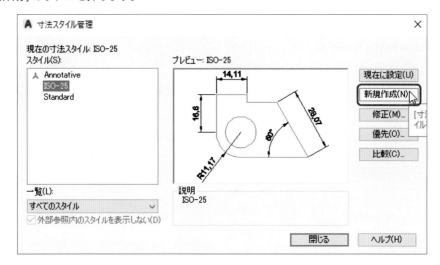

② ［新しいスタイル名］を <mech> として、［続ける］のボタンを押します。

 ❷新しい寸法スタイルを
　［異尺度対応］にするには
　［異尺度対応 (A)] にチェック
　します。

新しい寸法スタイル <mech> の設定を変更します。

③最初に［シンボルと矢印］のタブを表示します。

　［矢印のサイズ］を <2> に設定します。

　［矢印］の種類は <30 度開矢印 > を選択します。

 ❸［弧長シンボル］は寸法値の
　［前］［上］［なし］の3通りが
　あります。

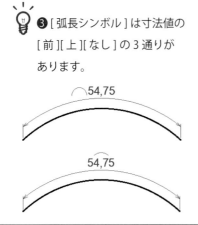

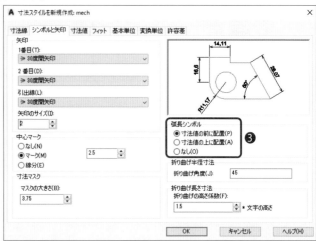

④次に [寸法値] タブを選びます。

　[文字スタイル]は<Standard>を選択します。

　[文字の高さ] を <3> に変更します。

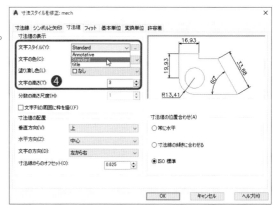

 ❹ [文字スタイル] で [文字の高さ] を <0> 以外に設定した場合、[寸法値] の [文字の高さ] は指定できません。

⑤次に [フィット] タブを選びます。

　[全体の尺度] を <1> とします。

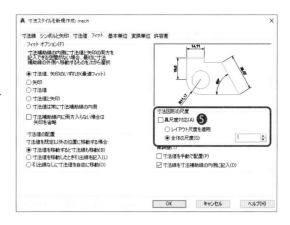

 ❺ [異尺度対応] にチェックした場合、[全体の尺度] は指定できません。

⑥次に [基本単位] タブを選びます。

　[長さ寸法] の [精度] を <0.00> とします。

　[0 省略表記] の [末尾] をチェックします。

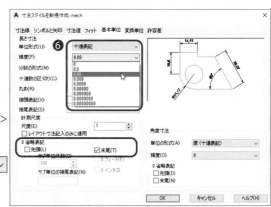

 ❻ [単位形式] に [Windows デスクトップ] を指定すると、3 ケタ毎にカンマ <,> が入ります。

⑦ [OK] ボタンを押して、ダイアログを閉じます。

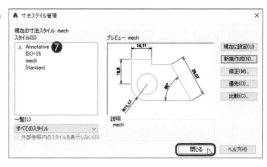

 ❼ のマークがある寸法スタイルは [異尺度対応スタイル] です。

❺ 寸法以外の設定を変更します。

①プルダウン メニュー [形式] -> [単位管理]
[長さ] のタイプに < 十進表記 > を選択します。
[表示精度] を < 0.00 > にします。

 ❶ CAD は [反時計回り] が正の角度です。

②プルダウン メニュー [ツール] -> [作図補助設定]
[グリッド オン] にチェックします。
[X 間隔]：<10>
[Y 間隔]：<10> に変更します。

 ❷ [図面範囲外のグリッドを表示] の
チェックを外すと、グリッドは図面範囲
だけに表示されます。

③プルダウン メニュー [形式] -> [線種設定]
[グローバル線種尺度] に <1.0> を入力します。

 ❸ [ペーパー空間] と [モデル空間] で
線種を同じ尺度に設定します。

④プルダウン メニュー [形式] -> [点スタイル管理]
一番上の右から 2 番目の <X> をチェックします。

 ❹ [点] は印刷されますから、必要ない場合は
削除してください。

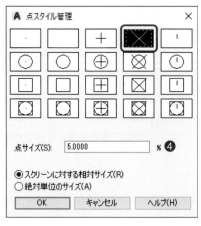

6 [作成] -> [長方形] で作図をします。（画層は <0>）

① [長方形] コマンドを選びます。

X：410、Y：280 の長方形を作図します。

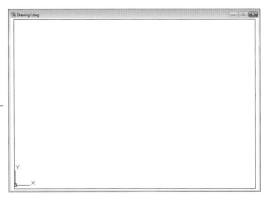

コマンド _rectang

<u>一方のコーナーを指定 または [面取り (C)/ 高度</u>
<u>(E)/ フィレット (F)/ 厚さ (T)/ 幅 (W)/ テーパ角度</u>
<u>(O)]:</u> 5,5 ↵
<u>もう一方のコーナーを指定 または [面積 (A)/</u>
<u>サイズ (D)/ 回転 (R)]:</u> @410,280 ↵

② [オフセット] コマンドを選びます。

XY 方向に表示されている間隔で、オフセットします。

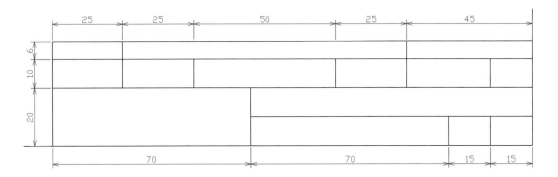

③ 下図のように作図します。

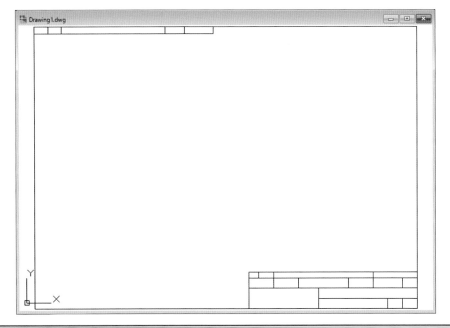

機械用テンプレート

④ [文字記入] コマンドを選びます。(画層は <title>)

[文字スタイル管理] から文字スタイルに [title] を選びます。

[title] のフォントは <MS P 明朝 > を使います。

RevNo			Date	

Itemref	Title/Name, designation, material			Article No./	
Designed by	Checked by	Approved by — date	Filename	Date	Scale
Owner		Title/Name			
		Drawing number		Edition	Sheet

⑤下図のようにタイトルの文字を作図します。

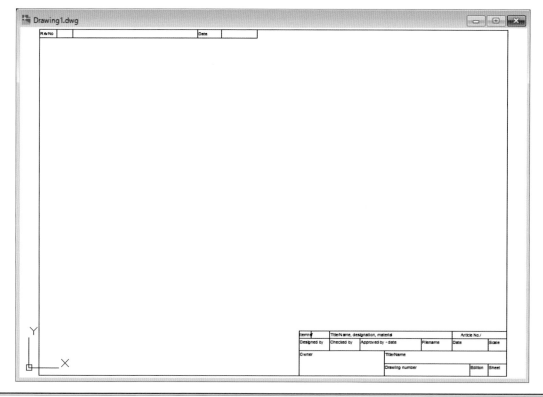

⑦ ［アプリケーションメニュー］-> ［名前をつけて保存］コマンドで新規保存します。

①保存場所

テンプレートを保存する場所を選択します。

［ファイル名］：＜図面 mech＞

［ファイルの種類］：＜AutoCAD 2018dwg）＞

で保存します。

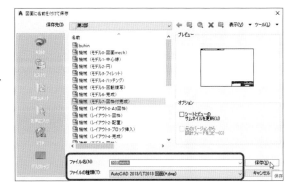

②この図面を使って新規作成するときは、［アプリケーションメニュー］-> ［新規作成］を選択し、
［テンプレートを選択］ダイアログのファイルの種類に［図面 (*.dwg)］を指定します。

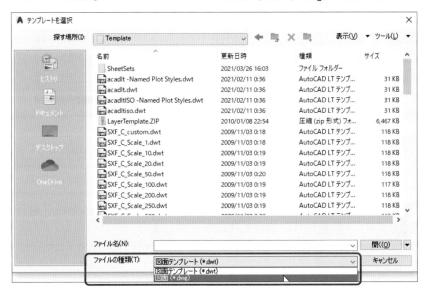

③テンプレートとして使用する図面ファイルを選びます。（図面 mech.dwg）

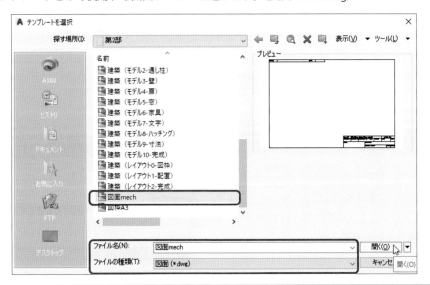

第 2 節　　レイアウト空間用テンプレート図面を作成

テンプレート作成（レイアウト空間）	機械 (レイアウト 0-A3 図枠).dwg

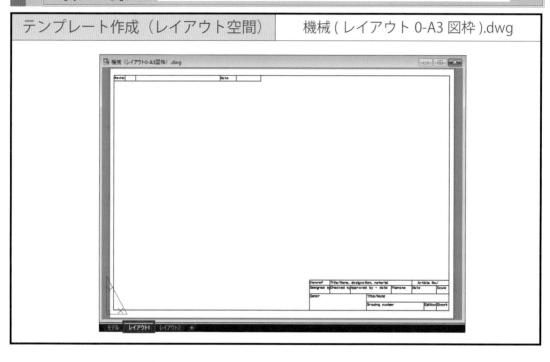

作成手順（レイアウト空間用テンプレート）

❶	新規作成で [図面 mech] の図面を使用します。（用紙は A3、縮尺は 1/1）
	[図枠 mech] の図面を読み込み、変更部分のみを修正して [A3 用紙][縮尺 1/1] 用の図面にします。（変更がない場合も確認をしましょう。）
❷	図面全体をブロック登録します。
	[ブロック作成] コマンドで、図枠全体をブロック登録します。
❸	[レイアウト空間] に切り替え、ブロック登録した [zuwaku] を挿入します。
	レイアウト空間内に [zuwaku] のブロックを挿入し、分解しておきます。
❹	[レイアウト空間] 用のファイルとして [名前を付けて保存] します。
	図面をレイアウト空間に配置する場合は、このテンプレートを使います。

Point! レイアウト空間に配置する時の注意点

レイアウト空間に図枠や図面を配置するときは
あらかじめ [ページ設定管理] から [用紙サイズ] や
[プリンタ / プロッタ]、[印刷領域]、[印刷尺度] 等
の設定を済ませておきます。

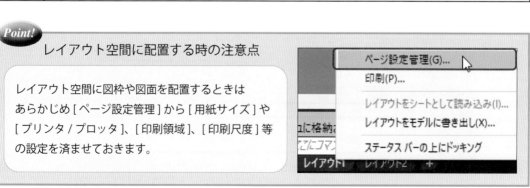

機械用テンプレート

① 新規作成で [図面 mech] の図面を使用します。

①元の図面は 1/1 用に設定されていますので、そのまま使用します。（用紙は A3、縮尺は 1/1）

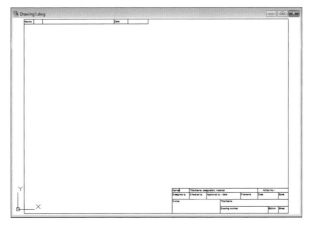

② 図面全体をブロック登録します。

① [ブロック定義] -> [ブロック作成] コマンドを使います。(画層 <0>)

② [名前] を <zuwaku> にします。

③ [基点] は図枠の左下にします。

④ [オブジェクト] は [オブジェクトを選択] ボタンを押して、図形全体を選択します。

⑤ [削除] ボタンにチェックします。図形は画面から消えていますが、ブロックとして登録されています。

memo

次にレイアウト空間に切り替えて、

このブロック図形を図枠として配置

します。

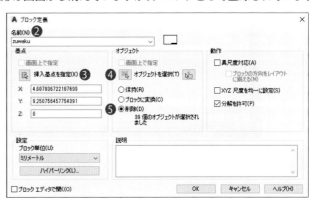

❸ ［モデル］から［レイアウト 1］に切り替えます。

① ［ブロック］パネルの［挿入］を使い、リボン ギャラリーから <zuwaku> を選びます。

  または、［パレット］パネルの［ブロック］を使い、ブロック パレットから <zuwaku> を選びます。

[リボン ギャラリー]　　　　　　　　　[ブロック パレット]

 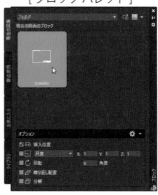

②レイアウト空間に実寸の A3 用紙用の図枠を配置しました。

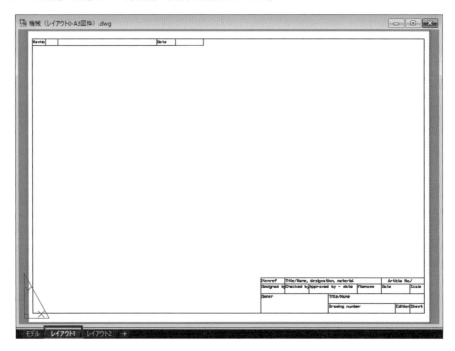

❹ テンプレート用ファイルとして［名前を付けて保存］します。（A3 図枠 .dwg）

①作図は［モデル空間］、図枠は［レイアウト空間］と分けて使う場合は、この図面を使用します。

第5章　機械図面作成

機械図面を作図してみましょう。

この章では、
機械図面の作図方法を紹介します。

- テンプレートファイルの呼び出し
- 中心線の作図
- 外形線の作図
- 寸法の記入
- レイアウト空間に配置
- ブロック図形の挿入
- 印刷

第1節　　　モデル空間に作図する

完成した機械図面 (作図はモデル空間)	機械 (モデル 6- 完成).dwg

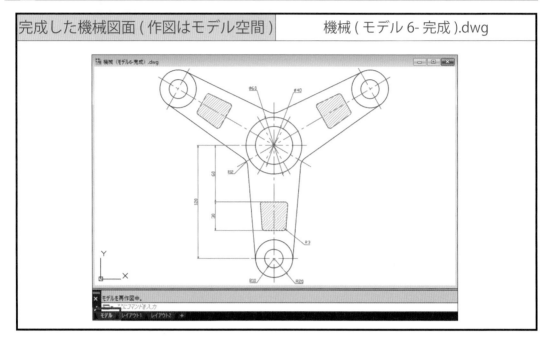

作 成 手 順 （モデル空間 & レイアウト空間）	
❶	[A3 用紙・1/1] 用の図面をテンプレート図面として呼び出します。
	A3 用紙、縮尺 1/1 用の図面をテンプレートファイルとして使用します。 (図面範囲は < 横 420 ミリ、縦 297 ミリ > になります。)
❷	[中心線] を作図。
	パーツの中心線を作図します。
❸ ❹ ❺	[外形線] を作図。
	パーツの外形線とハッチングを作成します。
❻	[寸法] を作図。
	寸法を記入します。
❼	レイアウト空間に図形を配置。
	[レイアウト空間] に切り替えて、図形を配置します。
❽	[部品] を挿入。
	図面内に外部の部品を外部参照で挿入します。
❾	[部品] の修正と [印刷] の設定。
	挿入した部品を修正して、印刷の準備をして印刷します。

1 新規ファイルに [A3 用紙・1/1] 用のファイルを使います。

① [クイックアクセス ツールバー] -> [新規作成]

ファイルの種類に [dwg] ファイルを選び、使用する図面のあるフォルダに移動します。

② [開く] ボタンを押して、ファイルを開きます。< 機械 (レイアウト 0-A3 図枠 .dwg)>

☞ 呼び出すファイルが存在している場所は上のダイアログに表示されている位置と
必ずしも同じではありません。

③レイアウト空間に図枠が作成済みの図面を新規図面として使用します。

レイアウト空間には図枠が表示されています。

（新規図面ですから、<Drawing> という仮の名前がついています。）

④上図のように、すでにレイアウト空間には図枠がセットされています。

モデル空間に切り替えて、作図を行います。

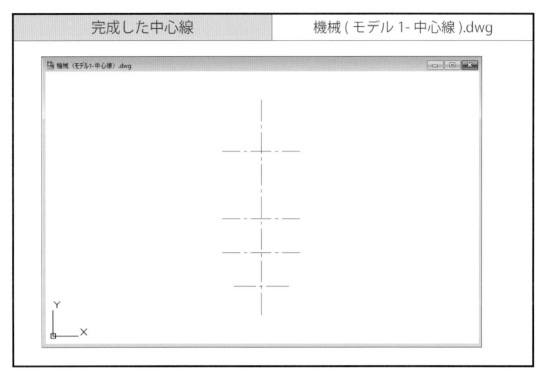

中心線を引いて、完成した中心線が表示されています。タイトルは「機械 (モデル 1- 中心線).dwg」です。

━━━━━━━━━━━ 作成手順 ━━━━━━━━━━━

2 画層を [Cen] に変更します。

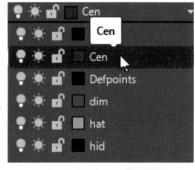

① [画層プロパティ管理] を開いて <Cen> の画層に
切り換えます。

 [画層] は <Cen>、[線種] は <ByLayer> であることを
確認しましょう。

② [作成] -> [線分] コマンドで右図のように適当な 位置に
水平・垂直の線分を 1 本ずつ引きます。
（直交モード使用）

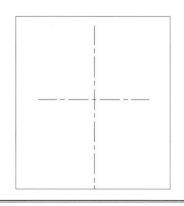

 [[線種] が <1 点鎖線 > に見えないときは、
[線種管理] ダイアログから [グローバル線種尺度] で
数値を変更する必要があります。

③ [修正] -> [オフセット] コマンドで右図のように
水平線 A を使って他の水平線を下側に作成します。
（オフセット間隔 <60> と <30> で作成しました。
寸法は確認のために入れました。）

Point!

[オフセット] コマンドの初期値は平行複写と
同じですので、選んだ図形と同じ画層、色、線種
で作成されます。
しかし、オプションの [画層] を選ぶと他の画層
にオフセットすることができます。

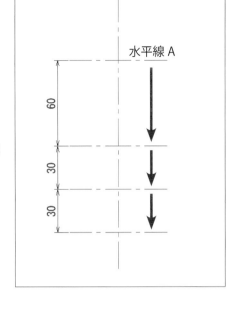

④ [修正] -> [長さ変更] コマンドでオフセットした線分の
長さを伸縮してバランスをとります。
オブジェクトを選択 または [増減 (DE)/ 比率 (P)/ 全体 (T)/
ダイナミック (DY)]:　dy ⏎
変更するオブジェクトを選択 または [元に戻す (U)]:
マウスで右図のように線分の端付近を取ります。(S1)
（マウスを動かすと線分も伸縮します。）
新しい終点を指定 :
適当と思われる位置 (P1) で左ボタンを押して確定します。

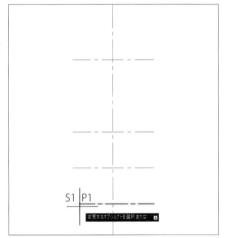

⑤右図のように線分の長さを修正します。

Point!

同じ角度を保ったままで、線分を伸縮するには
[ストレッチ] か [長さ変更] を使います。

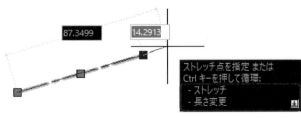

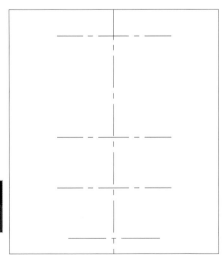

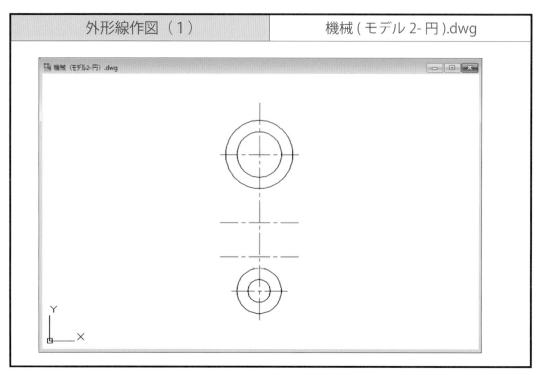

━━━ 作成手順 ━━━

③ 画層を [0] に変更します。

① [画層プロパティ管理] を開いて < 0 > の画層に切り換えます。

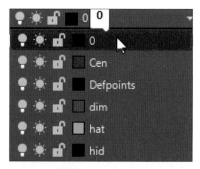

② [作成] -> [円] コマンドを選びます。

円の中心点を指定 または [3 点 (3P)/2 点 (2P)/ 接、接、半 (T)/
円弧 (A)/ 複数 (M)/ 同心円 (C)]:

マウスで中心線の交点 (P1) を指示します。

円の半径を指定 または [直径 (D)]: 20 ⏎

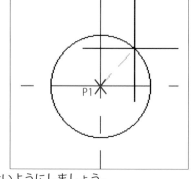

< 初期値 > が半径ですから、直径と半径の値を間違えないようにしましょう。

③マウスの右ボタンを押して円コマンドを再開します。

円の中心点を指定 または [3 点 (3P)/2 点 (2P)/ 接、接、半 (T)/ 円弧 (A)/ 複数 (M)/ 同心円 (C)]: @ ⏎

Point!

< @ > は正確には < @0,0 > と同じです。

< @ > だけで最後の座標から始まります。

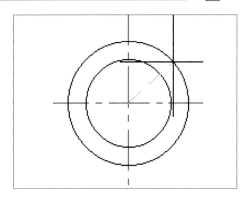

④円の半径を指定 または [直径 (D)] <20>: 30 ⏎

右下図のように作図できます。

別方法 [円] と [オフセット] で作成

同心円を作成するには、[オフセット] でも可能です。
この場合では、オフセット間隔を <10> にして
<R20 (S1)> の円を外側にオフセットします。

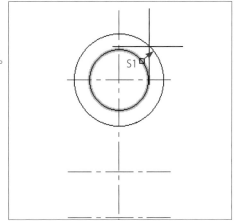

⑤同様にして、[円] コマンドで下方の二つの円 (R10 と R20) を作成します。

別方法 [複写] と [オフセット] で作成

上方の <R20> の円を下方の交点の位置に複写します。
複写した円をオフセット間隔を <10> にして
<R20 (S1)> の円を内側にオフセットします。

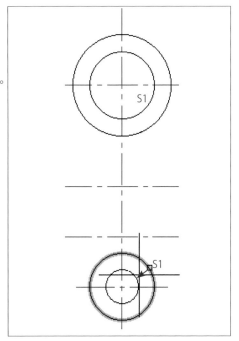

機械図面

外形線作図（２）	機械 (モデル 3- フィレット).dwg

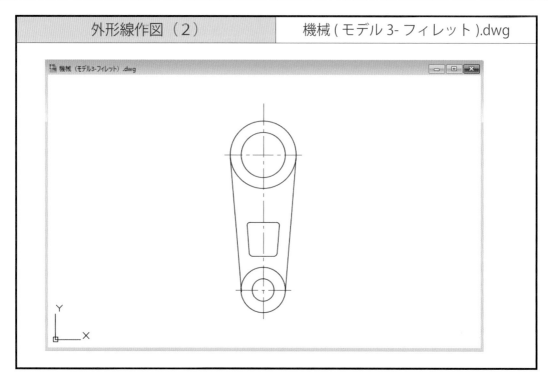

━━━ 作成手順 ━━━

⑥ [作成] -> [線分] コマンドを使います。

（O スナップの接線モード）

<u>1 点目を指定</u>：

マウスで右図のように外側の円の左側 (S1) を指示

します。

<u>次の点を指定</u>：（O スナップの接線モード）

マウスで下側の円 (S2) を指示します。

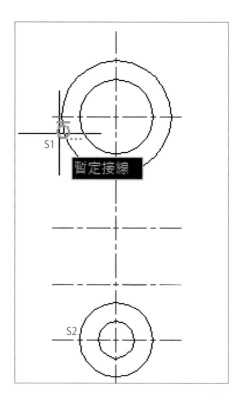

[O スナップ] の＜接線＞モードを使用しないと円に接しません。

図形を選択するときは、現在のスナップモードを確認しておくことが大切です。

⑦ [修正] -> [フィレット] コマンドを使います。

最初のオブジェクトを選択 または [元に戻す (U)/ ポリライン (P)/ 半径 (R)/ トリム (T)/ インバート (I)/ 複数 (M)]: R ⏎

⑧ フィレットの半径を入力 <0>: 3 ⏎

⑨ 最初のオブジェクトを選択 または [元に戻す (U)/ ポリライン (P)/ 半径 (R)/ トリム (T)/ インバート (I)/ 複数 (M)]: マウスで線分 S1 を選択します。（残す方を選択）

⑩ 2 つ目のオブジェクトを選択: 線分 S2 を選択します。（残す方を選択）

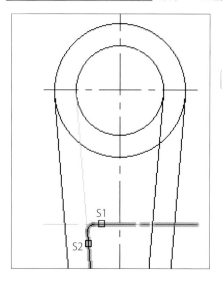

Point!

<Cen> の画層の線分 S1 と < 0 > 画層の線分 S2 を
フィレットしても、それぞれの画層を保ちますから、
線分 S1 の画層を < 0 > 画層に変更する必要があります。

⑪ [オブジェクトプロパティ管理] や [画層プロパティ管理] を使って、< 0 > 画層に変更します。

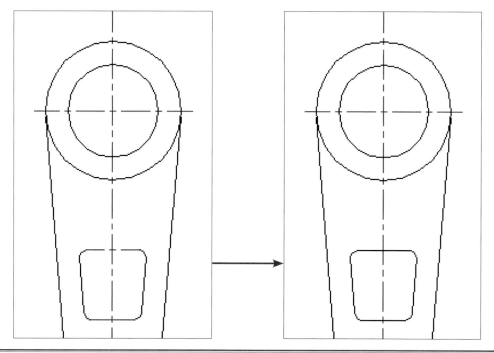

完成したハッチング	機械 (モデル 4- ハッチング).dwg

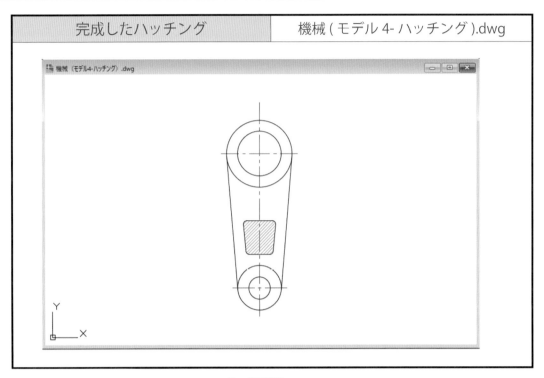

━━━━ 作成手順 ━━━━

④ ハッチングを作成します。

①ハッチングの画層に切り換えます。

②[作成] -> [ハッチング] コマンドを使います。[ハッチング作成] リボンタブが表示されます。
オプションのダイアログ ボックスランチャー (赤丸) を指示すると、従来のハッチング ダイアログ
が表示されます。

③[ハッチング] タブの [タイプとパターン] で
< ユーザ定義 > を選びます。

④[角度と尺度] では [角度] を <45>,
[間隔] を <2> と入力します。

⑤[境界] の [追加：点をクリック] ボタンを
押します。

⑥内側の点をクリック または [オブジェクトを選択 (S)/ 元に戻す (U)/ 設定 (T)]:

　マウスで (図 1) のように、ハッチングの領域内 (点 P1) で左ボタンを押します。

　指示した領域にハッチングのパターンが表示されます。

⑦ (図 2) のようにハッチングが作成されました。

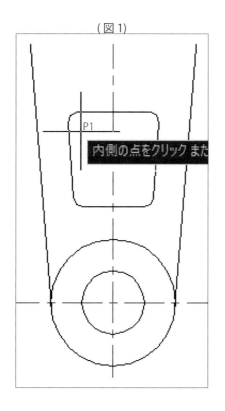
(図 1)

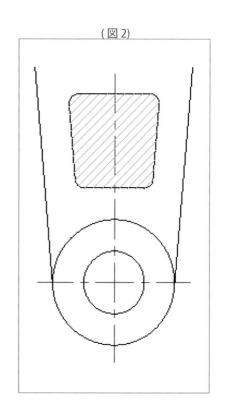
(図 2)

⑧ハッチングをクリックまたはダブルクリックすると、[クイックプロパティ] が表示されます。

　このパネルからは、ハッチングの [画層] や [角度] などの変更が可能です。

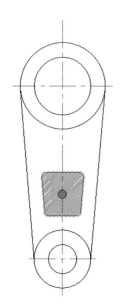

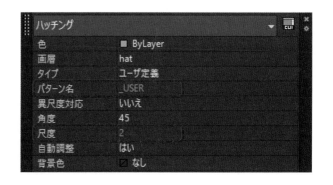

ハッチング	
色	■ ByLayer
画層	hat
タイプ	ユーザ定義
パターン名	_USER
異尺度対応	いいえ
角度	45
尺度	2
自動調整	はい
背景色	☑ なし

Point!

[クイックプロパティ] パネルで色の薄い項目
(パターン名と尺度) は変更できません。
[ハッチング編集] コマンドを使います。

機械図面

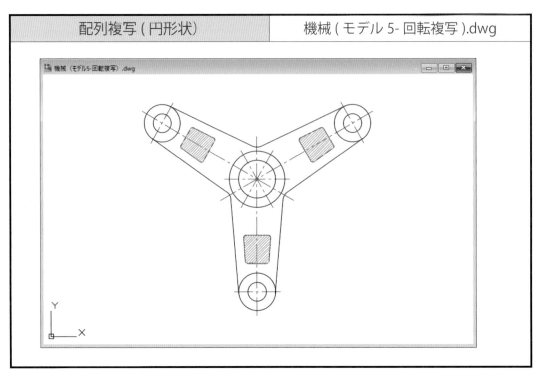

配列複写 (円形状) | 機械 (モデル 5- 回転複写).dwg

▰▰ ▰▰ ▰▰▰▰▰ **作成手順** ▰▰▰▰▰ ▰▰ ▰▰

⑤ 配列複写 (円形状) します。

①画層は < ハッチング > のままでも構いません。

② [修正] -> [配列複写 (ArrayClassic)] コマンドを使います。

表示されるダイアログから [円形状配列複写] を選びます。

次に [オブジェクトを選択] のボタンを押して、下図の P1-P2 のように交差で図形を囲んで選択します。

次に [中心点] のボタンを押して、回転複写の中心 (P3) を指示します。

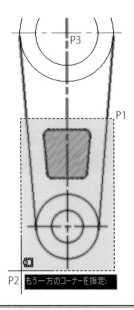

③次に [複写の回数] を <3>、[全体の複写角度] を <360> として
[OK] ボタンを押します。

([回転させながら複写] がチェックされていることを確認しましょう。)

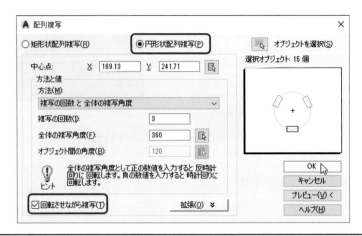

④[修正] -> [フィレット] コマンドを使います。

現在の設定 : モード = トリム , 半径 =3

最初のオブジェクトを選択 または [元に戻す (U)/ ポリライン (P)/ 半径 (R)/ トリム (T)/ インバート (I)/ 複数 (M)]: R ↵

⑤フィレット半径 <3>: 12 ↵

⑥最初のオブジェクトを選択 または [元に戻す (U)/ ポリライン (P)/ 半径 (R)/ トリム (T)/ インバート (I)/ 複数 (M)]:

マウスで線分 S1 を選択します。(残す方を選択)

2 つ目のオブジェクトを選択 :

線分 S2 を選択します。(残す方を選択)

他の 2 箇所も同様に処理します。

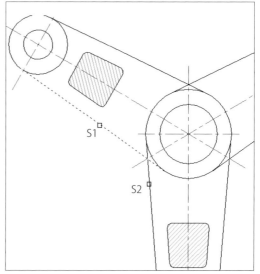

⑦下図のようになります。

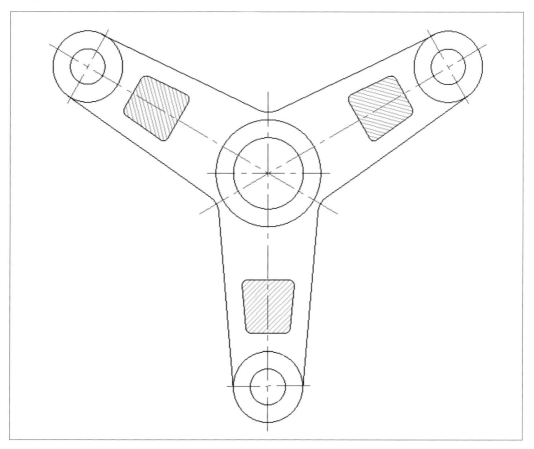

完成した寸法	機械 (モデル 6- 完成).dwg

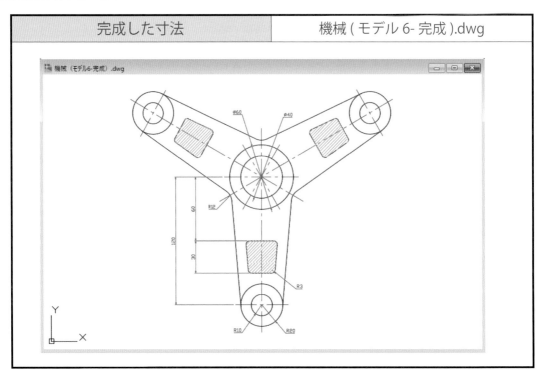

━━━ 作成手順 ━━━

6 画層を [dim] に変更します。

①画層プロパティ管理] を開いて < dim > の画層に切り換えます。

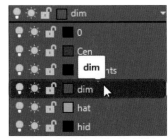

☞ [画層] は < dim >、[線種] は < ByLayer > であることを
確認しましょう。

② [寸法記入] -> [長さ寸法] コマンドを使用します。

<u>1 本目の寸法補助線の起点を指定 または < オブジェクトを
選択 ></u>:

マウスで線分の端 (P1) を取ります。

<u>2 本目の寸法補助線の起点を指定 :</u>

マウスでハッチングの上 (P2) を取ります。

<u>寸法線の位置を指定 または</u>

<u>[マルチ テキスト (M)/ 寸法値 (T)/ 寸法値角度 (A)/ 水平 (H)/
垂直 (V)/ 回転 (R)]:</u>

寸法数値を入れたい位置 (P3) で左ボタンを押して確定し
ます。

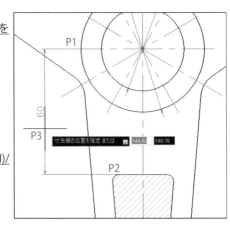

機械図面

③続けて [寸法記入] -> [直列寸法記入] コマンドを使用
します。

<u>2 本目の寸法補助線の起点を指定 または [元に戻す (U)/
選択 (S)] < 選択 >:</u>

マウスでハッチングの下側 (P4) を取ります。

自動的に直列寸法が記入されます。

<u>2 本目の寸法補助線の起点を指定 または [元に戻す (U)/
選択 (S)] < 選択 >:</u> ↵

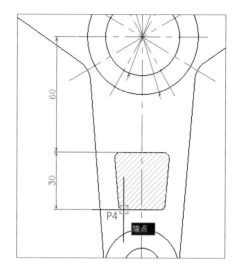

④ [引出線] -> [マルチ引出線記入] コマンドを使用します。

<u>引出線の矢印の位置を指定 :</u>

[O スナップ] の < 近接点 > を使い円周上 (P5) を取ります。

文字の入力画面が表示されますから、キーボードから
< Φ 40> と入力します。

⑤ OK ボタンを押して終了します。

 < Φ > は <%%C> と入力すると、Φに変換されます。

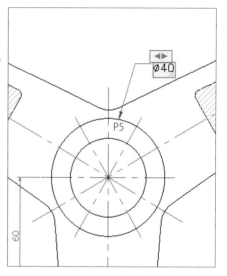

⑥ [寸法記入] -> [直径寸法] コマンドを使うと、下図のように < Φ > は自動的に記入されます。

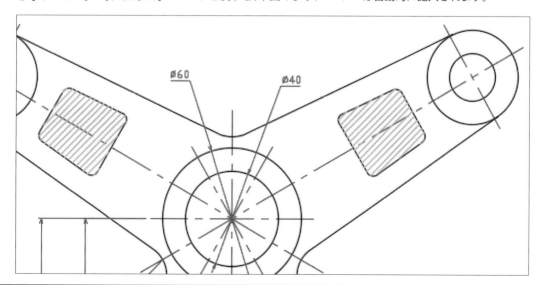

機械図面

第2節　レイアウト空間に配置し、印刷する

| A3用紙に印刷（レイアウト空間）　　機械（レイアウト4-完成）.dwg |

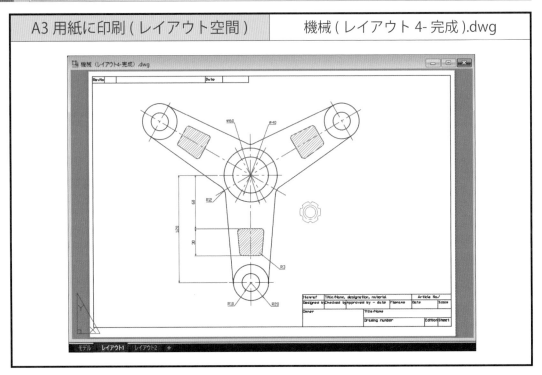

━ ━ ━ ━━ ━━━ 作成手順 ━━━ ━━ ━ ━ ━

7 作図した図面をレイアウト空間に配置します。

①[レイアウト1]のタブをクリックして、レイアウト空間に移動します。

②ステータスバーにある[モデル]をクリックしても、レイアウト空間に移動できます。
　（モデル空間とレイアウト空間の切り替えになります。）

③レイアウト空間には、あらかじめ A3 用紙の大きさの図枠が作成されています。

（作成済の図面をレイアウト空間用のテンプレートファイルとして使用しているから。）

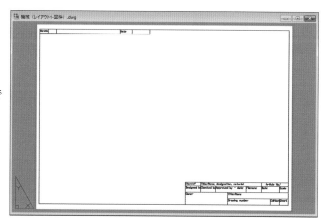

Point!

もし、レイアウト空間が白紙のままで
したら、A3 の図枠の図面ファイルを
ブロック挿入することになります。

④ [画層プロパティ管理] を開いて、<paper> の画層に切り替えます。

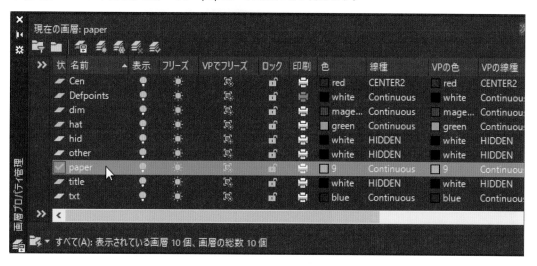

⑤ [レイアウトビューポート] パネル -> [矩形] を選びます。

　ビューポートの一方のコーナーを指定： マウスで点 P1 あたりを指示します。

　もう一方のコーナーを指定： マウスで点 P2 あたりを指示します。

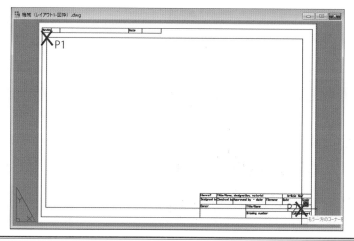

機械図面 （ビューポートに配置）

⑥マウスで囲った範囲内にモデル空間で作図した図形がぴったり表示されます。

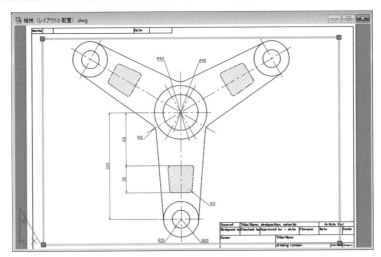

⑦ビューポートの外枠をクリックして、[プロパティ] を表示させます。

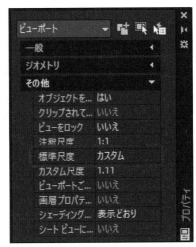

⑧ [プロパティ] の一番下にある [標準尺度] を <1:1> に変更します。(図 1)

　または、[ステータスバー] の [選択されたビューポートの尺度] を <1:1> にします。(図 2)

(図 1)

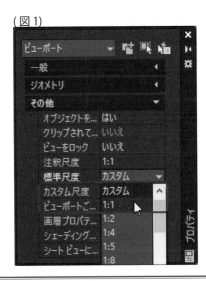

(図 2)

⑨図形全体が、1/1 の大きさで表示されます。

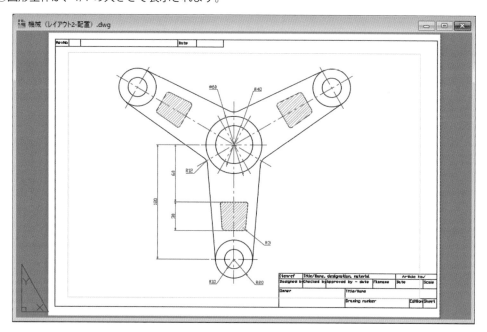

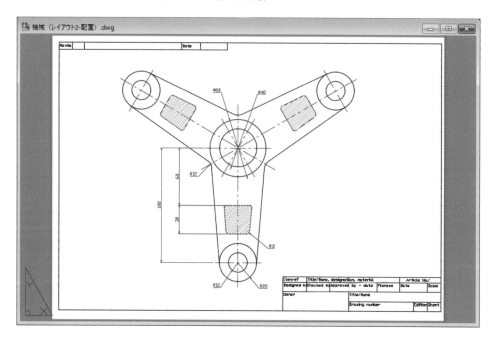

図枠は A3 の大きさですが、中の図面の大きさも
1/1 の実寸で表示されています。

⑩ [現在の画層] を <0> に変更し、<paper> の画層の表示を OFF にします。

（レイアウト空間での枠は、その時の画層に作成されるので、図面の尺度等を設定した後に
その画層を OFF にすれば、表示されなくなります。）

機械図面

⑧ 外部ファイルから [buhin.dwg] を外部参照で挿入します。

①[挿入] -> [参照] -> [アタッチ]コマンドを使用します。（ファイルの種類は＜図面（ ＊ .dwg)＞を選択）
表示されるダイアログから <buhin> を選択します。

②[尺度]、[挿入位置]、[回転]に
チェックして、[OK] ボタンを押します。

③図面内の適当な位置で、マウスの左
ボタンを押して、挿入位置を確定します。

外部参照の図形は「うすく表示」
されています。

④[名前を付けて保存]または[上書き保存]します。

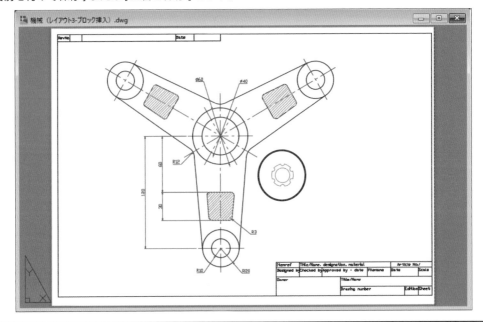

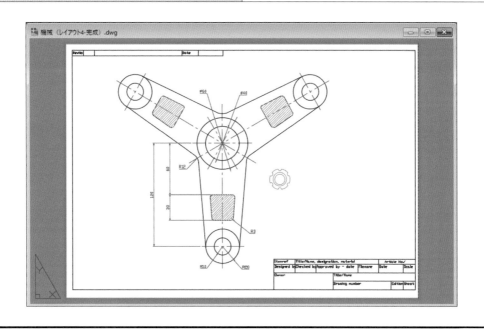

外部参照の図形 (buhin) の変更	機械 (レイアウト 4- 完成).dwg

━━━━ 作成手順 ━━━━

⑨ 現在の図面を閉じて、[buhin] ファイルを開きます。

① [作成] -> [円] コマンドで半径 <6> の円を作成します。

② [上書き保存] コマンドでこのファイルを上書き保存して閉じます。

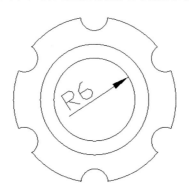

挿入した図 (buhin) をダブルクリックして図面内でも編集できます。
[インプレイス参照編集]

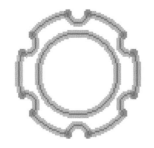

機械図面

③先程保存した < 機械図面 > ファイルを開きます。

開いた瞬間に [外部参照] コマンドで挿入した図面 <buhin> は、最新の図に変更されています。

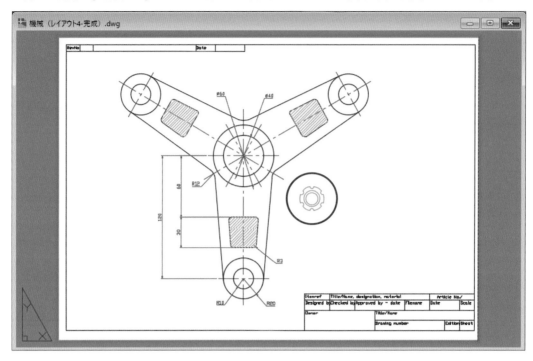

④ [出力] -> [印刷] コマンドを使います。

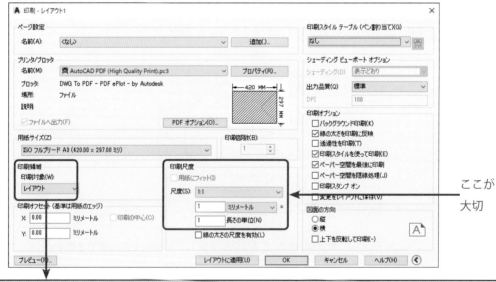

印刷する範囲	
[モデル] と [レイアウト] で共通	
オブジェクト範囲	描かれているオブジェクトの範囲を印刷
窓	マウスで四角で囲った範囲を印刷
表示画面	表示されているオブジェクトの範囲を印刷
[モデル]	
図面範囲	LIMITS(図面範囲) で設定されている範囲を印刷
[レイアウト]	
レイアウト	ページ設定の用紙サイズの範囲を印刷

⑤ [印刷] のダイアログが表示されます。

　[印刷領域] の項目では < レイアウト > を選びます。

　[印刷尺度] の項目で、尺度を <1:1> にして [印刷プレビュー] ボタンを押します。

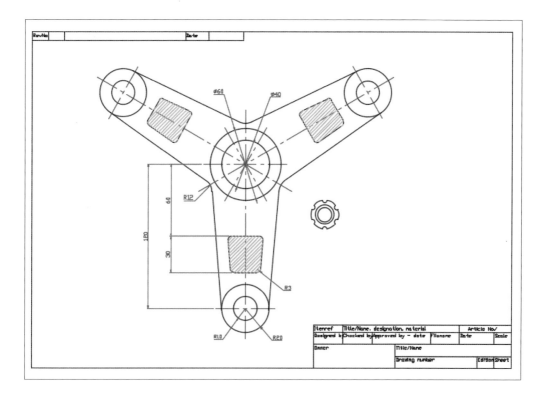

⑥ [OK] ボタン、又は下の [印刷] ボタンを押して印刷します。

memo

[印刷領域]

プリンターの種類によって、印刷可能な範囲が違っています。
そのため、印刷漏れが生じる可能性があります。
そのような場合は、図枠自体の大きさをプリンターの作図範囲に合わせて作成する
必要があります。

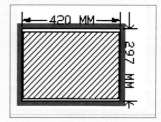

右のように、赤線で表される箇所は印刷範囲から
外れています。
赤線が無くなるように、図枠を縮小したり位置を
変更する必要があります。

機械図面

Index（索引）

Index（索引）

Index（索引）

Index（索引）

著者プロフィール

AUTODESK. Authorised Developer　中森　隆道（なかもり　たかみち）

株式会社エリプス代表。CAD & CAE プログラム開発者、職業訓練校運営。
1990 年から企業や自治体に対して AutoCAD の講習を行っており、愛知県では
最も古い職業訓練校を運営。社会人向けスクールの教科書や職業訓練校・工業高校
のテキストを 20 年以上執筆している。CAD 分野の関連書籍は 27 冊を超え、
「CAD 資格認定試験」や「CAD プログラミング」の書籍数は業界随一を誇る。

著書

・CAD 操作マニュアル分野

[Autodesk Mechanical Desktop の使い方] ソフトバンククリエイティブ株式会社
[IntelliCAD 2002 公式ガイドブック] 株式会社 鳥影社
[CAD 総合講座 AutoCAD2000i コマンド編＆練習編] ソフトバンククリエイティブ株式会社
[基礎から学ぶ AutoCAD2002 コマンド編＆実践編] ソフトバンククリエイティブ株式会社
[AutoCAD LT 標準教科書] 株式会社 鳥影社
他　多数

・CAD 資格試験対策分野

[CAD 利用技術者試験 1 級ハンドブック 2000 年] ソフトバンククリエイティブ株式会社
[CAD 利用技術者試験 1 級ハンドブック 2001 年] ソフトバンククリエイティブ株式会社
以下は 2002 年から 2005 年まで毎年
[CAD 利用技術者試験 2 級徹底理解] ソフトバンククリエイティブ株式会社
[CAD 利用技術者試験 1 級徹底理解] ソフトバンククリエイティブ株式会社
他　多数

・CAD プログラム開発分野

[AutoCAD LT2000i 徹底活用] ソフトバンククリエイティブ株式会社
[AutoCAD LT2002 徹底活用] ソフトバンククリエイティブ株式会社
[AutoCAD LT データ 徹底活用術] ソフトバンククリエイティブ株式会社
[AutoCAD ＆ LT カスタマイズブック] ソフトバンククリエイティブ株式会社
[AutoLISP with Dialog] 株式会社 鳥影社

本書掲載 CAD 図面の掲載 Web ページ　　https://www.ellipse.ne.jp/acad.html
本書の質問メールアドレス　　　　　　　acad@ellipse.ne.jp

AutoCAD LT 2022対応
AutoCAD LT 標準教科書

定価（本体3000円＋税）

本書のコピー、スキャニング、デジタル化等の無断複製は著作権法上での例外を除き禁じられています。本書を代行業者等の第三者に依頼してスキャニングやデジタル化することはたとえ個人や家庭内の利用でも著作権法上認められていません。

乱丁・落丁はお取り替えします。

2021年5月25日 初版第1刷印刷
2021年5月31日 初版第1刷発行
著　者　中森隆道
発行者　百瀬精一
発行所　鳥影社 (www.choeisha.com)
〒160-0023 東京都新宿区西新宿3-5-12トーカン新宿7F
電話 03-5948-6470, FAX 0120-586-771
〒392-0012 長野県諏訪市四賀229-1(本社・編集室)
電話 0266-53-2903, FAX 0266-58-6771
印刷・製本　シナノ印刷
© Takamichi Nakamori 2021 printed in Japan
ISBN978-4-86265-892-0　C0055